COLLECTION FOLIO

Sharon Rae
3rd Arts.

Aragon

LE MONDE RÉEL

Les cloches de Bâle

roman

Denoël

C'est là que tout a commencé...

Je n'ai pas mémoire de comment je sortis de la forêt. J'en puis donner idée, raconter ces années, les épisodes, les voyages, les colères, les querelles, les ruptures : tout cela, c'est l'anecdote. Ce qu'il faudrait patiemment retrouver en moi, c'est le cheminement profond, le dessin qui se reforme quand l'eau cesse d'être agitée où l'homme se mire. Moins peut-être qu'une décision d'écrire ainsi plutôt qu'à la façon d'hier, c'est à la faveur de cette tempête autour de moi, avec les branches qui s'écartent, retrouver en soi ce que tant d'années on avait évité de voir ; c'est comme après un incendie les semences oubliées dans la terre qui ne porte plus le poids de l'ombre, et des plantes naissent où les arbres ne sont plus. J'avais *volontairement* pendant toutes ces années de ma jeunesse refusé, au point de les croire mortes, ces pensées enfouies, voici qu'elles réapparaissaient au jour.

Pendant plusieurs années, le divorce de la pensée et de l'écriture, de ce qui se formait en moi et du métier de le dire, m'avait limité à des expériences dont je cassais à chaque fois la misérable éprouvette. Dans ce temps où l'on dit bien sommairement que je n'écrivais plus, et je l'ai laissé dire pour simplifier, j'ai terriblement écrit, déchiré, jeté. Fixer la pensée avec des mots m'est naturel comme respirer. Si je ne le fais pas, je meurs, j'asphyxie. S'en satisfaire est autre chose. Je ne m'en satisfaisais pas. C'est l'époque des textes de passage. Ils tiennent au passé, ils vont vers l'avenir, et leur plaie est de constamment essayer justifier demain par hier. Il s'était levé en moi, ou plutôt il s'était dévoilé en moi quelque chose qui ressemblait à une conception du Bien. Par une dérision singulière, je m'en excusais, je voulais m'en excuser, par ce que j'écrivais à cette lumière, montrant que cette lumière n'était pas moins belle que la lumière ancienne, la lumière noire où je m'étais complu. Cela pourrait passer pour enfantillage, n'était que je n'étais plus un enfant, n'était la douleur.

On ne retrouvera jamais, je n'ai plus ces feuilles, les témoins en sont dispersés, disparus, ce que j'ai même alors publié sous un tas de noms, dans de petits journaux politiques, des manières de poèmes, des proses qui se donnaient air de fables... Tant mieux ou tant pis. C'était une quête à tâtons de moi-même. J'ignorais encore le commun dénominateur de ces écrits disparates. Un jour vint que j'osai penser le nom de la chose : et j'écrivis le mot *réalisme*. Mais de là à...

Il paraît que la fonction crée l'organe. La conscience que crée-t-elle ? C'était déjà beaucoup que d'avoir compris le sens de ce qui m'habitait. Je relisais avec étonnement ce que j'avais écrit avant que cette conscience me vînt et je découvrais qu'en fait, sous les grands ombrages où je m'étais complu, depuis longtemps se débattait la volonté secrète du réel qui demande à prendre corps. Peut-être que, dans les procès d'intention qu'avaient constamment instruits contre moi, au jour le jour, d'abord *de crainte que je me perde*, mes anciens amis, mes compagnons d'expérience, et qui m'avaient toujours semblé folie, y avait-il plus de raison fondée que je ne l'avais jamais imaginé. Peut-être que ces déclarations violentes dont je couvrais, en fait *pour eux*, — l'amitié est une forme très mystérieuse de la philosophie chez l'homme jeune, — dont je couvrais mes imprudences, peut-être que ces violences, comme des coups de barre pour redresser la marche du navire, trahissaient un divorce ignoré de moi-même. On ne voit plus aujourd'hui que l'excès, dans ces écrits d'avant la trentaine, il faudrait comprendre intimement les raisons de la démesure : le drame est sans aucun doute bien antérieur aux scènes jouées. Et dans les actes de la pièce, où le protagoniste ignore encore sa passion, on le voit se liguer contre lui-même, il n'en sait rien, avec ceux dont il est solidaire.

Je ne reprendrai pas ce chemin pas à pas. On sait d'où je viens. L'important, c'est où j'arrivai.

*

La volonté de roman... c'est là une expression dont j'ai fait souvent usage, mais non par commodité. Ce qu'elle désigne, c'est ce que je retrouve, reprenant mes textes anciens, même ceux qui semblent le plus s'en écarter. C'est la tentation longue, dans tout ce que j'écris, dont il faudrait peut-être retracer l'histoire. Si l'on inscrit par exemple, par *un* exemple à quoi me borner, *Le Paysan de Paris* au compte du surréalisme, il faut bien reconnaître, à comparer ce livre à ce que les autres surréalistes écrivaient, qu'il tire de la réalité ses racines, que sa raison d'être est la description. Quand se brisèrent les liens entre les surréalistes et moi, je l'ignorais, c'était en moi le réalisme qui revendiquait ses droits. (Ce poème médiocre *Front rouge* à propos duquel ils feignirent de prendre feu en est la grossière image première, ici se fait le retournement de l'écriture, l'aveu même de son point de départ dans la réalité extérieure, et c'est aujourd'hui où je juge sévèrement ces vers, en particulier pour l'image *approchée* qu'ils constituent, le goût de l'excès, l'abus des mots qui tient plus à ceux-ci dont je me séparais qu'à ceux-là que je rejoignais, c'est aujourd'hui que je comprends le *mérite* de cette démarche gauche, et claudicante, de cet acte, mal situé, de ce geste incomplet, qu'on avait beau jeu de me reprocher. Quelle ingénuité de ma part! Croire tout changer par quelques pages... mais aujourd'hui je la trouve belle, cette ingénuité-là, belle comme l'illusion, et quand on n'entend pas dans ce mot que le dérisoire, l'illusoire, tout de même, on peut se rendre à soi-même cette justice du courage inconscient).

Pourquoi la décision réaliste, la conscience du réel fondent-elles la nécessité du roman? Tout roman n'est pas réaliste. Mais tout roman fait appel en la croyance du monde tel qu'il est, même pour s'y opposer. Le roman, et peut-être à le maudire y avait-il cohérence à qui n'en voulait accepter les conséquences et le bien-fondé, le roman est une machine inventée par l'homme pour l'appréhension du réel dans sa complexité. Qu'on ait ensuite perverti la machine est une autre affaire. A chaque génération, il y a des esprits qui se spécialisent dans le « désespoir du roman », si j'ose dire. Cela dure depuis le Moyen Age, mes compagnons ne faisaient que reprendre la démarche qui, au nom de la religion ou au nom de l'art de siècle en siècle, condamna les histoires contées. Mais si Cervantès bafouait le roman de chevalerie ou Stendhal le roman pour femme de chambre, il en sortait Don Quichotte et Julien Sorel. Prétendre que c'en est fini ou que cela va en finir du roman, c'est vouloir considérer la réalité humaine comme fixée, immuable. Il y aura toujours des romans parce que la vie des hommes changera toujours, et qu'elle exigera donc des hommes à venir qu'ils s'expliquent ces changements, car c'est une nécessité impérieuse pour l'homme de faire le point dans un monde toujours variant, de comprendre la loi de cette variation : au moins, s'il veut demeurer l'être humain, dont il a, au fur et à mesure que sa condition se complique, une idée toujours plus haute et plus complexe.

L'extraordinaire du roman, c'est que pour comprendre le réel objectif, il invente d'inventer. Ce qui est *menti* dans le roman libère l'écrivain, lui permet de montrer le réel dans sa nudité. Ce qui est menti dans le roman est l'ombre sans quoi vous ne verriez pas la lumière. Ce qui est menti dans le roman sert de substratum à la vérité. On ne se passera jamais du roman, pour cette raison que la vérité fera toujours peur, et que le mensonge romanesque est le seul moyen de tourner l'épouvante des ignorantins dans le domaine propre au romancier. Le roman, c'est la clef des chambres interdites de notre maison. Les prophètes qui annoncent un monde sans romans pour demain ou après-demain imaginent-ils ce que cela serait, un monde sans romans ? Je les en défie bien. En tout cas, ce sont des briseurs de machines. Ils rêvent d'en revenir à l'ignorance romanesque, d'anéantir ce moyen de connaissance qu'est le roman, de faire comme s'il n'avait jamais été. Supposons un instant que cette démarche antiphilosophique soit possible, et même que par je ne sais quelle conspiration, quelle conjuration de forces, elle puisse se poursuivre un laps de temps tel qu'on oublie vraiment le roman, un siècle peut-être, que se passerait-il ensuite ? On réinventerait le roman, voilà tout.

C'est un peu ce qui m'est arrivé au début des années trente. Histoire comique, à ma petite échelle.

*

Comment m'est-il venu à l'esprit d'écrire *Les Cloches de Bâle*, précisément *Les Cloches de Bâle*, et rien d'autre, pourquoi ai-je choisi cette histoire-là et pas une autre, à ce moment de ma vie, cela n'est pas facile à comprendre ni à expliquer. J'ai beau chercher, fouiller mes souvenirs, le mécanisme vrai m'en échappe. Il y a là pour moi-même mystère. Mais on ne peut rien d'autre contre le mystère que de le nier, que de faire comme si il n'existait pas. Ce que je pense ou puis dire, écrire, de ce mécanisme, de comment il a joué, m'est aussitôt suspect. Je sais bien que je ne puis dépasser les *apparences* de ma mémoire. Est-ce une raison pour les rejeter ?

Il y avait ma vie, notre vie. Je n'étais plus seul, mais précisément le manque-à-gagner de ce que je pouvais écrire m'en était plus sensible. Le temps vint où je ne supportai plus d'écrire une page, puis de l'arracher, la chiffonner. Ce n'était ainsi que pour moi que la page suivante se trouvait la *suivante*, cela ne correspondait plus, ce monologue sans cesse qui oublie son point de départ, au dialogue de fait qui était notre vie. J'avais impatience de te parler, d'ouvrir une sorte de discours vers toi, une route à ce que je ne pouvais directement dire par les petites phrases de la conversation quotidienne. J'avais cessé de me justifier par rapport à mon passé, mes amis. Tu étais devenue le seul témoin, la seule pierre de touche de ma pensée. Il fallait qu'elle prît forme d'une confidence à quoi mesurer ces changements en moi, qu'elle prît consistance d'une pierre que tu aimerais poser devant toi sur la table, que ta main pût caresser, ta réflexion... à quoi tu reviennes... Tout cela, ces désirs, bien confus encore, car je ne comprenais pas *alors* qu'il fût possible qu'une femme allait pour moi résumer tous les rapports humains, les éclairer, que par elle je ferais désormais expérience de ce qui vaut ou ne vaut point. Bien entendu, d'abord, il me fallait abolir une certaine distance entre nous, artificielle me semblait-il, le fait que je tenais encore à une réalité ancienne, ma vie d'avant, les années sans toi, que tu ignorais. Il ne suffisait pas de te raconter discursivement mon histoire : c'était un monde, un monde pour une grande part aboli, où j'étais né, j'avais grandi, dont je voulais te communiquer connaissance. Ceci explique pourquoi la volonté de roman s'empara de moi, et l'époque où ce roman dont je n'avais pas la moindre idée, le moindre plan, projet, préjugé, se situe tout naturellement.

Tout cela me paraît facile à dire après coup. Alors je n'en savais rien. Je griffonnais ici et là, ceci, cela. Un jour, et je jure que c'était sans malice, sans croire même à une seconde phrase, j'écrivis, tout à fait comme si j'étais encore au temps de l'écriture automatique, une phrase, une première courte phrase, comme une provocation. Le type de phrase qu'il m'eût naguère encore paru inadmissible d'écrire. Tout ce qu'il y avait de conscient ici, c'était le caractère d'*incipit* de cette phrase : je l'imaginais dans une table des matières...

Cela ne fit rire personne quand Guy appela M. Romanet papa... cela, je l'avoue me fit cependant rire de l'avoir écrit, de supposer qu'au-delà de ces mots-là s'enchaînait, s'articulait un livre épais, une histoire cohérente, un roman. Je n'avais aucune image ni de Guy, ni de M. Romanet, ni de leurs rapports familiaux. J'avais mis le pied sur la pente, je cherchai à m'expliquer les termes de l'*incipit*, et j'écrivis d'une haleine le paragraphe entier. Ce n'est qu'alors, ayant pénétré dans ce monde étranger à qui ne l'a pas connu des hôtels de bains de mer, dans la Normandie du XIXe siècle à son début, que je compris où j'allais : décrire pour toi ce décor des vacances, au temps préscolaire, une espèce de couleur donc à l'arrière-plan de ma vie, quelque chose que je ne pouvais autrement résumer que par des moyens d'invention. Dès le second paragraphe, des souvenirs entrent en scène, empruntés à plusieurs villégiatures. Port-Bail, Erquy, Donville... plages, tables d'hôte, les difficultés matérielles de ma mère pour payer ce séjour d'été... il fallait la multiplicité des baigneurs, familles, gens douteux, la vulgarité, le genre qu'on se donne, le désaxement social des vacances. Bien sûr, il y a là des hommes et des femmes dont la silhouette à panama, canotier, toilettes légères, surgissaient du souvenir, mais leurs rapports, comme d'un jeu de cartes sans cesse battu, n'avaient qu'un lointain reflet des rapports entre les originaux de ma mémoire. Tout ce premier chapitre qui semble écrit après coup, c'est-à-dire en connaissance de l'histoire qui le suit, a dû l'être en une ou deux heures au plus. Sans ratures, me semble-t-il. C'était simplement le *la* donné avant d'attaquer la musique. *Diane* allait se développer comme un thème, une fois celui-ci posé. Le thème était Diane, il suffisait de le renouer en réponse à l'*incipit*, dans l'*incipit* du second chapitre : *Le mariage de Diane de Nettencourt et de M. Romanet ne se fit pas cet automne...* pour déterminer cent quatre pages du roman.

Qu'il y ait eu dans ma mémoire une manière de Diane, une manière de Guy, une manière de Colonel Dorsch... j'aurais mauvaise grâce à le nier. Mais le mystère est que cet emprunt fait à la réalité d'un monde que j'ai connu, ces ombres chinoises de ma mémoire transportées d'un mur sur un autre, ait donné naissance à toute l'histoire des Sabran, le suicide, inventions pures et simples, ce qu'on tiendra ici pour le roman même. Cela allait si vite à écrire que je me suis trouvé devant les faits acquis sans y avoir pensé. Un détail d'habillement, un parfum, un meuble, m'entraînait la main, l'histoire, me mettait devant l'irrémédiable. La fausse Diane de mon infidèle mémoire est devenue la vraie Diane du roman, impossible de retourner en arrière, de corriger. Ce qui peut passer pour emprunté à mon enfance n'est que le décor, le fond. Les gens, les êtres de chair, ont pris chair, humanité sur le papier. Ils se sont emparés de moi, au point qu'en une semaine tout *Diane* était écrit.

*

Je te le lisais, par petits bouts, au fur et à mesure que c'était écrit, trop heureux de te montrer cette amorce d'une découverte, d'un changement, d'un espoir. Tu m'écoutais patiemment, bien que cette mosaïque en formation encore *didn't make sens*, ne prît point encore sens, ou te semblât peut-être au mieux *décorative*. Au bout de la semaine, le dernier bout du puzzle, si je me souviens bien, les chapitres X et XI, c'est-à-dire de l'entrevue Dorsch-Brunel à la fin de *Diane*, à la proposition que fait Wisner à Brunel d'entrer dans les services secrets, le dernier bout du puzzle s'accrochant devait pourtant déclencher ton jugement.

Ici se place l'incident auquel j'ai fait à plusieurs reprises allusion, qui marque la charnière intérieure dans *Les Cloches* de mon aventure d'écrivain et qui explique l'étrange texture de ce roman.

Quand j'eus fini ma lecture, tu gardas un assez long instant le silence, cela se passait rue Campagne-Première, je m'en souviens comme si j'y étais. J'eus le temps de penser plusieurs choses. Puis tu me dis, très simplement : *Et tu vas continuer longtemps comme ça ?...* Cette petite phrase, plus que le commentaire qui la suivit, explique la brusque rupture du roman après cent pages, et son nouveau départ. Elle explique la construction si peu classique des *Cloches*, comme de personnages juxtaposés, qui ne semblent liés que par le contexte historique de l'avant-guerre de 1897 à novembre 1912. Mais cette explication, si je me bornais à l'anecdote, demeurerait tout extérieure, elle justifierait une critique un peu simple du roman, pour ceux qui en jugent d'après les modèles : le baroque, au sens architectural, de la construction des *Cloches*, il est facile de me le reprocher, sous le prétexte que l'histoire ne se développe pas suivant les normes, et par exemple que *Diane* se termine en 1912, et que le dîner par quoi débute la seconde partie du roman, *Catherine*, chez les Mercurot rue de Babylone, est immédiatement suivi d'un retour aux dernières années du XIXe siècle après quoi l'histoire de Catherine se développe de la page 114 à la page 402 dans le temps classique du roman réaliste pour regagner seulement le point où l'on en était à la page 107 : *C'est le jour suivant qu'eut lieu chez les Mercurot le dîner où Catherine rencontra le lieutenant Desgouttes-Valèze...* Entendez que j'écris le chiffre des pages sur l'édition originale. Nous sommes donc ici au 20 avril 1912, les sept mois qui suivent tiennent dans un chapitre de douze pages, l'épilogue (*Clara*) achève le roman en vingt et un feuillets dans le cadre du *Congrès international contre la guerre* des socialistes à Bâle, où le seul lien romanesque avec ce qui précède est un simple observateur, le mari de Diane, Brunel, à peine réapparu aux pages précédentes du roman, et qui n'y avait plus joué aucun rôle depuis la première partie. Comme si le ramener ainsi recousait ensemble les parties disparates de l'ouvrage. Cela, tout le monde peut le constater, et se payer le luxe de le critiquer, de découvrir que cela est vraiment mal fichu. Je vous en prie.

Mais il n'y a sans doute que moi pour savoir qu'au-delà de la page 113, et de cette petite phrase de toi, en réalité les trois cents pages qui suivent ont été écrites pour justifier à tes yeux les cent premières. Si bien que je pourrais même jurer aujourd'hui que j'avais écrit chaque mot de ces cent-là, c'est-à-dire de *Diane*, en sachant parfaitement où j'allais, comme un point de départ vers toutes les phrases des trois cents dernières, que j'avais tracé les amorces de ce qui finalement a été *Les Cloches de Bâle*, dès leur début. Et vous croiriez ce mensonge pleinement. Vous ne sauriez pas qu'en réalité ce roman a été une conversation avec Elsa, un plaidoyer pour moi devant Elsa, une justification de l'homme et de l'écrivain devant la femme qu'il aimait, qu'il aime, et devant laquelle il n'a jamais cessé d'éprouver le besoin de cette justification perpétuelle.

J'imagine qu'il y aura pas mal de gens pour hausser les épaules. Qu'est-ce que c'est qu'un homme qui *doit* se justifier devant une femme? Précisément, c'est l'auteur des *Cloches de Bâle*, avec le sens que ce roman a pris, et que ses dernières pages révèlent à qui ne l'aurait pas suffisamment aperçu dans le roman même, en prenant brusquement le ton du manifeste, de la morale.

Qu'on ne s'y trompe pas : dans l'écriture même d'une histoire commencée par hasard, sans la moindre perspective consciente, à partir d'une phrase qui relevait de l'humour, d'un premier développement qui avait caractère d'exercice de style, de gymnastique du langage, ce qui était en jeu était toute ma vie, le sens de ma vie, et tant pis pour ceux qui trouveront cette gravité-là bouffonne, ayant sans doute mépris des histoires qui ont une morale. Le *mauvais goût* qui me caractérise éclatait sans doute dans la dédicace : *A Elsa Triolet sans qui je me serais tu...* On sait assez qu'en ce domaine je fais figure de récidiviste, et j'écris ceci peu de temps après *Le Fou d'Elsa*, dont toute la chair est l'enfant de cette minute entre nous, à la fin de *Diane*, quand Elsa m'a dit : *Et tu vas continuer longtemps comme ça ?* Ce n'est pas manière de parler, je n'ai pas été le seul à remarquer que *Le Fou*, c'est la promesse tenue, qui fut faite aux dernières lignes des *Cloches*.

Cette dédicace... Un ami que j'ai eu en ce temps-là, l'écrivain polonais Bruno Jasienski, et je ne puis penser à lui sans tristesse, à sa fin tragique, quels temps cruels nous avons traversés!... Bruno me disait tenant dans ses mains le livre de chez Denoël que je lui avais apporté à Moscou, ouvert à la page de la dédicace, branlant la tête avec un air de perplexité : « Je n'aime pas ça... ces mots ont une fâcheuse odeur de suicide... il est impossible de ne pas voir que tu as écrit *sans qui je me serais tu*, et que tu as pensé *tué...* » En quoi il avait bien raison, mais je ne partageais pas, voilà tout, cette pudeur, ou comment fallait-il l'appeler? devant la mort volontaire, l'allusion à une possible mort volontaire. Stendhal quelque part s'élève contre le *cant* anglais, qui rejette comme de mauvais goût la peinture des mœurs de la Renaissance italienne : nous avons de nos jours devant bien des réalités notre *cant* international.

Et donc je ne me suis pas tu, depuis 1934. Ai-je eu tort? Salut à vous, ricaneurs! Une certaine logique veut que ceci soit dit où, comme nos vies, Elsa, nos écrits se *croisent*. Nous ne pouvions imaginer qu'il en serait ainsi, rue Campagne-Première, quand tu m'as dit... Eh bien, *c'est là que tout a commencé.*

*

Passer du récit qui est *Diane* au livre que sera *Les Cloches de Bâle* ne se pouvait qu'à force d'*invention*. L'invention liée à la réalité, c'est le roman. Je répète que ce livre n'a pas été écrit *à l'envers* comme une tapisserie, que j'ai commencé par *Diane*, et ensuite justifié *Diane*, fil à fil, en en faisant profiler chaque détail et chaque personnage sur le fond historique d'une quinzaine d'années. Il s'agissait de passer de la simple description d'un monde limité (celui des romans de la fin du XIXe siècle) à une vue, au-delà de ce monde, sur toute la société française, et ses prolongements internationaux. C'est-à-dire que l'anecdote de *Diane* devienne un épisode de l'aventure humaine au début du XXe siècle, prise dans son ensemble. Ici, comme avant, il serait bien entendu absurde de croire qu'ayant senti, sur un mot d'Elsa, le caractère parcellaire de ce que j'avais entrepris, j'avais d'emblée imaginé le plan de ce qui allait suivre. Simplement, j'ouvrais la fenêtre : le panorama, il me fallait encore le découvrir. Une preuve élémentaire de ce que j'avance est que lorsque j'ai écrit *Catherine*, c'est-à-dire la seconde partie du livre de la page 105 à la page 265, je n'avais pas la perspective de la troisième, *Victor*, c'est-à-dire de la grève des taxis parisiens de 1911-1912, qui est entièrement décrite sur la grève analogue de décembre 1933-février 1934, que j'ai suivie comme reporter pour *L'Humanité* où je travaillais, et les données historiques que j'y acquis directement du syndicat des chauffeurs et des survivants de la grève de 1911. Il est vrai que le fait de la grève est mentionné aux premières pages de *Catherine* (*Cinq mois de grève n'avaient pas rendu ces gens-là* [les chauffeurs] *plus aimables*) pense Desgouttes-Valèze en se rendant au dîner d'Hélène Mercurot. Mais c'est encore ici une simple façon de dater, de montrer que nous sommes au-delà du 18 avril 1912, où la grève a pris fin. L'idée que je me faisais de ce qui allait venir se bornait à l'introduction dans le roman de Catherine Simonidzé, comme figure centrale en face de Diane qui, elle, n'était après tout qu'une héroïne de type connu et ne pouvait pas *continuer encore longtemps comme ça.* Introduire ici Catherine, c'était, par son origine, son pays, ses idées, rompre avec l'étroite anecdote parisienne, le monde d'Henri Becque, de Maupassant, d'Alphonse Daudet. C'était par là caractériser ce qu'il y avait de nouveau dans la société moderne depuis *La Parisienne* ou *Fromont jeune et Risler aîné.* Le lien entre la vie intellectuelle de Catherine et les puits de pétrole de Bakou, le petit chèque de M. Simonidzé père, par exemple. L'inséparable des idées et des affaires. La donnée mondiale, qui impliquera bientôt la guerre mondiale. Ce qui revient à dire que l'entrée en scène de Catherine s'accompagne pour moi, sinon d'une conscience claire de ce qu'il adviendra du roman, d'une vue sur sa fin, du moins d'un point de mire, vers quoi vont converger personnages et récits : l'aube de cette guerre qui donna à toute l'époque son sens de tragédie. Mais parce que j'étais tenu par *Diane*, pour que *Diane* demeurât la projection sur une manière de ciel de lit de toute l'histoire, il ne me fallait pas, au-delà de l'explication que je t'apportais de cette première partie, dépasser de deux années le temps de *Diane*, j'avais décidé de m'en tenir à peu près à ce temps-là. Aussi fallait-il me borner à 1912, et j'inventai de ne pas chercher dans la guerre éclatée la morale trop évidente du roman, de me borner à la prémonition de la guerre, à la grande illusion de pouvoir l'empêcher, qui prend en 1912 la forme du Congrès socialiste de Bâle. Peut-être, tout aussi bien que pour la grève des taxis, y avait-il image ici d'un fait contemporain : le Congrès d'Amsterdam auquel avaient appelé Henri Barbusse et Romain Rolland, et ce sentiment que j'avais eu dès la minute de l'incendie du Reichstag, que le phénomène de 1914 risquait de se reproduire sous nos yeux. En d'autres termes, je ne savais pas, jetant Catherine dans la bagarre, ce qu'allaient être *Les Cloches de Bâle*, les chemins de l'auteur et des personnages, mais c'étaient déjà pour moi ces cloches-là qui tintaient, la lumière de Bâle au loin.

Il faudrait parler de Catherine.

*

Catherine Simonidzé est le seul personnage réel des *Cloches de Bâle*. Je ne veux pas dire que les autres acteurs du roman sont sortis tout armés de ma tête : le plus souvent, qu'il s'agisse de Brunel ou de Martha Jonghens, ils ont été reconstruits à partir d'une histoire entendue, d'un souvenir, d'une image. La part d'invention l'emporte à quatre-vingt-dix-neuf pour cent sur la petite graine de réalité d'où ils naissent. Chez eux, au départ, il n'y a guère que les conditions du personnage, un homme qui se découvrira usurier, une jeune femme qui tient une pension de famille... le reste est inventé, l'être humain. Pour Catherine, c'est tout le contraire : l'être humain m'était donné.

Mlle Simonidzé, qui s'appelait autrement, est un mythe de mon enfance. C'est une silhouette qui passe dans le milieu des miens, un personnage romanesque dans la vie réelle. Elle apparaissait à la maison à des intervalles irréguliers, longs parfois, elle surgissait avec un flot d'histoires dont on parlait ensuite devant moi. Je n'ai inventé ni ses rapports avec Libertad, ni la fidélité que lui gardera le capitaine Jean Thiébault à travers sa carrière militaire, ni l'apparition dans sa vie des bandits en auto, ni la tuberculose. L'enfant que j'étais a longtemps rêvé de celle qui s'appelle ici Catherine. Elle a joué dans son développement spirituel un rôle singulier. Elle apparaît à la maison dès les premiers jours du siècle, c'est-à-dire quand nous habitions encore avenue Carnot (ma famille n'a émigré à Neuilly qu'à l'automne de 1904). Les premiers portraits d'elle que je retrouve en moi sont encore éclairés au gaz ou aux lampes à pétrole. Mais, dès que j'ai su lire, j'entends autrement qu'à déchiffrer les mots, dès qu'il m'est arrivé d'avoir sur ce que je lisais mes idées à moi, et cela fort jeune, la vraie Catherine avait cessé d'être un fantôme : parce qu'elle avait entendu je ne sais quoi, dans une remarque que j'avais faite, elle s'était mise à me traiter comme un homme, à me parler, à me prêter des livres. Elle était devenue un secret, je ne puis pas dire que j'étais amoureux d'elle, elle était trop belle pour cela, mais je l'attendais, j'attendais son suivant passage, comme on fait les oiseaux migrateurs, supputant la saison, ah voici la première cigogne! J'ai tenu d'elle, avant ma première communion, Gorki, Tolstoï, Romain Rolland, Nietzsche... Ce qu'il m'en restait, c'est une autre affaire, mais c'était comme si on m'avait mené dans des banlieues étranges dont je ne pouvais me rappeler le chemin et où plus tard la vie me ramènerait, je les reconnaîtrais soudain, leurs décors familiers, après avoir des années songé d'elles comme de villes légendaires, pour les retrouver avec le tramway qui y mène, leurs épiceries, leurs jardins qui ont perdu les proportions fantastiques, mais aussi soudain cette plaie qui saigne, ce Graal de notre époque...

Quand j'y songe, la vraie Catherine, j'ai eu beau la voir quatre ou cinq fois l'an de 1902 à 1912, il est bien probable que je l'ai complètement réinventée. En tout cas, la Catherine des *Cloches* est vue avec les yeux de mon enfance, cette part d'imagination de l'enfance ensuite difficilement démêlable de la réalité. A la minute où j'ai fait appel à cette apparition parce qu'il me fallait t'expliquer moins *Diane* que le fait de l'avoir écrit, elle est venue à mon aide comme si je lui avais envoyé un petit bleu... un pneumatique enfin. Je l'ai fait parler comme elle me parlait de Pascal ou des *Liaisons dangereuses* quand j'avais onze ou douze ans. Elle représentait pour moi cette liberté, cette audace de la pensée, qui battait en brèche les idées de ma grand'mère ou de ma tante Marie. C'est drôle qu'elle soit ainsi entrée entre nous comme une complice, afin bien plus de faire qu'à tes yeux j'apparaisse, moi, tel que je souhaitais que tu me voies, que d'être l'héroïne d'un roman. J'ai essayé de te gagner avec Catherine, je le comprends aujourd'hui. Elle était morte depuis quinze ans, s'étant jetée avec ses illusions dans un lac du Caucase. Elle en déplongeait pour donner force aux miennes.

Ah, pourtant, si : il y a un autre personnage réel dans *Les Cloches*, c'est-à-dire un portrait d'après nature : Mme de Lérins, l'institutrice de Guy. C'est la personne qui m'a appris à lire. Mais voilà l'occasion de remarquer que ce serait, pour cela, une erreur d'assimiler l'un à l'autre Guy de Nettencourt et l'auteur enfant. Il n'y a pas le moindre trait de moi dans ce mioche assez conventionnel. Je dis cela, parce que, dès que tu m'eus donné permission de croire mon manuscrit montrable, j'en avais lu des morceaux à Paul Vaillant-Couturier. Pour lui, malgré mes dénégations, l'assimilation allait de soi. Cela tenait à une scène qui lui avait beaucoup plu, où Guy s'en revenant de sa leçon de violon reçoit un coup de pied au cul d'un garçon boulanger, et ce premier contact avec le prolétariat le réjouissait pour des raisons qu'on trouverait dans ces manières de mémoires qu'il nous a laissés. Cela le rapprochait de moi que la chose me fût arrivée à moi comme à lui. Je ne pouvais l'en faire démordre. En réalité, ce coup de pied au cul est de ma part une invention pure et simple, et je ne suis pas le fils de Diane. Ce n'est pas moi qui ai cru faire le drôle en appelant M. Romanet Papa.

Plus tard, quand ma mère lut *Les Cloches de Bâle*, surtout sensible, elle, à ce qui venait de faits et de gens qu'elle avait connus, elle me dit avec regret : « Tu aurais dû me montrer ton manuscrit, je t'aurais évité un grand nombre d'inexactitudes et d'erreurs... » Les inexactitudes et les erreurs... c'était très précisément ce qu'on appelle *le roman.*

*

Vaillant-Couturier me ramène à cette vie que je menais. Les quotidiens sont une école, où comme dans toutes les écoles, l'important est ce qu'on apprend hors de la classe. Comme les taxis de 1911 font avec ceux de 1933-34 image, j'apprenais dans cet humble métier de tous les jours, où l'actualité seule est maîtresse, ce qui m'était indispensable à pénétrer le passé des hommes, et le mien. La vie à *L'Humanité*, et en général dans mon parti à cette époque, n'était ni facile ni plaisante. Il m'arrive aujourd'hui d'entendre parfois se plaindre les jeunes gens : l'expérience est incommunicable, à rien ne servirait de leur dire qu'à comparer les choses à trente ans de distance leur sort me paraît enviable. De toute façon, la plupart des écrivains considèrent le journalisme comme un obstacle à leur art, ses obligations comme desséchantes pour leur génie. Moi, je dois tout à ce stage aux travaux forcés. A la pauvreté d'alors. A l'absence de complaisance des gens. A leur cruauté même. Merci.

Il y avait ceux devant qui j'éprouvais le désir de faire oublier que j'étais peut-être d'une autre sorte. J'avais envie d'être jugé aux pièces, sur mon travail, et non sur ma réputation. On me pardonnait, les camarades, parce que j'étais un travailleur. Mais enfin on me pardonnait. Il y avait Vaillant, du moins.

Je voudrais essayer de parler des autres avec objectivité. C'est difficile. Je pense à Lucien Sampaix : est-ce que vous croyez que pour lui les jours étaient roses ? Je l'ai vu pleurer plusieurs fois. De ces yeux que le bourreau n'avait pas encore enlevés, avec toute la tête. Qui aurait jamais pensé que ce serait un héros ? Ou Auguste Delaunes. Dans les bureaux je grattais du papier avec des gens comme tout le monde, que je ne rencontre plus maintenant que sur les plaques d'émail des places ou des rues.

Je voudrais parler avec objectivité, par exemple, d'André Marty. Cela, c'est plus difficile encore, et pour de tout autres raisons. Il m'avait arrêté dans le couloir et m'avait interpellé à sa manière : « Alors, camarade, il paraît que vous écrivez un roman ? ». Le bruit en était venu jusqu'à lui, c'était bien ma chance. « Et de quoi s'agit-il ? » Vous me voyez lui expliquant Diane ou Catherine... Qu'est-ce que j'ai bafouillé ! Tout de même, n'ayant pas le goût du martyre, j'avais dit trois mots de l'affaire de Cluses, la grève, enfin ce qui pouvait peut-être...

« Vous perdez votre temps, — me dit Marty, — quel intérêt, cette petite grève de rien du tout ? Oui, je me souviens... »

Peut-être, en effet, pouvait-il savoir ce qu'avait été la grève de Cluses. J'essayai vaguement de dire que, de très petits événements, parfois, peuvent sortir de grandes leçons. Il me coupa, à peu près disant qu'il faut encore être capables de les dégager, ces leçons-là. Et puis de toute façon je ferais mieux de m'attacher à de grands événements, les marins de la mer Noire... Je répondis qu'il fallait encore en être capable. Il me tourna le dos.

Peut-être, en effet, me perdais-je. Prétendre dépasser Diane... Il y avait de grandes luttes dans ce temps-là, et de grands crimes aussi. La catastrophe de chemin de fer à Lagny, l'affaire Violette Nozières, l'affaire Stavisky... l'affaire Prince... Moi, je faisais mon petit roman dans mon coin. Et, en ce temps-là, s'il avait été dit à André Marty que si j'avais choisi d'appeler Catherine Catherine, c'était à cause de la Catherine Earnshaw des *Hauts de Hurlevent*, cela ne lui aurait rien dit. Il s'en serait peut-être souvenu plus tard, à Alger, quand le film tiré du livre d'Emily Brontë souleva chez lui cette colère dont les échos roulèrent pendant des années jusqu'à Paris, si bien que toute allusion à *Hurlevent* paraissait un sacrilège. Il n'avait pas besoin de cela pour me mépriser. Il n'y a pourtant rien de commun entre les deux Catherine. Sauf que le prénom de la vraie Catherine Simonidzé était le même que celui de la femme, plus tard, qui m'avait fait lire *Wuthering Heigths*. Cela peut sembler oiseux, stupide : les noms des femmes ont toujours joué dans mes rêves ce jeu de miroirs. Et puis Catherine Earnshaw pour rien au monde ne se serait mariée avec Heatchliff, *cela me dégraderait*, dit-elle. De même, Catherine Simonidzé s'estimerait dégradée d'épouser Jean Thiébault. L'indignité de Heatchliff, celle de Thiébault ont de tout autres racines : le premier, c'est l'enfant trouvé, le paysan brutal, gitan peut-être ; le second, l'officier, dont la morale est celle de l'armée. Les deux Catherine regardent avec la même horreur cette nature impardonnable de leurs amants. Mais Emily Brontë avait doué son terrible héros de toutes les violences de l'humilié, *il fallait* à ma Catherine, à sa révolte, un homme qui eût toutes les vertus de sa classe, la grandeur d'âme le rendant à ses yeux plus intolérable encore. Je ne vais pas poursuivre ainsi ce jeu des dissemblances, il existe d'autres analogies entre les personnages des *Cloches* et ceux d'autres romans dont on n'apercevra sans doute plus jamais l'écho à travers la trame nouvelle, mais qu'importe! Je n'ai parlé de cela que pour montrer l'autre source, une autre source du roman, tâcher de faire comprendre combien serait insuffisant de réduire les êtres imaginés à un reflet de gens réels, aux *pilotis*, pour emprunter à Stendhal ce mot commode, dont on ne peut nier le rôle, mais qui sont plus l'occasion que la substance des rêves incarnés.

Il me vient l'envie de dire qu'à justifier *Diane*, je m'étais pris à penser qu'à la fin de cette lecture que j'en avais faite, le caractère *rond*, achevé de cette histoire semblait marqué par sa dernière phrase, la proposition de Wisner à Brunel. Pour le sentiment de la rondeur, c'est probablement ce qui, un peu plus tard, le livre paru, avait fait dire à Romain Rolland, après l'avoir lu, que ce qu'il y préférait, c'était *Diane*, et je m'en souviens exactement : « Je trouve cela supérieur au reste, *comme art*, comprenez-vous ? » Pas moi. Ni toi. C'est avec le respect et l'admiration que j'avais, que j'ai, du peintre de *Jean-Christophe*, ce qui mesure entre nous le temps passé, l'abîme des générations. Mais, précisément, à la fin de la conversation entre Brunel et Wisner, la proposition de ce dernier, une simple phrase de hasard quand je l'avais écrite, m'était apparue, pour ma justification à tes yeux, comme ce qui demandait prolongement, plus que tout le reste, dans le roman à écrire. Et prolongement de nature essentielle.

Aussi est-ce pour cela que Brunel reviendra, *in finem* des *Cloches*, sous le nom de Brunelli à Londres, afin que ses rapports avec les services secrets apparaissent la suite naturelle de la proposition Wisner, et dans l'épilogue. Mais, pour l'essentiel, cette phrase terminale de *Diane*, qui en semblait verrouiller l'histoire, est au contraire un verrou que j'y ouvre : elle introduit un des thèmes fondamentaux, non pas seulement des *Cloches*, mais des autres épisodes du *Monde réel*, la bataille des deux polices dans la société française du xxe siècle. Cette bataille dont ici l'affaire des bandits en auto, comme l'assassinat de Libertad ou la liquidation de Joris de Houten, sont des épisodes, et qui est à l'arrière-plan de la grève des taxis, mais qui se retrouvera dans *Les Beaux Quartiers* et dans *Les Communistes*, cette rivalité entre la Sûreté et la Police Judiciaire, qui amène la fin de Lépine, comme elle amènera celle de Chiappe, la création des polices parallèles, officines de briseurs de grève ou organisations politiques de choc, l'assassinat de Jaurès, le 6 février 1934, la Cagoule... une certaine continuité des profondeurs. On trouverait d'ailleurs, dès l'Occupation (avec la Synarchie) jusqu'à la Libération et au-delà, les prolongements modernes de la dualité des méthodes de la bourgeoisie pour le maintien de son pouvoir, optant suivant les saisons, pour la ruse ou pour la violence. Tout se passe comme si *Diane* n'avait été que le geste fait pour soulever une draperie, une portière qui cachait ces abîmes.

Ce n'est que plus tard, à partir des *Beaux Quartiers*, que cette vue plongeante s'appellera pour moi *Le Monde réel*, dont ce n'est encore ici que le seuil. La différence des siècles, les perfectionnements d'un siècle sur l'autre de la machine d'état rendent plus difficilement accessibles les coulisses sociales : en son temps, il était tout naturel que Balzac déjeunât avec Vidocq avant d'écrire *Vautrin*, et toute *La Comédie Humaine* s'ouvre naturellement sur l'*Histoire des Treize*, à quoi d'ailleurs ne se borne pas l'histoire de la violence intérieure, qu'on retrouvera par une autre route avec *La Rabouilleuse*, par exemple. A tout prendre, le XXe siècle est beaucoup plus secret que le XIXe. Aussi le roman prenait-il moins pour moi le caractère d'une enquête que d'une hypothèse touchant la société de mon temps, d'une hypothèse dont j'allais chercher, de 1934 à 1950, dans le passé immédiat, je veux dire des jours des *Cloches* à ceux de 1940, les faits qui lui donneraient à mes yeux force de loi. Mais l'histoire va plus vite que l'homme : un jour elle me dira, tout comme toi, jadis, *Et tu vas continuer longtemps comme ça ?* Parce que d'autres faits auront surgi, dont aucune hypothèse ne faisait prévoir qu'ils m'empêcheraient de dormir, et que le roman change comme le monde, qu'il lui faut être réponse aux questions des nouveaux sphinx, surgissant à l'entrée de Thèbes, sur tous les chemins.

L'entrée de Thèbes... l'entrée par le roman dans le cœur même de la cité en proie aux monstres, aux plaies divines... un roman qui est un pari sur le monde, sur la réalité. Tandis que j'étais à chercher le passage, à secouer les portes sur les secrets appartements du pouvoir, voilà qu'à côté de moi, par des voies tout autres, et non point sur une conjecture de l'esprit, mais par la connaissance d'hommes et de femmes particuliers, tu pénétrais où l'accès m'était encore interdit. Tu avais écrit *La femme au diamant*, sans autre rêve préconçu que de dénoncer la dissimulation de l'homme, cette tromperie pire que la trahison charnelle, dans la vie du couple. Et par ce chemin de l'âme tu avais vu face à face, pour la première fois, tu avais pour la première fois montré ce monstre moderne, l'homme de violence, qui n'allait se montrer en plein jour qu'une fois la France écrasée, à la faveur de cet écrasement. Plus tard, tu suivras le Célestin qui a visage de héros dans *Les Amants d'Avignon*, sur la route de la déception, qui le mène parmi ceux que tu appelles *Les Fantômes armés*... et nulle hypothèse ici n'éclaire ces mouvements en lui, ni ce devenir que tu devines, douze ou treize ans avant que d'horizons disparates soient venus se joindre ses semblables sous le sigle de l'O.A.S. Tout ce que l'on aurait pu comprendre à temps, si on savait te lire. Tu as l'ouïe fine, tu entends *avant* tout le monde arriver l'orage souterrain, tu es le sismographe des séismes encore lointains, tu vois *avant* ce que l'on a tant de peine à décrire *après*. Si bien qu'à suivre ta pensée naissante, j'ai reçu de toi par la suite des temps de tout autres leçons que celle du *Et tu vas continuer*... des *Cloches de Bâle*. Le roman comme instrument de connaissance, j'y accédais peu à peu, et beaucoup grâce à toi, à partir du *Cheval Blanc*. Tu faisais comme sans effort les découvertes où je m'égarais. Peut-être sera-ce d'avoir compris de toi que la réalité ne peut se comprendre, se connaître que par le chemin de l'homme, que j'écrirai *Aurélien*. *Les Cloches de Bâle* ne sont que le premier tintement de la découverte, l'annonce de quelque chose à quoi tu accéderas, toi, avec cette aisance de l'intuition, qui jamais ne procède en intégrant l'être de chair à une construction préalable, mais entre dans le chantier gigantesque des hommes par l'un d'eux, par la voie privée d'une femme ou d'un homme particulier, que tu semblais n'aborder aux premières pages que pour sa façon de sourire, un geste, un charme, un intérêt de rencontre.

Des *Cloches*, comment comprendrait-on vraiment ce qui m'a fait progressivement aller de roman en roman pendant un quart de siècle, je veux dire jusqu'à *La Semaine Sainte*, si l'on ne tenait pas compte de cette intimité qui me fut donnée de tes livres naissants, de la passion que j'ai toujours portée à suivre, muet, les pas de leur création ? C'est par eux que j'ai mesuré plus d'une fois ma pauvreté. Ce sont eux qui m'ont donné toujours le départ pour l'aventure nouvelle où je me lançais. Pour comprendre cette perpétuelle critique que j'ai menée de moi-même, d'un roman sur l'autre, ce sont tes livres qu'il faut lire. Un jour, on verra bien comment ils ont éclairé les miens.

*

Je ne vais pas expliquer *Les Cloches* page à page pour je ne sais quel baccalauréat. Au reste, il suffira de se reporter à l'une de mes nouvelles de 1964 pour y trouver mes repentirs, mes revenez-y : puisque Catherine Simonidzé reparaît dans *Le Mentir-vrai*, et je m'aperçois que j'y ai été plus indiscret qu'ici, donnant son prénom véritable. Mais aussi le trouble du faux nom qu'elle porte n'y tient pas à *Wuthering Heights*, à Catherine Earnshaw. Je n'avais pas lu Emily Brontë à l'âge de Jacques, moi qu'un prêtre à Saint-Jean-Baptiste de Neuilly, appelait aussi Pierre comme lui, sans que j'aie jamais su pourquoi. Mais si ma Catherine s'appelait en fait pour Jacques Élisabeth, comment veut-on que cela lui ait fait tout drôle, comme ça, que la grand'mère de Sonia s'appelât Katia, fût Katia... celle des films et d'Alexandre II? C'est où l'invention romanesque tout d'un coup se fait illogique qu'on en voit le bout de l'oreille... Si Jacques me ressemble, il n'est pas plus moi que le Pierre, — tiens, cette fois comme si c'était l'Abbé Prangaud qui parlait, — dans une autre nouvelle de 1964, *Le Carnaval.* Et si vous voulez trouver l'enfant que j'ai été, plus petit, vous pouvez dans un même livre (*Les Voyageurs de l'Impériale*) aussi bien prendre Pascal à Sainteville (Angeville, en réalité) ou le fils qu'il aura, Jeannot, à *Étoile-famille* (la pension que mes parents tenaient avenue Carnot vers 1900 s'est ensuite appelée *Hôtel Stella*). Ces croisements-là, ils ne sont pas que pour ces personnages de générations différentes et de destins qui ne ressemblent aucunement au mien (ni celui de Pascal adulte, ni celui de Jeannot devenu dans *Les Communistes*, le sculpteur Jean-Blaise) : il est certain que Joris de Houten, dans *Les Cloches*, est bâti sur le même pilotis que le Werner des *Voyageurs*, si bien que pour connaître ce personnage, ses profondeurs, il faut rapprocher les deux images.

Je dis tout cela pour les maniaques, plus tard, qui chercheront les secrets de ce monde réel. Et imaginaire.

Et pour que l'on comprenne qu'il est impossible de parler des *Cloches* en les isolant de mes autres livres. Non point pour y chercher ma biographie, car c'est précisément ce qui n'y est pas. Ma biographie, elle est dans mes poèmes, et à qui sait lire, autrement claire que dans les romans. Ainsi, à qui voudrait démêler le vrai du faux, l'inventé du souvenir, la musique de la photographie, il faudrait un système complexe de références, où les contradictions sont plus éclairantes sans doute que les similitudes. Quand un jour on se livrera à cette gymnastique comparative, on verra que c'est précisément l'inexactitude qui est la vie, le relief, le mouvement... mais cela m'entraînerait au diable. Il n'est ici question que des *Cloches*. Et si l'on voulait revenir et comparer dans *Le Libertinage* la nouvelle *Lorsque tout est fini* avec cette partie du roman où passe la Bande Bonnot, cela ne serait guère éclairant que parce que l'auteur de la nouvelle, s'il parle de la célèbre auto grise des bandits, l'appelle l'auto jaune, tandis que l'auteur des *Cloches* s'attache à l'histoire vraie de Bonnot et de ses compagnons. A cela, l'on mesure le parti pris réaliste, mais rien de plus. Parce que, jaune ou grise, il n'importe : l'auto légendaire a cessé d'être un symbole, voilà tout.

*

Pendant de nombreuses années, la critique française comme la critique soviétique m'ont plus ou moins délicatement reproché le caractère rétrospectif des *Cloches de Bâle*. Pour des raisons diverses. Depuis, ayant écrit *La Semaine Sainte*, c'est-à-dire un roman de 1815, j'ai légèrement affaibli la portée de leurs arguments, ce qui n'empêche que bien des gens considèrent que ce retour en arrière-là est tout de même un peu fort de café, sans tenir compte de l'avertissement au seuil de ce roman, qui lui dénie l'appellation de « roman historique ». D'autres ont remarqué, — il se fait, le siècle avançant, quelques progrès dans l'art de lire, — que la caractéristique de *La Semaine Sainte*, ce n'est pas la lumière de 1815, mais tout ce qui y fait image avec les jours de notre vie, ce n'est pas le retour en arrière, mais la vue en avant. Cependant, personne ne semble avoir remarqué qu'il en allait de même, en particulier, des

Cloches. La grève des taxis de 1911-1912 prend sa valeur émotive dans celle de 1933-1934, dans ce qui, à vingt-deux années de distance, demeure semblable dans le mécanisme de la guerre sociale, par exemple le rôle joué par l'emploi du benzol à l'origine de deux grèves. La convergence du roman vers Bâle, le congrès socialiste, la dénonciation de la guerre, tout cela n'a pas plus résonance « historique », au sens mort de ce terme, que la méditation de Géricault sur la nation : dans un cas comme dans l'autre, c'est notre temps à nous qui se trouve mis en cause. Et que sonnent à Bâle les cloches, ce sont à la fois celles de la veille de quatorze, celles de trente-neuf qui approchent. A cet égard, l'épilogue, *Clara*, a double valeur : parce qu'il montre à la fois du doigt l'échec de l'illusion ouvrière en 1914 devant le conflit mondial, invinciblement par là nous forçant à considérer la récidive de trente-neuf, mais aussi il soulève un problème encore dépourvu de solution, après trente années, et qui apparaît soudain comme thème majeur, non seulement de ce roman, mais de tout ce que je vais au-delà de lui pendant trente ans écrire : le rôle vrai de la femme dans la société à venir, la revendication d'une égalité entre l'homme et la femme, autre que politique. Cela n'est pas une question d'hier ou même d'aujourd'hui, mais de demain. Qu'on me permette de dire que c'est là une des caractéristiques de ce réalisme socialiste dont je deviens dans mon pays sans doute le premier pionnier, avec *Les Cloches de Bâle*, après un livre discursif, *Pour un réalisme socialiste*, écrit à peine plus tard, que de poser, même dans le décor du passé, les problèmes de l'avenir. Cela n'est pas là une définition officielle, admise, de ce réalisme-là : c'est la mienne, et je ne la donne pas pour autre chose.

Avant d'en finir ne me faut-il pourtant pas m'expliquer sur le choix symbolique de Clara Zetkin opposée à Diane ou à Catherine, comme prémonition de la femme de demain (car d'elle, n'est-ce pas, il est dit à la dernière page des *Cloches*, qu'elle est la *femme d'aujourd'hui*, corrigeant ainsi le début même de la phrase où j'avançais un peu légèrement qu'elle fût déjà celle de demain). Ce choix tient évidemment (le peu d'importance donnée à l'époque à son intervention montre que ce ne sont pas des yeux de 1912 ici qui regardent Clara) à ce que Clara Zetkin, pour l'auteur des *Cloches de Bâle*, c'était surtout l'Allemande surgie, malgré la police, à la tribune du Congrès de Tours où se forma le Parti communiste français : je veux dire que, pour un garçon de ma génération, il était impossible d'imaginer la Clara de 1912 sans cette perspective lyrique. Je me souviens d'ailleurs d'une remarque à ce sujet que fit Marcel Cachin : il parlait de Clara Zetkin avec un petit sourire, comme un contemporain, se souvenant d'elle plus jeune, à Amsterdam en 1903, probablement. Il lui paraissait curieux, un peu bizarre, qu'en fait le socialisme, dans mon réalisme, s'incarnât sous les traits de Clara. Il ajoutait cependant avec quelque finesse que voilà, c'était ainsi qu'avec le temps choses et gens changent de caractère, et que c'était sans doute naturel que pour un homme de mon âge elle ait pris ce relief, cette valeur de symbole, ce caractère lumineux. Ainsi, à leur naissance, *Les Cloches de Bâle* étaient-elles diversement accueillies, il y avait des critiques socialistes qui s'étonnaient, disaient-ils, de n'y voir d'année en année que l'histoire d'une petite putain... ou à peu près. Il y avait la critique marxiste qui ne trouvait pas suffisamment typiques mes chauffeurs de taxi, pas suffisamment porteurs de l'idéologie triomphante. Il y avait le silence des autres. Rien ne faisait prévoir, ni le scandale ni le mépris, le sort de ce roman de vingt à trente ans plus tard, ni qu'il deviendrait livre de poche, ni qu'on donnerait à son auteur (pour toute son œuvre) le Prix Lénine international de la Paix.

J'imagine que j'ajoute au scandale aujourd'hui par l'illustration de cette édition-ci des *Cloches*. A la longue, ce livre a été admis par les tenants du système dont je me réclame, bien qu'aujourd'hui pour des raisons qui n'ont rien à faire avec la littérature, l'écriture, il soit extrêmement mal vu, en France et ailleurs, de se réclamer de ce système. Ce qui n'est pas pour me déranger. Mais l'accent sur l'époque mis par les peintures et dessins d'Alphonse Mucha va sans doute me retirer quelques indulgences. Tant pis. Il faut bien d'abord tenir compte de ce qu'on pense soi-même : or, les heures initiales de ce siècle s'éloignant, le baroque 1900 prenant sa vraie figure avec ce recul, il arrive que ce grand artiste tchèque apparaisse, à côté de Gauguin et de Toulouse-Lautrec, comme l'œil le plus aigu qui se soit posé sur son temps, comme l'orienteur de sa sensibilité. Il a pour moi ce mérite sans pair d'avoir inventé *un style*, qui est le style de son époque, où l'élément décoratif peut bien être dénoncé comme un abus (alors qu'on le passe, par exemple, à Albert Dürer, ce qui tient à ce qu'on n'y fait plus attention à la longue), il est néanmoins pour moi un reflet révélateur de la société où ce style triomphe. Et à cet égard, *du point de vue du réalisme*, et pas de n'importe quel réalisme, il ajoute le témoignage de l'esprit à la description d'une époque, il aggrave mon cas, le caractère non-contemporain de mon roman. Comment, direz-vous, juste quand vous venez de dire!... Juste quand je viens de dire. C'est là une fois de plus, de ma part, une de ces contradictions délibérées par quoi j'essaye de mesurer la profondeur du temps.

Il s'est passé trente ans depuis la première publication des *Cloches* : Mucha m'aide à en accuser la stylisation. C'est que le roman est demeuré le même, mais les yeux ont changé. Le nouveau lecteur ignore une foule de choses encore vivantes, en marge du texte, il y a trente ans. Je n'avais pas besoin alors de les écrire pour qu'on les sache, elles étaient le contexte automatique de la lecture. Les générations passent, et avec elles changent les perspectives. Les contemporains de Rousseau ne vivaient pas nécessairement dans du Louis XV ou du Louis XVI : mais si nous imaginons aujourd'hui Mme de Warens, elle est du temps des coquilles, *Le Mariage de Figaro* nécessairement se joue dans le gris Trianon, les petits nœuds de ruban de Suzanne et de la Comtesse. Peut-être est-il trop tôt pour voir Catherine Simonidzé dans les joncs de l'Été tel que le voit Mucha, qui pour moi est ce moment du siècle où la Géorgienne vient en Savoie de découvrir l'amour de l'homme, avant d'en voir la souffrance et la mort. Mais je prends les devants, j'arrache aux réclames du papier à cigarettes Job, par exemple, la beauté de Diane (le papier Job appartenait à cet homme politique qui fut candidat contre Poincaré à la Présidence de la République, Pams, et dont la silhouette passe à l'arrière-plan des *Cloches* et des *Beaux Quartiers*). Je regarde l'époque de Catherine comme demain pourrait la concevoir. Le style, contemporain de qui le crée, devient la vision du passé pour l'avenir, la plus haute approximation après coup de la réalité.

Cela peut se nier. Mais j'ai jeté les dés. Je ne les reprendrai pas. Même si l'on me dit qu'il est étrange d'annexer Mucha au réalisme. Je ne suis pas à cette folie près. Je vois le réalisme chez Mucha comme chez Matisse. Comme l'avenir l'y verra.

*

Comme j'achevais d'écrire cette préface, il me fallut m'interrompre pour relire et corriger la traduction d'un livre de Constantin Paoustovski à paraître dans la collection *Littératures Soviétiques* que je dirige chez Gallimard. Le hasard avait voulu que je me fusse arrêté presque sur le nom d'Henri Matisse, et que l'une des deux traductrices de Paoustovski fût Lydia Delt qui a été la secrétaire du peintre dans ce temps où je venais chez lui chaque jour à Cimiez. Or, à la cent trente-septième page de la dactylographie, je tombe sur un passage que je ne puis me retenir ici de recopier. Paoustovski écrit (et d'après son autobiographie c'était en 1956, à Taroussa, il avait donc soixante-quatre ans, deux ans de moins que je n'en ai aujourd'hui) :

Il y a déjà un certain temps que j'ai commencé à écrire ces mémoires. J'ai pas mal d'années sur les épaules et, pourtant, j'ai à peine fini le récit de ma prime jeunesse. Je ne sais si j'aurai la chance de terminer. Si je pouvais compter encore sur une dizaine d'années, j'aurais le temps d'écrire une seconde version, plus intéressante peut-être que la première : une deuxième histoire de ma vie! Non pas de ma vie telle qu'elle fut en réalité, mais telle qu'elle aurait dû et aurait pu être si le cours de ma propre existence n'avait dépendu que de moi, au lieu de dépendre d'une suite de circonstances extérieures bien souvent hostiles. Ce serait une rêverie autour de ce qui ne s'est pas réalisé, de tout ce qui possédait mon cœur et mon esprit. Une vie qui concentrerait toutes les couleurs, toute la lumière, toutes les émotions de l'univers. Je vois beaucoup de chapitres de ce livre imaginaire aussi clairement que si je les avais vécus et revécus.

J'ai soixante-six ans et je ne demande pas de délai pour écrire ceci ou cela. La machine un jour s'arrête : qu'on la juge sur ce qu'elle a fait, et non pas sur ce qu'elle aurait encore pu faire... Mais, par ces quelques lignes écrites dans la simplicité de notre âge, Constantin Paoustovski touche à sa manière à cette différence qu'il y a entre l'autobiographie, dont cette année mode à Paris se mène, et le roman, comme testament d'un homme, de sa vie et de son savoir-dire, que je tiens pour ma part pour le seul legs valable que je puisse faire à ceux qui ne sauront plus ce qu'était le monde où j'ai vécu.

Peut-être est-ce par incertitude des délais employables que, ces derniers temps, plutôt que de mettre en chantier un roman de la taille des *Cloches*, d'*Aurélien* ou de *La Semaine Sainte*, j'ai entrepris de me limiter à des nouvelles ou histoires brèves, que j'ai commencé à donner préférence aux « formes courtes », à manger mon œuf par le petit bout. Mais depuis *Les Amants d'Avignon*, je suis hanté par cette maîtrise, Elsa, que je te connais, du dire-bref, et peut-être avec *Le Monument* m'as-tu donné leçon comme jamais de me borner, pour écrire ce qui n'a point de bornes. C'était un peu comme si tu m'avais encore une fois dit : *Et tu vas continuer longtemps comme ça ?* Patience, mon amour, patience...

1964.

Les cloches de Bâle

à Elsa Triolet
sans qui je me serais tu

PREMIÈRE PARTIE

Diane

I

Cela ne fit rire personne quand Guy appela M. Romanet Papa. C'était avant le dîner, près des capucines, autour de la petite table peinte où l'on voyait un pêcheur de crevettes jouant aux billes avec un montreur d'ours, qu'un artiste, danois paraît-il (comme le chien de la villa verte), avait décorée pour payer sa note ou finir de payer sa note, c'est toujours ça. Pourtant tout le monde avait ri quand le bébé des dames à carreaux avait dit Papa au patron de l'hôtel, qui ressemblait au montreur d'ours, seulement avec une moustache, et des yeux tout à fait différents. Personne n'était très sûr, il faut dire, de ne pas se fourvoyer un peu, parlant avec son voisin. Cela prend toujours un diable de temps en villégiature de savoir qui est qui, et les messieurs surtout : au bord de la mer ils ne sont pas si communs qu'à la ville, après, quand on les rencontre.

Évidemment, si on avait pu dépenser sept ou huit francs par jour dans un hôtel comme *Le Parc*, il n'y aurait pas eu à supporter la conversation d'une Mme Lourde, qui cachait sûrement quelque chose touchant le commerce qu'elle pouvait tenir à Elbeuf. Diane, d'ailleurs, se refusait à croire ce qui se disait. Mais enfin il fallait choisir : ou habiter au *Parc* seule avec

Guy, et alors comment aurait-elle expliqué M. Romanet? Ou bien aux *Bains* avec son père et sa mère, surtout que Robert, qui faisait son service dans les hussards, le chéri, allait avoir sa permission, et que tout de même elle ne rêvait pas laisser tomber son frère qui aurait besoin de prendre des bains de mer, avec tous ces clous qu'il avait eus.

« Trois francs par personne, pour ton père et moi, c'est tout ce que nous pouvons rêver consacrer à la pension. » Mme de Nettencourt soupirait et Diane savait à quoi s'en tenir pour la suite : regrets du temps qu'elle n'avait pas connu où son père et sa mère faisaient les châtelains en Touraine, à Nettencourt, avec des hortensias à chaque fenêtre, et Monseigneur avait sa chambre toujours prête, le chic de ton père en habits de chasse! Et quand nous arrivions quelque part personne qui ne se retournât. Mme de Nettencourt insistait sur ce qu'on les prenait pour frère et sœur, tous deux grands, de la même couleur. Diane se souvenait pourtant qu'il avait fallu le cours des années pour que les cheveux de sa mère se rapprochassent de la barbe de M. de Nettencourt. On ne pouvait plus arrêter la chère femme arrivée sur le chapitre des usuriers. « Bon, trois francs, dit Diane, et trois francs que je mettrai font six. » On avait donc loué aux *Bains*.

Les dernières semaines de juillet étaient toujours odieuses parce que déjà Mme Walker était aux eaux, et Denise écrivait de Saint-Jean-de-Luz que Paris devait être intenable, et Mme de Nettencourt avait ses nerfs. Mais M. Romanet n'avait ses vacances au ministère qu'au premier août ; on ne pouvait pas lui demander de payer pour les autres en étant à son bureau, d'où on voyait les arbres du boulevard Saint-Germain, mais enfin tout de même pas la mer. « Ah! cet argent, cet argent! » disait Mme de Nettencourt ; et elle fermait toutes les persiennes avant midi, de telle sorte que quand M. Romanet arrivait avec des roses, on n'y voyait pas pour chercher le vase de cristal qui est juste ce qu'il aurait fallu.

Morneville sentait abominablement mauvais, mais à l'hôtel des *Bains*, une surprise. On mangeait par petites tables, on voisinait avec un colonel de cavalerie, cela pouvait servir à Robert. Il est vrai que M. Romanet fit immédiatement une scène, et Diane avait toutes les peines du monde maintenant à ne pas rester seule avec le colonel, qui poussa la grossièreté jusqu'à offrir de sa pêche à la famille. « Moi, je le trouve charmant, cet officier, minauda Mme de Nettencourt, il ressemble un peu à Monseigneur. Tu ne trouves pas, Édouard? Diane, quand tu auras fini de me donner des coups de pied? » M. Romanet, très rouge, avait quitté la table en s'excusant, une arête. Diane l'aurait tuée, sa mère. Avec ça, toute la salle à manger qui les regardait.

Il y avait une quantité d'enfants à l'hôtel et Diane habitait au rez-de-chaussée. Le fils Lourde qui avait bien treize ans raconta qu'il l'avait vue toute nue (mon vieux, c'est du rupin!) comme elle s'habillait pour le bain, parce qu'on n'avait pas besoin de louer une cabine, trente ou quarante francs par mois. Ce propos fit le tour de l'hôtel et il s'ensuivit plusieurs scènes de ménage, à cause des nageurs qui s'éloignaient avec Diane dans la mer, un vrai poisson! ou de ceux qui lui avaient tendu son peignoir à la sortie.

Guy était trop petit pour se faire des camarades. On le plaignait que sa mère fût divorcée. A dix-neuf ans! Mme de Nettencourt avait confié à une des dames à carreaux que son ex-gendre était un homme horrible, qui demandait, d'une jeune fille élevée chrétiennement, des choses qu'elle ne pouvait aucunement lui accorder. Enfin tout ceci était du passé, bien que le misérable fût d'une excellente famille, noblesse d'empire seulement, mais enfin.

On préférait penser généralement que Diane recevait de son ancien mari une pension qui expliquait son linge.

Or il s'était trouvé qu'au *Parc*, un personnage très important, sinon un supérieur de M. Romanet, était venu retrouver sa femme, une Américaine, et M. Romanet une ou deux fois alla dîner avec eux. Sa serviette à sa place vide faisait parler tout l'hôtel, et Mme Lourde trouva que vraiment ces gens du *Parc* auraient dû inviter Diane! « Et M. et Mme de Nettencourt? » demanda le colonel. Évidemment, c'était trop.

Le colonel avait pris l'habitude de venir bavarder avec M. et Mme de Nettencourt. A défaut de Diane, Christiane, sa mère, pour la conversation, était encore flatteuse. Et puis elle aussi sans doute pensait aux intérêts de Robert. Elle avait dû regretter par-ci par-là qu'Édouard, son mari, ne fût pas dans l'armée. On a des cartes pour le Concours Hippique. Enfin n'y songeons plus. Édouard était surtout décoratif. Quand les propos du colonel dépassaient un peu ce que permet la bonne compagnie, les militaires en ont tant vu, la barbe bien taillée, à laquelle l'âge laissait juste la rousseur nécessaire, suivait le menton de M. de Nettencourt comme si la toux allait le prendre. Mais aussitôt le colonel généralisait. Tout restait donc fort aristocratique.

C'est par le colonel Dorsch que l'hôtel apprit l'existence du château de Nettencourt, des hortensias et de la chambre de Monseigneur. C'est par lui que la nouvelle des fiançailles de Diane avec M. Romanet se répandit de table en table, au grand soulagement de Mlles Vibert, de Pont-à-Mousson, et du ménage Melazzi, dont la jeune fille devait venir bientôt à Morneville. D'ailleurs, tout devint de plus en plus correct, lorsqu'on sut que M. Romanet, dont les fonctions au ministère de la Guerre étaient excessivement importantes, attendait aussi sa fille.

« Quel âge peut-il bien avoir, M. Romanet? » demandait au colonel l'aînée des demoiselles Vibert, celle qui jouait du piano. « Heu, mademoiselle, comment vous dire? Mme de Nettencourt lui donne quarante-deux ans. »

M. Peissonneau, le personnage important qui résidait au *Parc*, vint saluer ces dames, un jour après le bain. Un homme extrêmement bien, de l'avis général. La rosette. Une moustache noire en brosse, à peine teintée d'argent. On remarqua qu'il était venu seul. Mme de Nettencourt expliqua au colonel que Mme Peissonneau était souffrante ce jour-là. Mlle Vibert cadette entendit tout à fait par hasard une partie de la conversation lorsque M. Romanet raccompagna M. Peissonneau jusqu'à la route. « Alors, — disait M. Peissonneau — mon cher Romanet, vous êtes tout à fait comme Viviani : il ne peut pas souffrir la crème renversée. » Le mot fut rapporté en hâte à Mme Bouju, la patronne de l'hôtel, et cela lui fit supprimer ce soir-là son dessert.

Le colonel Dorsch était devenu tout à fait paternel à l'égard de Diane. Vraiment il aurait fallu être un monstre de jalousie pour en prendre ombrage. M. Romanet était un monstre de jalousie. Cela amena de longues explications entre Diane et sa mère : « Puisque je te dis, maman, qu'il ne peut pas le voir en peinture, ton colonel. — Ton colonel, d'abord je t'ai dit cent fois de m'appeler Christiane, et non pas maman, ce qui est ridicule devant le monde avec l'air que j'ai... — Mais il n'y a personne. — Je sais ce que je sais, il y aurait du monde que ce serait du pareil au même. D'ailleurs, ce que je t'en dis c'est pour toi. Ne va pas t'imaginer que j'aie peur que ça me vieillisse. Vrai, il arrive un âge où c'en est même vexant de faire jeune. Mais on le sait assez que je suis ta mère. Pas la peine de le rappeler tout le temps. Maman par-ci, maman par-là. Même que cela a quelque chose de risqué ce rappel des choses de la nature. — Enfin, Christiane, M. Romanet... — Quoi qu'est-ce qu'il vient encore faire là-dedans, M. Romanet? Et puis tu te moques de moi, avec tes façons de m'appeler Christiane hors de propos! Qu'est-ce que j'étais à dire? Ah oui, si tu crois que ça fait comme il faut de rappeler à tout bout de champ que tu as une mère! Eh bien ça fait cocotte, voilà ce que ça fait! A t'entendre, on croirait extraordinaire d'avoir une mère. C'est tout à fait commun. C'est très répandu. C'est même vulgaire. — Mais, à la fin, maman, je te dis que M. Romanet... — Ah vraiment, Diane, est-ce que tu te payes ma bille? Je m'échine à te dire, à t'expliquer comment quelqu'un dans notre situation doit s'exprimer et te voilà qui recommences à bêler : Maman, maman! Un véritable mouton! Si nous vivions dans un autre siècle, j'exigerais, tu m'entends bien? j'exigerais que tu me dises madame. Mais de nos jours cela aurait l'air un peu prétentieux. Alors Christiane...

— Tout ça est très gentil, mais si tu continues à amener le colonel Droche...

— Dorsch, si ça ne te fait rien, le colonel Dorsch. Un nom alsacien.

— ... enfin, le colonel, pour prendre le café avec nous, je vais avoir une histoire avec Maurice, et il fera ses paquets et il s'en ira.

— Eh bien, il s'en ira, le beau malheur! Non, mais,

voyez-vous ça ? Qu'il les fasse, ses paquets : un homme de son âge, et il se permet encore d'être jaloux!

— D'abord Maurice n'est pas si vieux que ça, et puis c'est justement. Mais si Maurice s'en va...

— Je t'ai prié sur tous les tons de ne l'appeler que M. Romanet tant que les choses n'ont pas un caractère plus définitif...

— Bref, s'il s'en va, M. Romanet, ça leur donnera un tour définitif, aux choses, et en attendant qui paiera la note de l'hôtel, toi ?

— Nous te donnons six francs par jour, ton père et moi, et j'ignore comment tu t'arranges. Je n'ai jamais rien compris aux affaires d'argent.

— Commode. Maintenant tu vas me faire le plaisir de ne plus amener le colonel Droche...

— Dorsch.

— ... à notre table pour le café, parce que j'ai pas envie de me fâcher à cause de toi avec M. Romanet et que M. Romanet...

— M. Romanet! Oh, à la fin des fins, tu me fais bouillir avec ton M. Romanet! Tu l'as tout le temps à la bouche, ton M. Romanet! C'est d'une indécence! Est-ce que tu n'as pas de sang dans les veines, qu'il te fait marcher comme cela, ce monsieur? Non, mais regarde un peu ton père : ah, il aurait fait beau voir que ton père m'ait interdit d'offrir un canard à un colonel! »

Le jour des trois ans de Guy, Mlle Judith Romanet arriva à Morneville, et elle apportait pour le petit un moka avec trois bougies et une inscription à la crème : *Je suis un grand garçon.* Du coup elle gagna le cœur de tout l'hôtel, qui en fit une figure romantique. Elle était habillée de noir, sûrement le deuil de sa mère (on découvrit plus tard que M. Romanet était divorcé), et les jupes peut-être un peu courtes pour ses seize ans.

Assez pâle avec ça, et plutôt forte. Les demoiselles Vibert eurent vite fait d'observer qu'elle regardait avec tristesse sa future belle-mère.

Quand on sut qu'elle préparait le Prix de Rome de sculpture, avec un père comme le sien, Judith fut l'objet des attentions de toutes ces dames. Mme Lourde elle-même voulut lui apprendre un motif de crochet, très joli, pour faire des abat-jour. Mme Melazzi qui avait été à Florence en 1890, (n'allez pas vous imaginer que je sois italienne, Melazzi pourrait faire croire, mais c'est simplement comme ça) coinça Judith près des cabines et lui dit que sa fille qui allait venir avait aussi des goûts artistiques, et serait très heureuse d'avoir une compagne de son âge. Elle était pour l'instant en Angleterre, au pair, jusqu'au 15 août, chez un pasteur. Elle faisait des progrès incroyables en anglais, oui. Elle parlait à tous les policemen. Des gens charmants, les policemen. Mais ça nous écarte de la sculpture. Est-ce que vous aimez Rodin? Moi je trouve que c'est une horreur.

Judith aimait Rodin.

« *Le Penseur?* Enfin, mon enfant, je ne voudrais pas vous tenir des propos trop... lestes, mais entre nous : est-ce qu'il n'a pas plutôt l'air de... oui, ce Penseur-là? Ah, parlez-moi d'Antonin Mercié! Non? Vous ne trouvez pas ça splendide le *Quand même?* l'Alsacienne des Tuileries? Du mouvement, de l'expression, du sentiment! Comme elle lui reprend son fusil au mort! Et le mort? Mais il est vrai que vous êtes trop jeune pour sentir ce qu'il y a d'émouvante simplicité dans cette façon-là de mourir! Quand même! »

Le père de Mme Melazzi avait été tué à Gravelotte. Et une cousine à elle avait dansé avec Antonin Mercié. Ou peut-être qu'elle n'avait pas précisément dansé.

A une fête de charité. Mais qu'est-ce que Mlle Judith lisait donc là? Mlle Judith lisait de l'Oscar Wilde. Mme Melazzi hésita un peu. Oscar Wilde... Elle n'était pas très sûre, mais ça ne devait pas être une lecture pour les jeunes filles, cela. Tout à coup, elle se souvint, Wilde, Wilde, ah! parfaitement : Salomé, lord... voyons, comment s'appelait-il ce lord-là? Eh bien, c'était du joli. Moi qui croyais que ce serait une compagnie pour Marie-Jeanne.

Mme Melazzi ne savait pas trop à quoi se résoudre. Expliquer à Mlle Judith que de telles lectures ne pouvaient que lui faire du mal, ou se taire et simplement veiller quand la petite serait là. Mais le coupable, en l'occurrence, n'était-ce pas ce pèrei nsouciant, toujours à courtiser cette Mme Diane, qui aurait pu être la sœur de son enfant? Et la mère de Marie-Jeanne entreprit décidément de rendre service à la jeune fille si pâle, certainement minée par le chagrin (elle était bouffie, de la mauvaise graisse). « Vous me direz, chère mademoiselle Judith, que je me mêle de ce qui ne me regarde pas. Mais voyez-vous, je suis mère, et, pauvre enfant, je sais ce qui vous manque. Je ne voudrais, bien entendu, aucunement, que vous déduisiez de mes paroles un blâme de qui que ce soit, en quoi que ce soit. Vous êtes déjà grande, et la vie (*soupir*) est telle qu'elle est. Il faut supporter beaucoup, comprendre, surtout comprendre! et pardonner. Nous autres femmes, c'est peut-être là ce qui fait notre grandeur, ou tout au moins notre sagesse. Mais cependant exposées que nous sommes à toutes sortes de dangers, dont le moindre n'est pas l'opinion qu'on se fait trop vite de nous, nous ne devons donner prise ni à la médisance ni à la sévérité. Or, une jeune fille, presque une enfant, vous permettez? n'est-ce pas, je songe à Marie-Jeanne, une enfant salir ses yeux et son imagination avec de tels livres, des auteurs dont elle n'oserait pas même prononcer devant quelqu'un le nom synonyme de... enfin d'un tas de choses...

— Oscar Wilde. »

Mme Melazzi, interloquée, regarda Judith. Celle-ci, appuyée à une petite cabine chocolat, s'était remise à lire. Mme Melazzi en eut la respiration coupée. Ah par exemple! Et s'éloigna précipitamment, parce qu'il y aurait eu trop à dire.

II

Le mariage de Diane de Nettencourt et de M. Romanet ne se fit pas cet automne, mais Diane et les siens prirent un appartement à Passy avec une chambre au sixième pour Robert tout juste libéré du service. M. de Nettencourt faisait un petit tour à la Muette, pour y acheter le *Figaro*, vers les onze heures. C'était là sa vie personnelle. A midi, il était de retour et aidait Christiane à mettre son corset. Parfois M. Romanet venait déjeuner. Plus souvent Diane le prenait au ministère.

Le plus clair de l'histoire fut que Diane donna une motocyclette à son frère. Tout le portrait de son père, Robert, bien qu'il ne portât que les moustaches. Il mettait une cravate de cheval parce qu'il avait encore des furoncles. « C'est très dur, la cavalerie », disait Mme de Nettencourt.

Après cela, les visites de M. Romanet s'espacèrent. Diane sortit très souvent. Elle était très préoccupée. Elle changea de parfum. Ça, quand elle changea de parfum, sa mère s'alarma. Elle le dit à son mari : « Édouard, chaque fois que j'ai changé de parfum, moi, tu le sais, c'était qu'il y avait quelque chose! » Édouard ne répondit absolument rien. Édouard ne répondait d'ailleurs jamais rien.

Où Diane avait-elle fait la connaissance de M. Gilson-Quesnel, le gros fabricant de sucre, c'est ce que Mme de Nettencourt ne put jamais se rappeler très bien, bien que Diane le lui eût dit trois ou quatre fois. M. Gilson-Quesnel n'avait que quarante ans ; très ami avec tout le Gouvernement, il ne demandait qu'à faire entrer Robert dans une administration, bien que d'une façon ou d'une autre ça ne s'arrangeât pas très bien, Robert préférant aller grimper la côte de Picardie en moto ; enfin, M. Gilson-Quesnel donnait à Guy des jouets mécaniques, des merveilles. Et un jour que Mme de Nettencourt s'embarrassait dans le nom double de ce charmant hôte, qui ne venait jamais chez eux sans violettes ou sans muguet suivant les saisons, celui-ci lui dit jovialement : « Appelez-moi mon gendre, et n'en parlons plus! » Par la suite on tint pour entendu que Paul (M. Gilson-Quesnel) était fiancé à Diane, et on n'en parla plus.

Tout de même un jour, Mme de Nettencourt trouva l'occasion d'interroger sa fille sur M. Romanet. Une occasion double : il y avait eu un changement de ministère et le Prix de Rome de sculpture avait été donné à un jeune homme de grand avenir, qui était le neveu de quelqu'un. M. Romanet, selon Diane, était d'une jalousie excessive : « Il ne comprenait pas ce que sont les besoins d'une femme de mon âge. A part quoi, il n'avait pas le sentiment de la famille.

— Ah! ça, interrompit Christiane, je l'avais toujours dit. »

Paul présentait de nombreux amis à Diane. Il l'emmenait même à des dîners d'affaires, chez Larue, au

Café de Paris. « Vous êtes, disait-il, chère amie, la fleur qui égaie ces dîners d'hommes où tout, sans cela, tourne à la gauloiserie quand ce n'est pas à l'ennui le plus mortel.

— La gauloiserie, dit M. de Nettencourt, est parfois, elle aussi, ennuyeuse.

— Oh vous! » s'exclama Christiane.

C'était dans le salon des Nettencourt, et il y avait au mur trois photographies encadrées du château familial.

« Diane, chère madame, continua M. Gilson-Quesnel en se tournant vers la mère, met dans ces réunions l'esprit féminin dont nous ne saurions nous passer.

— Hum! dit assez grossièrement Robert, Diane parle si peu!

— Même quand elle se tait, répliqua avec un air sévère le galant industriel, elle a l'irrésistible esprit de son sourire qui éclaire toutes les conversations, jusqu'aux plus fastidieuses. »

Précisément, Diane souriait, de trois quarts.

Diane était exactement l'idéal des premières pages de magazine. Très grande, très blonde, les yeux noirs, la peau blanche, une beauté. Mais M. Gilson-Quesnel était marié.

Quand Mme de Nettencourt s'en aperçut, une amie lui en ayant fait l'observation, une Mme Miellet qui avait quelque chose à faire avec les Miellet de Versailles, dont le cousin était premier président à la Cour, ce fut une jolie sérénade. Justement Diane avait une nouvelle fourrure, un petit collet de vison, et elle était fatiguée, la migraine. Tout d'un coup, elle coupa toute cette histoire avec six mots :

« Je-couche-avec-qui-je-veux! »

Le lendemain, M. de Nettencourt, au café, posa sur le bord de la table son exemplaire du *Figaro*, replié soigneusement, et dit avec une grande dignité : « Moi aussi, je préfère me hâter d'en rire, plutôt que d'avoir à en pleurer ! »

Cette phrase, évidemment méditée toute la nuit, déchaîna Robert. « Édouard, tu as de mauvaises lectures ! » Mais M. de Nettencourt ne l'entendait pas de cette oreille. « Oui, d'en pleurer ! » ajouta-t-il, et se tut. Tout le monde attendait. Le chef de famille abîma un instant son visage dans ses mains aristocratiques. Robert regarda avec envie la chevalière au doigt de son père, qui lui faisait compter les années. Diane était plus ennuyée qu'intriguée. Elle avait assisté à d'autres scènes de ce genre.

Enfin le gentilhomme releva la tête et dit : « Envoyez cet enfant jouer dans une autre pièce. » Un silence. « Pauvre innocent ! » Mais Guy ne voulait rien entendre, il venait d'installer son chemin de fer entre les pieds de la table. Il cria, trépigna. Robert lui donna un sucre, l'appela mon mignon, puis le saisit par la ceinture et l'emporta gigotant au salon où on entendit peu après un bruit discret de porcelaine brisée.

Mais il était bien question de cela. Mme de Nettencourt avait pris la parole : « Ton père veut dire, ma chère Diane, que bien que nous soyons des gens d'une autre époque, comme tu nous le fais assez fréquemment sentir, il est des choses qu'un Nettencourt ne saurait supporter, et *ne supportera pas*. Ah mais ! » Robert avait la bouche ouverte.

« Oui, poursuivait Christiane, nous avons accepté de couvrir l'une après l'autre chacune de tes folies. Oui, nous avons fermé les yeux sur tes sorties. Oui, nous avons reçu tes amis ici, oui. Mais ton père (Ton père !) ne supportera pas que tu me parles *d'une certaine façon !*

— Expliquez-vous, ricana Robert, parce que je voudrais bien savoir ce qu'un Nettencourt ne peut pas supporter.

— Tais-toi, mon fils. C'est ton père qui parle. » Et Mme de Nettencourt le désignait du geste. « C'est une affaire entre ton père et Diane, et personne, m'entends-tu bien ? personne ne peut y intervenir !

— Ça va durer longtemps ? dit Diane.

— Tu ne vas tout de même pas couper la parole à ton père ? »

Bref, il ressortait de l'affaire que M. et Mme de Nettencourt entendaient déménager, mais que leurs revenus ne leur permettaient pas de payer le loyer du petit appartement qu'ils avaient visité quelques jours auparavant. Pour quinze cents francs par an qu'elle leur donnerait, leur fille pouvait se débarrasser d'eux.

« Je ne les ai pas, mais je vous prie de croire que je vais en dire un mot à...

— Cela, interrompit dignement M. de Nettencourt, est ton affaire. Je ne me mêle pas, ni ta mère non plus, de tes conversations. »

Il reprit son *Figaro* et sortit de la pièce avec majesté.

« Eh bien, et moi ? interrogea Robert.

— Toi, tu as ta chambre ici », répondit sa sœur en haussant les épaules. Mme de Nettencourt était déjà dans le petit salon, à écrire des lettres pour prévenir ses amis du changement d'adresse.

Ils se félicitèrent d'ailleurs de ce bouleversement de leurs habitudes quand M. Gilson-Quesnel partit pour l'Italie avec Diane. « Nous n'aurions pas pu l'ignorer, dit Christiane à son fils, si nous avions été là. »

Cela ne l'empêchait pas de montrer à ses amies les cartes postales de Pise, de Vicence, de Vérone, de Venise, où régulièrement à côté de Diane signait *très respectueusement* M. Gilson-Quesnel. « Noblesse républicaine, souriait Mme de Nettencourt, mais enfin. »

Retour d'Italie, Diane avait un diamant au doigt, mais il ne fut plus question de M. Gilson-Quesnel. Quelque part, près d'Arezzo, à moins que ce ne fût à Paris, avant le départ, à un des dîners d'affaires du gros industriel, Diane avait fait la connaissance de M. Georges Brunel, un homme assez commun, petit, brun, méridional, mais sympathique. Un de ces hommes qui conquièrent immédiatement la confiance en se faisant pardonner leur excès de familiarité. A moins que ce ne soit l'inverse.

Mme de Nettencourt commença d'expliquer à ses amies que M. Brunel était un self-made man, il faisait des affaires, il avait eu des débuts très durs, il était colossalement, mais alors colossalement riche. Naturellement à condition de continuer à travailler. S'il s'arrêtait demain, il n'aurait plus rien. C'était une sorte de forçat du travail. En Amérique, il y avait des exemples, en Amérique seulement.

M. Brunel était d'une extrême jovialité. Il aimait la famille, lui, ce n'était pas comme d'autres. Les Nettencourt reparurent chez leur fille où ils avaient cessé d'aller. Il y eut des dîners, on jouait au poker le soir. Robert perdait assez lourdement. M. Brunel lui tirait les oreilles en riant et l'emmenait sur le balcon fumer un cigare. Après ça, Robert venait reperdre de plus belle.

M. Brunel et Mme de Nettencourt s'appelèrent très vite Georges et Christiane. Georges, donc, la taquinait très fort, disant qu'il ne savait pas qui choisir d'elle ou de sa fille, que ah! ah! Diane n'était pas mal, mais Christiane a plus de chien. M. de Nettencourt s'assombrissait un peu pour la forme, et Christiane criait avec le sommet de sa voix que vraiment, vraiment, après vingt-quatre ans de mariage c'était la première fois qu'elle voyait Édouard jaloux!

Diane et Georges disparurent trois semaines, et à leur retour, Mme de Nettencourt annonça que le mariage avait eu lieu en Irlande. Pourquoi en Irlande! Elle l'expliquait assez confusément, que les lois irlandaises permettaient de faire cela beaucoup plus vite, qu'en France il y avait des obstacles. Enfin ce point d'histoire resta toujours assez obscur semble-t-il. Mais les Brunel prirent un immense appartement avec atelier dans le quartier de la Porte Maillot, au-dessus du chemin de fer, tout près de la maison de M. Raymond Poincaré avec lequel Georges avait eu un entretien à son retour d'Irlande, pour des questions qui mettaient en jeu les intérêts de la France, assura Christiane au colonel Dorsch qui était venu la voir dans l'ancien appartement de Diane, repris par les Nettencourt.

Quand Brunel eut racheté, pour un morceau de pain, le château de Nettencourt, Christiane fit de grands discours sur la démocratie. Georges était la crème des gendres. Il avait toujours sur lui des havanes pour Édouard. Il était au cercle de la rue Volney, et achetait de temps en temps des tableaux de genre, avec des femmes nues dans des paysages. Il fréquentait le monde militaire et il trouvait le gouvernement trop doux dans la question du Maroc.

Guy avait cinq ans l'été que la guerre fut si proche que Georges rentra précipitamment d'Aix-les-Bains à Paris, parce qu'il devait, disait-il, se mettre à la disposition du gouvernement. Guy s'entendait bien avec son *père*. Il était habillé en satin blanc et noir avec un béret de marin anglais : *H. M. S. Victoria.* On lui faisait apprendre le violon, et il récitait des poésies. « Ce sera un prodige », disait Diane. « Comme son père », disait Georges en clignant de l'œil.

Le colonel Dorsch était devenu un familier du jeune

ménage. Il se rencontra chez les Brunel avec Wisner, le fabricant d'autos. Wisner se toqua du colonel Dorsch, il s'en toqua véritablement. C'était juste au moment qu'il fut nommé général de brigade. Mme de Nettencourt ne se tenait plus de joie. Elle ne parlait que du général. On ne voyait plus que le général.

Wisner donna un grand déjeuner chez Foyot où il invita Diane et Georges, et le général et un officier américain, le colonel Morris. Le colonel et le général parlèrent ensemble pendant presque tout le temps. M. Wisner s'occupait surtout de Diane.

Puis le général Dorsch, à une fête de charité au ministère, fit obtenir un comptoir à Mme Brunel, la belle Mme Brunel. On disait même, à l'État-Major, que le général ah! ah! Le général se fâchait quand ça lui revenait aux oreilles : « Vous plaisantez, je suis un ami de sa mère, Mme de Nettencourt, un très beau château en Touraine! »

C'est la voiture de Mme Brunel qui eut le prix à la bataille des fleurs de Cannes cette année-là. Le général Dorsch fut photographié à côté d'elle aux Drags, et la photo fut reproduite dans *Femina* à côté de celle de Maurice Barrès parlant à une princesse de la maison de Belgique.

Il était question que Robert entrât dans les ambassades.

Les Brunel déménagèrent rue d'Offémont, où ils eurent un petit hôtel avec valet de pied, et une voiture au mois. La vaisselle de toilette de Diane étant en or, était exposée dans le hall. On suppose que Diane devait se laver dans la porcelaine de son cabinet de toilette.

Il y avait une profusion extraordinaire d'objets d'église précieux dispersés dans la maison. Le chiffre des plus grandes maisons de France se retrouvait sur de nombreux objets usuels ; brusquement les Brunel se servaient d'un nouveau service de table de quelques centaines de pièces. Des chasubles venaient s'affaler sur l'un des trois pianos.

Quant à Georges et Diane, c'était le couple le mieux uni qui se pût voir. Guy commençait à jouer une petite sonate sur son violon. Et généraux, chefs de service aux ministères, députés, diplomates, banquiers, brasseurs d'affaires, écoutaient dans le ravissement, le soir après dîner, le crin-crin pas trop laborieux du jeune Mozart, comme on l'appelait dans l'intimité. On applaudissait. Diane savait alors venir poser sur la tête du gosse une main maternelle qui faisait au bout de son bras nu un geste à peine étudié. « Il faut aller se coucher, mon enfant. » Avec le petit prodige et le violon, la mère ainsi debout, était irrésistible. Le peintre Roll fit son portrait qui fut exposé aux Artistes Français.

Mme de Nettencourt était devenue d'un roux éclatant. Elle disait que Georges devrait être ministre, que c'était bien ennuyeux qu'il faille d'abord se faire élire député ; d'ailleurs rien ne s'oppose à ce qu'on soit ministre sans être député, Georges serait le premier, voilà tout, à rompre une tradition stupide. Est-ce que Richelieu avait été député d'abord ? Non. Eh bien, il avait magnifiquement fait les affaires de la France, et à Nettencourt où il avait passé une nuit, il y avait une plaque dans la chambre qui était justement celle qu'on réservait à Monseigneur.

Au fait on ne la réservait plus à Monseigneur, parce que les amis politiques de Georges n'auraient pas compris. Il faut marcher avec son temps.

Diane soupirait que merci! elle n'y tenait pas à ce que Georges soit dans le gouvernement. Déjà, comme cela, il était bien assez pris. On voulait sa mort. Il venait de lui donner un collier d'émeraudes. Dieu sait ce que cela lui avait coûté de veilles, à ce fou! Elle seule pouvait dire combien il travaillait, son Georges. D'ailleurs, pour mener le train qu'ils menaient. Et dont elle se serait vraiment passée comme de rien faire.

« Eh bien, pas moi! » disait fièrement Mme de Nettencourt.

III

Robert était finalement entré dans les affaires de son beau-frère. Mme de Nettencourt ne tarissait pas là-dessus : « Cela le change tellement, il travaille. Entre nous, je ne suis pas fâchée. Aujourd'hui un jeune homme doit gagner son pain. Édouard qui n'a jamais rien fait de sa vie... Mais aussi nous sommes à une tout autre époque, et puis quand nous nous sommes rencontrés, il y avait Nettencourt où Édouard devait tenir son rang, les chiens, les chevaux, nos relations. Enfin j'avais une certaine dot. Oh, rien de princier. Mais tout de même de quoi vivre quelques années. Puis il y a eu les usuriers... »

Le général Dorsch connaissait déjà l'histoire. Mais lui aussi était fort aise que Robert travaillât : un garçon qui aurait fait un si beau cavalier. « Oui, reprenait Christiane, Robert était en train, tout doucement, de devenir un parasite. Certes Georges est très généreux, mais enfin c'est pour Diane qu'il le fait, n'est-ce pas? Remarquez que Nettencourt, c'est à elle qu'il l'a donné. Oh, pour nous c'est tout comme. L'hôtel de la rue d'Offémont également. Ah! vous ne saviez pas, général? Il vient de le lui acheter. Et même on peut dire que pour quelqu'un qui ne doit son éducation qu'à lui-même, car entre nous Georges est d'une extraction tout à fait inférieure, c'est extraordinaire la galanterie de mon gendre. Bien entendu, Diane y est pour beaucoup. Une nature d'élite. Vous savez comme elle parle peu. Mais d'un rien, d'un sourire, quand il ne se conduit pas tout à fait comme il faut, elle le remet dans la voie, et comme il est intelligent... Naturellement c'est la délicatesse naturelle qui se fait jour en lui. Tout, il lui donne tout, à Diane. Ainsi l'autre jour, comme on apporte des fleurs, il lui a apporté à dîner, on était au dessert, il n'a pas d'heures, Georges, avec ses affaires, tout un paquet de Suez. Coucou! »

Le général Dorsch s'étonna : « Coucou?

— Oui, c'est un peu vulgaire. Mais que voulez-vous, dix Suez valent bien une vulgarité! Georges était arrivé à pas de loup derrière Diane, et il lui a mis les Suez comme un bandeau sur les yeux. Vous avez sûrement été à Suez, général? »

Le général avait été à Suez. Ah, les Anglais avaient été plus malins que nous avec le Panama! Non, Mme de Nettencourt n'avait pas connu les de Lesseps. Elle les avait vus quelquefois au Bois de Boulogne, tous à cheval, en redingote, derrière leur père. Le perceur d'isthmes était une grande figure, une grande figure, et il n'avait certainement jamais rien compris à ce qui se trafiquait autour de lui. Mais c'étaient des Suez que Georges avait donnés à Diane, des Suez qui ne devaient rien à personne. Ce Georges, un cœur d'or, c'est le mot.

« Au fait, Diane a dû renvoyer la nurse. Oui. On l'a trouvée avec le valet de pied dans la chambre de Georges. »

Diane en fait avait été outrée, elle en avait eu presque une crise de nerfs. Dans sa maison. Robert avait essayé de plaider la cause de l'Anglaise. Tout de même, qu'est-ce qu'on voulait qu'elle fasse, la nurse ? Qu'elle se lie avec des hommes dans la rue et qu'elle aille dans un hôtel meublé ? Diane avait fait une scène épouvantable à son frère. Qu'est-ce que c'était que ce langage à présent ? Elle n'avait qu'à s'arranger, cette fille, pendant qu'elle était à son service. D'abord qu'on n'en sache rien. Quand on touche l'argent des autres, eh bien, il y a des choses dont on se passe. On avait gardé le valet de pied après lui avoir bien lavé la tête. D'ailleurs Guy était trop grand pour avoir une nurse. « Et puis, s'était écriée Diane, je ne veux pas que mon home soit un boxon ! » En relatant la scène à ses amis, Christiane disait : *une maison de mauvaise vie.*

Maintenant Robert et Georges étaient inséparables. On les voyait ensemble aux courses, chez Maxim's. Robert avait des gilets qui faisaient époque. Il conduisait à Longchamp. Il fut reçu avenue du Bois chez les Castellane, à cause d'une Américaine qu'il amena dîner chez sa sœur, et qui l'appelait *le vicomte.* Georges s'étonna un peu d'abord, puis cela lui plut. Et Robert devint vicomte. Par suite, comme une promotion rétroactive, on se mit en parlant d'Édouard à dire *le comte de Nettencourt*, et Christiane fit discrètement ajouter sur la plaque de ses cartes de visite une petite couronne comtale. Sans le titre, elle disait que c'était du chiqué.

Guy eut pour institutrice une dame qui avait eu des revers. Veuve d'officier, parente d'un ministre du Second Empire, Mme de Lérins. Elle le menait au Parc Monceau, et lui faisait répéter son violon. Il savait tout juste lire et écrire, mais on lui avait appris les stances de la brise, dans les *Bouffons* de Miguel Zamacoïs et la Sérénade du *Passant.* Mme de Lérins n'aimait pas Coppée. Elle le trouvait plat.

M. de Lérins avait eu toutes les vertus. Officier de la coloniale, il était mort relativement jeune, mais beaucoup plus âgé que sa veuve. De sa jeunesse non plus que de son mariage, il ne passait pas grand'chose dans les interminables récits que celle-ci faisait à son élève. Sa vie semblait avoir commencé avec le veuvage. C'est vers le temps de l'Exposition de 89 que Mme de Lérins, non pas tellement pour le rapport que par horreur de la solitude, s'était mise à louer une ou deux chambres de son appartement. Elle avait quelques meubles et quelques sous, des porcelaines rapportées par le feu capitaine de Lérins des Indes françaises, c'est-à-dire de Pondichéry, et des grenats qui lui venaient de sa mère.

Guy ne s'y retrouvait guère dans les nombreuses histoires d'héritages qui l'avaient brouillée avec ses sœurs, ses cousins. Enfin elle disait pis que pendre de la famille, bien que ce soit fort triste d'être réduite à manger le pain des autres et de ne plus avoir affaire qu'à des étrangers.

C'est alors qu'apparaissaient M. et Mme de Münchbourg. Ce couple, Guy que n'aurait-il pas donné pour en voir une photographie! Couple mystérieux comme le corsage de Mme de Lérins, rayé magenta et jaune. Mme de Lérins avait une espèce de laideur bourbonienne, qu'elle commentait en assurant que quand elle était jeune elle ressemblait à Marie-Antoinette. Guy ne doutait pas un instant que les Münchbourg eussent été de ces criminels qui prennent rang dans les causes célèbres, et que pour cette fois seuls l'aveuglement de la police, et l'appui d'un sénateur impie qui avait fait jeter des religieuses hors de France, pouvaient avoir sauvés du banc d'infamie.

Ce que M. et Mme de Münchbourg avaient au juste

fait à Mme de Lérins était assez difficilement compréhensible. Il est certain que, locataires de la chambre rose, si agréable, ils avaient escroqué l'amitié de Mme de Lérins qui consolait Mme de Münchbourg quand M. de Münchbourg allait courir. Car il courait. Puis ils n'avaient plus payé leur loyer. Enfin M. de Münchbourg avait aidé Mme de Lérins dans ses placements. Aidé dans ses placements, ha, ha, ha! Mme de Lérins se levait et marchait dans la chambre d'étude, plus Marie-Antoinette que jamais. Et le plus horrible dans l'affaire, cela avait été l'attitude de Mme de Münchbourg. Lui, un monte-en-l'air, rien de plus. Mais elle! Je ne dirai pas ce que c'était.

Il y avait aussi une malle que les Münchbourg avaient eu le toupet de venir réclamer par la suite. La Münchbourg avait parlé d'envoyer chercher l'huissier. Un comble!

Aussi Mme de Lérins, tant pis pour ce qu'on dirait! avait-elle loué ensuite à un officier, M. de Fleury. Très bien, M. de Fleury, très distingué. Lieutenant. Un bel avenir. Ah, plus de femmes, non plus de femmes! Ce sont des chipies. Parlez-moi des hommes.

Ici nouveau mystère. Mme de Lérins avait beaucoup pleuré. M. de Fleury lui devait de l'argent. Il avait reçu chez elle des gens qu'il n'aurait pas dû y recevoir. Probablement des bandits, pensait Guy. Enfin il fallait trancher le mot, ce lieutenant n'était qu'un simple souteneur. Guy ne savait pas ce que cela voulait dire au juste, mais il s'imaginait.

« Quand je pense comme il parlait de son métier! Le drapeau par-ci, et la France par-là! Il disait qu'il regrettait de n'avoir pas vécu sous l'Empire, le premier. Ah la la! La canaille, la canaille! »

Et l'avoué s'était sûrement entendu avec M. de

Münchbourg quand elle l'avait poursuivi en justice. Sans parler du krach de l'Union qui lui avait enlevé tout ce qui lui restait d'économies. Elle avait dû vendre la plupart de ses meubles, et se placer comme dame de compagnie.

Diane surprit un jour Mme de Lérins qui faisait marcher le guignol pour Guy sidéré, les yeux hors de la tête. Quand elle entra, Guignol tenait la tête de Guignolet sous son bras, tandis que Rosalie applaudissait, et le rossait sur un libretto singulier : « Ah, cochon de Münchbourg! Je vais t'apprendre moi à détrousser les veuves! Et ta catin, je la ferai enfermer à Saint-Lazare! A Saint-Lazare! » Au comble de l'excitation, Guy criait de sa place : « A Saint-Lazare! » en battant des mains, comme devant une scène maintes fois représentée. Diane n'osa pas faire d'observations à Mme de Lérins, parce que celle-ci passait pour assez méchante langue, et qu'elle n'avait pas envie d'être l'héroïne de la pièce de guignol que Mme de Lérins irait jouer ailleurs. Elle ne comprit rien à ce que Guy interrogé lui raconta tout animé, de M. de Fleury et du krach de l'Union.

Il y avait aussi de longs récits sur le mauvais caractère de Mme Trücker, chez qui Mme de Lérins avait été dame de compagnie, qu'elle avait quittée dix fois, pour dix fois revenir ; et comme la fille de Mme Trücker habitait à Odessa, et les cartes postales de Russie qu'elle envoyait, et le petit porte-monnaie en cuir de Russie qu'elle avait donné à Mme de Lérins à son dernier voyage. Guy exigeait de voir le porte-monnaie. Il adorait l'odeur du cuir de Russie.

D'autre part, il y avait le petit Paul. Le petit Paul était le fils de M. du Val d'Amboise, et M. du Val d'Amboise était le fils de Mme Sporghi. C'est chez Mme Sporghi que Mme de Lérins avait été à la fois comme dame de compagnie et comme institutrice du petit Paul. Guy aurait tellement aimé connaître ce petit Paul, qui avait une jolie écriture, qui était si intelligent, qui avait des jouets électriques. Et puis Mme Sporghi avait fait entrer Mme de Lérins chez Mme de Verseilles, la femme du célèbre de Verseilles, qui était la maîtresse de M. du Val d'Amboise. Naturellement il ne fallait pas le dire, mais Geneviève, la fille de Mme de Verseilles, la plus jeune de ses enfants, était la fille de M. du Val d'Amboise. Un homme si charmant, si distingué, M. du Val d'Amboise! Très riche. Le métier diplomatique l'éloignait généralement de Mme de Verseilles. Mme de Verseilles, sans bien entendu dire directement les choses, racontait à Mme de Lérins quel être d'exception, quel gentilhomme, mais alors là au plein sens du terme, quel gentilhomme était M. du Val d'Amboise. C'était lui qui payait tout ce qui avait trait à Geneviève. Geneviève ne se doutait de rien.

Mme de Lérins n'aimait pas les Angliches. Il arrivait que dans les pièces de guignol qu'elle improvisait pour Guy, M. de Fleury ou M. de Münchbourg espionnât pour le compte de la perfide Albion. Fachoda avait bien montré du reste ce que c'était que ces gens-là. Guy aurait aimé avoir des détails sur Fachoda, mais quand Mme de Lérins avait dit que c'était en Afrique, et que le capitaine Marchand avait été sublime, elle était au bout de son rouleau, et Guy chiffrait. Une espèce de vague idée s'établit dans sa tête que cela avait quelque chose à voir avec le krach de l'Union. Le soir, il s'endormait en pensant au petit Paul, à Geneviève et à comme c'était triste que Mme de Verseilles soit séparée de M. du Val d'Amboise.

Il y avait tout le temps de nouvelles figures qui venaient à la maison. Guy aimait rester dans un coin du grand hall, quand il y avait du monde, et regarder les inconnus. Il y avait toutes sortes de gens. Même un Chinois, un jour. Pas habillé en Chinois. En smoking : c'était à dîner.

Dans la journée, Georges recevait des amis à lui, ou des gens pour ses affaires. Il s'enfermait avec eux dans son bureau. Robert y était parfois. On entendait souvent à travers la porte un bruit confus de disputes, des voix colères, menaçantes, et le rire de Georges généralement. C'est que c'étaient des affaires graves, les affaires de Georges.

Une fois, Guy avait vu sortir du bureau une espèce de grand vieillard qui était absolument blême, et qui criait : « Mais c'est une indignité, c'est une indignité! » Georges très respectueusement le poussait vers la porte en disant : « Pas si haut, monsieur le ministre, pas si haut, on pourrait vous entendre! »

Ce que Guy aimait le mieux, c'était quand son grand-père venait le chercher pour aller au Bois. Édouard n'adressait pas la parole à son petit-fils pendant des heures. Alors, Guy était libre pour penser à tout, à Fachoda, aux émeraudes de sa mère, à M. de Fleury faisant la cour à Mme de Lérins. Ça c'était drôle. Jamais Guy n'aurait imaginé de faire la cour à Mme de Lérins. « Dis, grand-père, comment est-ce qu'elle était Marie-Antoinette ? »

Édouard, comte de Nettencourt par la grâce de Mrs Page, réfléchit un instant dans sa belle barbe de châtelain, puis répondit avec une simplicité féodale : « Plutôt moche. »

IV

Le fabricant d'autos Wisner, le grand Wisner qui avait transformé l'industrie automobile française, le gagnant de toutes les courses continentales, avait commencé lui-même comme coureur. Il en avait gardé des idées avancées, et on avait beaucoup discuté, beaucoup blâmé son geste lorsque, au lendemain d'un discours de Jaurès, il lui avait envoyé sa carte avec ses félicitations. « Je suis au fond un socialiste, disait-il au général Dorsch, à quoi donc est l'ouverture ? Un socialiste réaliste. Aux deux paires ? Vous ouvrez ? Cela me met parfois dans des situations singulières. Je double. Mais j'ose dire que mes intérêts ne me font jamais oublier l'intérêt de tous. Comme cela. Alors on abat ? Identifier son intérêt avec celui de tous, voilà qui permet de rester longtemps dans les limites de la plus stricte équité. Moi c'est un brelan d'as, mon général, avec tous mes regrets. »

Presque tous les soirs rue d'Offémont, Wisner, Dorsch, Robert, deux ou trois journalistes, Mrs Page, un cousin des Nettencourt, Émile Bruyère qui avait une assez haute position au ministère des Colonies, plusieurs ménages d'officiers, une princesse grecque, se rencontraient pour le poker. « Mais c'est un tripot chez les Brunel ! » avait dit un jour la femme d'un lieutenant au général Dorsch. « Chère petite dame, si vous aviez vu comment le maître de maison sait perdre, vous ne diriez plus cela ! » Il est de fait que Georges *savait* perdre aussi. Diane, elle, gagnait régulièrement contre Wisner.

« Si vous avez des amis qui aiment le Mumm, confia

un jour Brunel au général, amenez-les demain. Je vais en recevoir dix caisses, mais alors! » Ce petit discours s'achevait par le geste familier au cinéma pour désigner les jolies femmes : les doigts joints, une main faisait le tour du visage de l'acteur pour venir s'ouvrir sous un baiser des lèvres.

« Bien, dit Dorsch, j'amènerai Sabran. »

Le capitaine Jacques de Sabran trouva le Mumm si bien à son goût qu'on le revit tous les soirs chez les Brunel. Quand ce fut la fête de Saint-Cyr où il avait un frère, le capitaine donna des invitations aux Brunel.

Diane à Saint-Cyr vint dans une toilette qui fit scandale. C'était le commencement des robes collantes. On lui voyait tout comme si elle sortait du bain. Le lieutenant de Sabran, que son frère présentait à la belle Mme Brunel, en fut manifestement ébloui. Il manqua se casser le cou en passant devant elle, debout sur deux chevaux, pendant les numéros de haute école, parce qu'il lui fit le salut militaire.

Cependant le lieutenant ne devint pas comme son frère un habitué des pokers de la rue d'Offémont. Il avait une liaison, paraît-il, avec une actrice très connue.

On commençait beaucoup à parler du mariage de Mrs Page et de Robert : une très grosse affaire. Mrs Page n'était pas seulement la veuve du Page de Chicago, elle était la fille de Mac Hendrik, qui venait de fonder un consortium des transports. Évidemment le mariage n'était pas tout à fait dans le sac. Enfin Mrs Page avait l'air très éprise.

« Alors, chère madame, disait Christiane à Mme Blin, la femme du bijoutier de la rue de la Paix qu'elle avait rencontrée l'été précédent à Uriage, vous n'avez jamais eu la curiosité d'accompagner M. Blin aux États-Unis, lors d'un de ses voyages d'affaires?

— Non. Cela ne s'est pas trouvé.

— Comme c'est dommage! Comme c'est véritablement dommage! Ce n'est pas que j'aie très spécialement l'envie d'aller en Amérique. Non. Je suis beaucoup plus attirée par la Palestine. Les Lieux Saints. Mais enfin, si une occasion se présentait... Oh! je dis cela tout à fait en l'air, je n'ai pas le moindre projet, mais enfin si une occasion se présentait, je n'en ferais pas fi!

— Si je ne craignais pas d'être indiscrète... »

Mme Blin s'était arrêtée pour regarder ses bagues.

« ... Je vous demanderais, oh, naturellement, sans insister, si le bruit qui court concernant le vicomte...

— Robert?

— ... Monsieur votre fils, a quelque fondement?

— Un bruit? Robert? Mais, vous me prenez au dépourvu, chère madame Blin, j'ignore absolument ce qui se dit. Il y a tant de commérages à Paris.

— Oui, des commérages. Je le crois aussi. Cependant on dit avec persistance que le vicomte serait engagé à Mrs Page...

— Première nouvelle. Mais qu'est-ce qui vous fait dire? Ah? parce que je parlais de voyage en Amérique. Mais voyons, c'était tout à fait en l'air, tout à fait en l'air.

— Oui, je me disais bien. Le vicomte a bien vingt ans de moins que Mrs Page. Une de nos clientes, d'ailleurs. »

Mme de Lérins, elle, était indignée. Elle parlait sans arrêt à Guy des différences d'âge entre conjoints. Sans doute le capitaine de Lérins était-il de beaucoup son aîné. Mais cela, c'était une autre paire de manches. C'était vraiment une pitié qu'un bel homme comme Robert aille comme cela, pour de l'argent. Car enfin c'était pour de l'argent. Non, non, inutile d'essayer de prétendre que c'était une inclination irrésistible. Qu'est-ce qu'on avait à dire que cette Mrs Page était intelligente? Elle était bête comme une oie. Ça devait être l'exemple de Boni de Castellane qui lui avait tourné la tête, à Robert. Ah, quand on pense aux femmes qui ne trouvent pas à se marier, et qui pourtant... Remarque, mon petit Guy, que je ne dis pas cela pour moi, j'ai passé l'âge, si, si, tu ne peux pas te rendre compte, mais j'ai passé l'âge. C'est vrai que quand Pierre est mort, j'étais dans tout mon épanouissement. Enfin Robert, qu'est-ce qu'on peut attendre de lui après tout? Comment a-t-il toujours vécu? Aux crochets de ta mère, ou de M. Brunel. C'est un cynique. Un Alphonse, tiens, un véritable Alphonse.

Guy n'était pas très content de Mme de Lérins : pourquoi affubler Robert de ce prénom ridicule? On avait voulu lui apprendre de l'Alphonse Daudet (un chef-d'œuvre! *Le sous-préfet aux champs*!) et il n'avait jamais pu retenir la leçon, il n'avait aucune mémoire pour la prose.

Mrs Page s'entendait très bien avec Diane. Elle lui avait donné des dentelles, des kilomètres de dentelles. Diane s'était fait faire des déshabillés avec ces dentelles, et elle ne recevait plus guère dans la journée qu'en valenciennes. Comme à la maison elle ne portait pas de corset, Mme Blin avait un peu pincé les lèvres en racontant à M. Blin de quoi cela avait l'air. Mais M. Blin, pourtant si occupé, s'était là-dessus arrangé la fois suivante pour venir chercher Mme Blin après le thé, rue d'Offémont.

« Est-ce que M. Brunel n'est pas un peu jaloux de Mme Brunel? » demandait dans un coin Mme Blin à Christiane, tandis que M. Blin racontait avec détails à Diane comment il s'était rendu à Chicago avec une rivière de diamants pour M. Mac Hendrik, le père de Mrs Page, et comment sur le bateau, on avait pénétré dans sa cabine, et dérobé l'écrin qui ne contenait qu'une copie du joyau, tandis que la véritable rivière était dans son mouchoir, là, dans mon pantalon.

« Tout au contraire, chère Madame, c'est ma pauvre petite Diane qui se ronge à cause de mon gendre. C'est extraordinaire, parce qu'enfin à les voir, je ne veux pas dire de mal du physique de Georges, si vif, et Diane est ma fille... Elle est folle de son mari. C'est même déraisonnable. Les autres hommes n'existent plus pour elle. Et il lui donne des soucis. Elle s'en fait. Avec toutes ces actrices qu'il a à voir dans son métier. Il reste dehors très tard parfois. Oh les actrices! Diane ne peut pas entendre parler des actrices.

— Mais est-ce que M. Brunel ne voit pas d'objection aux... robes d'intérieur de Mme Brunel?

— Lui? C'est son goût. Et Diane, dont ce n'est pas du tout le genre, s'est fait faire tout ce linge avec de vieilles valenciennes que nous avions dans la famille uniquement pour rivaliser avec les actrices, pour le retenir. »

Rentrés chez eux, les Blin ont échangé leurs impressions. Qu'est-ce qu'elle voulait dire, la mère, avec ces actrices qu'il devait voir dans son métier? « Moi, je suis sûr, dit M. Blin, qu'il fait la traite des blanches. Quant à Diane, c'est un beau morceau, mais on doit savoir ce que ça vous coûte. » Mme Blin lui fit observer qu'il lui avait parlé avec trop d'animation. « Cela se voyait mon ami, cela se voyait! » C'est M. Blin qui fit une scène.

A la générale de la nouvelle pièce de Bernstein, Wisner était dans la loge des Brunel, avec Robert et Mrs Page. A l'entracte, Mrs Page sortit de son sac en perles une lettre qu'elle tendit à Diane qui la lut, s'exclama : Quelle horreur! et la donna à Georges. Georges eut son bon rire, et demanda à Mrs Page si elle l'avait montrée à Robert. « J'ai juste fait », dit Mrs Page. « Alors, reprit Georges, il n'y a plus qu'à la passer à Wisner. »

Diane avait eu un geste instinctif pour arrêter la lettre, mais elle était déjà aux mains du fabricant d'autos. Celui-ci hésita, interrogea des yeux Mrs Page. Mrs Page acquiesça. La lettre disait :

« Vieille idiote, tu es sur le point de faire une bêtise dont tu te mordras les doigts. Si tu épouses le sire Robert de Nettencourt, qui n'est pas plus vicomte que moi, tu seras cocue dès la nuit de noces. Il a une petite amie à laquelle il porte les restants des gâteaux qu'on mange chez son beau-frère, une Mlle Lulu. Si tu crois un instant qu'il t'épouse pour tes beaux yeux, tu es plus bête que nature. Robert ne te prend que pour ton sac. C'est un peu dur à avaler, ma vieille, mais il faudra te faire à cette idée. C'est l'exemple de Boni de Castellane qui lui a tourné la tête. Est-ce que tu crois qu'il n'y a pas assez comme ça en France de femmes intelligentes, et jolies, et fines pour faire le bonheur d'un homme comme ton Robert? Va, tu n'as pas à le regretter : c'est un propre à rien, un Alphonse, il a toujours vécu aux crochets de sa sœur, une catin, ou de son beau-frère, un Gobseck. Crois-moi, tu feras mieux de prendre tes cliques et tes claques, et de filer à Chicago sans demander ton reste.

« Quelqu'un qui a pitié, et que tout cela écœure. »

Wisner, pendant un petit instant, resta là, stupéfait, le billet à la main. A la fin il exprima sa pensée : « Eh bien, dit-il, c'est tassé.

— Une horreur, gémissait Diane.

— Moi je trouve ça extrêmement comique, naturellement », dit Georges. Mais Robert était un peu nerveux : « C'est à Nelly qu'il faudrait demander ce qu'elle en pense, il me semble...

— Je trouve cela très français, très intéressant, et je vais envoyer à mon père pour ses collections historiques. Darling Robert, il y a quelqu'un qui nous salue. »

Les têtes se tournèrent. Robert, visiblement préoccupé, dit très haut : « Je me demande qui ça peut être... » Georges se méprit : « C'est le petit Sabran, avec son amie, Marthe S..., du Palais-Royal. »

Diane extrêmement intéressée, regarda l'actrice. Une jolie fille. Wisner, égrillard, s'écria : « Elle ne doit pas être mal du tout dans un lit... au premier acte ! »

V

Guy jouait la Prière de *La Tosca* sur son violon. Il avait neuf ans, mais on ne le mettait pas à l'école. Mme de Lérins suffisait, et Diane trouvait que c'était inutile de l'envoyer à l'école où on apprend aux enfants des *leçons de choses* et des mathématiques, absolument inutiles pour un artiste. Car Guy serait un artiste. C'était un enfant assez joli, très gras avec les yeux noirs de sa mère, et les cheveux blonds. Ses joues rondes un peu molles, où la couleur se tenait toute aux pommettes, avaient l'air faites du porridge qu'on lui donnait le matin. Il sentait la confiture d'oranges. Il était généralement habillé avec de petits trois-pièces, la veste droite et le pantalon pris sous le genou, en velours noir ou marine, le gilet de satin blanc. Un Van Dyck, disait

Mme de Nettencourt. Les cheveux coupés aux enfants d'Édouard.

Il sortait encore tous les jours avec Mme de Lérins, mais on n'allait plus au Parc Monceau, où il y avait trop de bonnes, et de mioches. Naturellement le secret de leurs promenades restait entre Mme de Lérins et Guy. Courses dans les grands magasins, où il y a tant à regarder. Mme de Lérins essayait des chapeaux. Des petits, des grands. Des toques de violettes, des chapeaux bergère. « Regarde, Guy, ce qu'on fait maintenant. Moi je trouve ça absolument ridicule. On se demande où ces mijaurées ont la tête de nos jours...

— Celui-ci va très bien à madame, disait la vendeuse.

— C'est vrai, tiens. Mais non, je n'oserais pas sortir avec ça dans la rue.

— Vous savez, madame, on s'habitue. Et quand c'est vraiment seyant... »

Ce qui était extrêmement commode à cette époque-là, c'est qu'on pouvait se faire envoyer tout ce qu'on voulait chez soi, et garder sans payer. Mme de Lérins se faisait envoyer des quantités extraordinaires de choses. Au bout de huit jours, elle rendait au magasin. C'était devenu un sport, et Guy, un peu honteux d'abord, maintenant jouait aussi à choisir. « Dites, madame, si vous vous faisiez envoyer cette carabine?

— Une carabine! Tu n'es pas fou? »

Elle ne voulut jamais, non plus, essayer devant Guy des robes décolletées comme il l'en priait. Par contre, elle marchandait des perles rue de la Paix, contre toute vraisemblance, au grand ennui du bijoutier, qui se tenait très près des écrins, et répondait sèchement, déjà sur le point de tout remettre en place.

Ce n'est que parce que Mlle Thénart, son professeur de violon, ayant déménagé, était venue habiter rue de

Courcelles, très près des Brunel, qu'on permettait à Guy d'aller tout seul jusque-là ; et on l'avait prévenu qu'on téléphonerait à Mlle Thénart, et Mlle Thénart téléphonait quand il partait, de sorte qu'il ne pouvait pas s'attarder en route.

Diane n'avait pas si peur des voitures que des connaissances que son fils pourrait faire dans la rue. Déjà elle avait fait mille recommandations à Mme de Lérins, à propos du Parc Monceau. On ne sait jamais avec qui un enfant se lie. Des enfants tout à fait vulgaires, et puis le petit aurait brusquement dit des gros mots. Sans parler de ce qu'ils auraient pu lui apprendre. Mme de Lérins opinait du bonnet. Elle était d'avis qu'on ne devait mettre sous les yeux des enfants que des exemples qu'ils pouvaient suivre.

En fait Guy n'avait aucun ami. Il passait l'été à Nettencourt,où on lui interdisait de jouer avec les petits paysans. Quand sa grand'mère allait aux eaux, elle le laissait sous la garde de Mme de Lérins qu'on invitait pour vingt et un jours, le temps de la cure. Quant aux Brunel, ils étaient trop contents d'avoir leurs coudées franches à Deauville ou à Paris-Plage. « Georges, disait Diane, a besoin de ses vacances. Je ne veux pas lui imposer le petit pendant l'été. C'est vrai que Georges a fini par croire que c'est son propre fils. Il est étonnant avec Guy. »

On invitait bien de temps en temps Guy à des fêtes d'enfants chez des amis de Georges. Mais d'une façon ou d'une autre, cela ne semblait pas s'arranger. Les autres enfants intimidaient Guy. « Il n'est pas liant », expliquait sa grand'mère. Tous les ans on rendait en bloc les invitations à la Noël. On avait un sapin gigantesque dans le hall, tout éclairé à l'électricité, et il y avait une fête de grandes personnes, en même temps que d'enfants. Les messieurs et les dames se mettaient des coiffures en papier, faisaient claquer des pétards, dansaient le cotillon à travers toute la maison, et Georges s'habillait en Père Noël, et il y avait des militaires en carton-pâte dans l'arbre et d'autres vivants dans les escaliers. Quand on passait sous la boule de gui dans l'entrée, on s'embrassait. Le général Dorsch ne manquait jamais ce jour-là. Diane riait très fort, et M. Wisner n'avait pas l'air de s'amuser du tout.

Le reste du temps, Guy était très solitaire. Sa mère lui parlait généralement en anglais, mais il oubliait un peu cette langue depuis le départ de la nurse. Alors on ne lui donnait guère à lire que des livres en anglais, qui plaisaient à Diane : *Alice au Pays des Merveilles* avec les illustrations de Rackham ; *Le Livre de la Jungle*, et *Tarzan*. Le général Dorsch, lui, manifestait sa pensée intime sur ce chapitre en faisant cadeau à Guy, pour chaque premier de l'an, d'un livre du capitaine Danrit : *La Guerre fatale*, *Les Évadés de l'air*, etc.

Un jour que Guy sortait de chez Mlle Thénart, sur la rue de Courcelles, il vit venir de loin un petit garçon, à peu près de son âge, un enfant du peuple, qui poussait devant lui une de ces grandes corbeilles à pain dans lesquelles les boulangers font leurs livraisons. Vide, la corbeille. Le petit la poussait assez vite devant lui. Guy, tout à fait vicieusement, ne se dérangea pas ou se dérangea un peu de façon à ce que la corbeille vînt le heurter. L'autre petit, surpris, l'avait lâchée, et dut courir après, parce que, lancée, la corbeille allait dinguer de côté. Guy continuait son chemin tout à fait ingénument, quand il sentit que le gamin venait derrière lui. Il pressa le pas instinctivement, pas assez cependant pour éviter un grand coup de pied dans le derrière : « Je t'en foutrai, moi, des mômes comme ça! Tu pouvais pas te ranger, eh, singe savant? Non mais, regardez-moi comme c'est fringué! »

Guy était habillé en Van Dyck. C'était son premier coup de pied dans le cul ; il venait de faire connaissance avec le prolétariat.

Il ne demanda pas son reste.

*

Il ne s'en fallait que de trois morts que le comte d'Évreux fût roi de France. Or il y avait, disait-on, beaucoup de tuberculose dans la famille royale. Ce n'est pas que Mme de Nettencourt souhaitât la mort des altesses, non. Mais le duc d'Orléans, tenez, au fond cela n'aurait pas fait grand changement s'il était mort, il régnait depuis si longtemps. Et si vous appelez ça régner! Philippe VIII ne semblait bon qu'à manger des toasts en Angleterre. Il y avait cependant des occasions de se montrer énergique.

« Moi, ce que j'en dis, chère Pauline, ce n'est pas que je sois vraiment royaliste. Je ne saurais avoir une position aussi... enfin aussi extrême, et qui me séparerait de mes enfants. Car vous savez, Diane est devenue tout à fait libérale, républicaine depuis son mariage, et Georges, après tout, c'est un peu mon fils... Non. Mais d'autre part comment oublier tout à fait mes origines? Je suis une Sassenange de Béarn, ainsi. Alors je m'intéresse, non pas politiquement, mais humainement aux d'Orléans. Ils représentent tout un passé...

— ... qui n'a pas grand'chance de revenir sans un joli chambard, siffla Mme Blin.

— ... que je ne souhaite pas, mon Dieu! Nous vivons bien comme nous vivons, ne parlons pas de catastrophe! Donc, si Philippe VIII venait à mourir, cela animerait simplement un peu l'histoire. Rien d'ennuyeux comme ces époques où on ne change jamais de rois. Ça me fait l'effet de vivre avec une chemise d'un mois. Non, je n'aime pas les longs règnes. C'est commode, vous savez, de pouvoir dire, comme faisaient nos grands-pères : *Quand nous avons déménagé sous Louis-Philippe*, ou *c'est sous Charles X que la petite est née*. Au lieu de compter par années, de quoi est-ce que ça a l'air? Un vrai livre de cuisine, notre vie. Et vous ne pouvez pas dire *sous Félix Faure, sous Loubet*! De quoi est-ce que ça a l'air? »

Mme Blin trouvait qu'on s'égarait. Pourquoi Mme de Nettencourt s'intéressait-elle tant au comte d'Évreux et à ses droits à la couronne? Elle ne le lui envoya pas demander.

« C'est une association d'idées, parce que nous parlions de Guy. Et Guy s'est fait des petits amis chez sa maîtresse de violon. Les Scriabine, Antoine et Dmitri Scriabine. Non, je ne crois pas qu'ils soient parents du musicien, mais leur mère est cubaine. Une femme, pas du tout le genre de Diane, mais tout de même une beauté. Aristocratie espagnole transplantée dans le Nouveau Monde. Ma chère, il ne faudrait pas la montrer à M. Blin!

— Vous croyez? Mais le comte d'Évreux!

— Mme Lopez est divorcée... non, séparée... parce qu'elle est croyante... de M. Scriabine. Celui-ci vient de temps à autre prendre les enfants pour les mener à l'Odéon...

— Le comte d'Évreux, Christiane?

— J'y arrive, ne me bousculez pas, Pauline. Il y a dans la vie de Mme Lopez, qui a un splendide hôtel particulier à Neuilly, une grande affection, un sentiment qui n'est pas d'hier. L'amitié du comte d'Évreux ne peut qu'honorer quelqu'un. Sans doute Diane ne laisserait-elle pas aller son fils dans une maison qui aurait quelque chose d'irrégulier. Mais ici la qualité de Son Altesse change tout, bien entendu. Le comte ne peut pas épouser Mme Lopez à cause de ses devoirs, mais enfin nous aurions bien fréquenté Mme de Maintenon! Alors. D'ailleurs, l'exceptionnel de sa position force Mme Lopez à une rigueur de conduite que vous chercheriez bien vainement dans le monde bourgeois. »

Ici, Mme de Nettencourt soupira. Elle parla des chasses du comte d'Évreux. En Indo-Chine, au Canada, il s'était conduit en véritable paladin. Il était photographié avec les monceaux de bêtes sauvages qu'il avait abattues. Il avait des propriétés partout où il avait passé. Et Mme Lopez aussi d'ailleurs. Mme Blin tout de même jugeait très sévèrement les femmes qui se faisaient entretenir : et les princes n'étaient pas une excuse.

Donc Guy était allé à Neuilly, dans le parc, voir les frères Scriabine. Mme de Lérins l'avait accompagné à pied, parce qu'il faut bien se dégourdir. On avait passé par les Ternes où Mme Trücker habitait, et Mme de Lérins devait déposer un paquet chez Mme Trücker. Guy était très content parce qu'on allait passer par le ballon des Ternes, et il aimait ce ballon, c'était un monument pas comme les autres.

Sur le boulevard Inkermann, il y avait des gosses qui patinaient à roulettes, avec un seul patin au pied, prêtant le second de la paire à un camarade qui n'en avait pas. Cela faisait un bruit boiteux qui éveillait en Guy une certaine rancœur contre sa mère, qui ne voulait pas lui payer de patins à roulettes de peur qu'il ne se cassât les jambes.

Guy pensait que s'il avait eu des patins, lui, il aurait gardé les deux pour aller plus vite. Mme de Lérins avait acheté une obligation à lots de la Ville de Paris, et elle ne savait pas à cause de cela comment elle bouclerait son terme, mais si elle gagnait le lot d'un million... Guy trouvait à part lui absolument injuste que Mme de Lérins gagnât le lot d'un million : elle était vieille et laide, et qu'est-ce qu'elle avait besoin d'argent ? « Ce qui serait vexant, disait-elle, ce serait de ne gagner qu'un lot de cinquante mille francs ! »

Tout d'un coup une espèce de bolide traversa l'avenue, on était au coin de l'avenue du Château ; venant de Paris, une auto découverte avec plusieurs hommes, et par-derrière, pas très loin, il arrivait d'autres voitures comme pour une course. Une voiture de laitier qui débouchait sur l'avenue du Château, força les poursuivants à ralentir. Le cheval se cabrait, caracolait devant les autos ; pendant ce temps les premiers coureurs avaient disparu. Impossible de savoir de quel côté ils avaient tourné.

Les passagers de la voiture qui était en tête, une Wisner, s'agitaient désespérément, et injuriaient le laitier. « Imbécile, c'était l'auto grise ! »

Mme de Lérins, quand elle entendit cela, souffla à Guy : « Courons ! » et partit vers le boulevard Bineau en relevant ses jupes. Elle ne s'arrêta qu'à la porte de Mme Lopez. Guy n'y comprenait rien, mais il avait couru comme si ça avait été la règle du jeu. Chez Mme Lopez, il eut la clé du mystère. C'étaient Bonnot et ses amis qu'on avait vus passer ! On l'avait échappé belle. Comment, cela Guy ne le comprenait guère. Mais en tout cas, c'était une histoire à raconter. La preuve, qu'on avait donné du banyuls à Mme de Lérins pour se remettre de ses émotions.

VI

Le général Dorsch avait été envoyé dans une garnison à huit heures de Paris pour y faire fonction de divisionnaire, et on ne le voyait plus guère que deux ou trois soirs par mois rue d'Offémont. Il envoyait des colis de fruits de la région, profitant des voyages à Paris de ses subalternes, et des ordonnances apparaissaient le matin avec des couffins de paille à la porte de service.

Mrs Page était en Amérique et Robert se montrait assez sombre, bien qu'il fût de toutes les fêtes de bienfaisance et qu'on commençât de dire qu'il pourrait bien un jour devenir une sorte d'André de Fouquières. Cela ne plaisait pas à Mme de Nettencourt qui répondait que Robert ne serait jamais un amuseur.

Les sorties de Georges s'étant faites plus fréquentes, le poker avait, avec tout cela, assez ralenti. C'est-à-dire qu'on jouait toujours très tard, après le théâtre, et quand Georges rentrait, eh bien, il rentrait. Il arrivait au milieu des joueurs, mettait un baiser sur l'épaule nue de Diane et se frottait les mains : « Alors, on fait un petit pott ? » On se serrait pour lui laisser une place, et le jeu s'animait.

De plus, il s'était établi, on ne sait comment, dans un coin du hall sur une table de jeu florentine, que Mme de Nettencourt affirmait contre tout le monde être l'œuvre de Benvenuto Cellini (voyons, Christiane, ça n'a pas l'ombre de vraisemblance !), une petite partie dont les membres variaient, mais où l'on retrouvait toujours M. Blin, qui délaissait le poker pour le bridge aux enchères, alors une nouveauté, et qu'on jouait au franc le point, ce qui grimpe. M. Blin était imbattable.

« J'avais d'abord cru, disait-il à sa femme qui ne jouait pas, et qui trouvait fort mauvaises ces nouvelles habitudes de son mari, que Brunel était un marchand de chair humaine. Eh bien, je me trompais : c'est un bon vivant, et voilà tout. Quand on se trompe, il faut bien le reconnaître.

— Vous pourriez, mon ami, rendre justice à M. Brunel sans être tous les soirs fourré chez sa femme.

— Ah, voilà où le bât te blesse! Pauvre minette! »

Il y avait des soirs où Georges, bien qu'on traînât le jeu fort avant dans la nuit, n'apparaissait pas au poker. Le lendemain il disait incidemment qu'en réalité il était rentré de bonne heure, en catimini, par la porte de service, et qu'il avait été se pagnotter sans rien dire à personne. « Et quand Diane est montée, je lui ai fait : hou! » Diane ne riait pas trop, et priait Georges de ne pas donner de détails.

Diane avait pris en affection Marguerite de Sabran, la femme du capitaine, récemment marié. Marguerite était une parfaite tête de linotte, mais assez jolie, pas trop. A peine sortie de chez sa mère, quelque part dans le midi, elle avait bien assez de peine à dissimuler son accent en parlant pointu : aussi n'était-elle pas du tout mauvaise langue, et c'était un repos pour Diane. Elles allaient ensemble chez Rumpelmayer, au Mirabeau. Jacques de Sabran était à l'état-major, mais il pouvait incessamment être envoyé au diable. Marguerite disait qu'elle ne pourrait jamais se passer de Paris.

Parfois Wisner venait les retrouver, et on allait au Bois, à Armenonville ou à la Cascade, ou suivant la saison, plus loin, au Pavillon Bleu ou à la Belle Cycliste. Wisner avait une Mercédès, une merveille. On trouvait cela très bizarre à lui, mais il disait qu'au moins, celle-là, on ne pouvait pas l'accuser de ne pas l'avoir payée.

« La Mercédès, faisait observer Jacques à sa femme, cela vaut dans les cent billets. Et on dit que c'est le Kaiser qui la lui a donnée. D'ailleurs, je n'en crois rien. Enfin, tout de même, je n'aime pas beaucoup ce Wisner. Il a des idées socialistes.

— Il est très gentil, je t'assure, protestait Marguerite. Il est parfait pour Diane.

— On le dit aussi.

— Oh, tout de suite! Et puis qui est-ce qui me l'a fait connaître, Diane? C'est toi. »

Personne ne comprenait pourquoi les Brunel s'obstinaient à ne pas avoir de voiture à eux, avec le train qu'ils menaient. Ils louaient une limousine au mois, et naturellement ces autos de louage ne sont pas du dernier modèle. Diane disait qu'elle préférait les voitures un peu anciennes, parce qu'elle détestait la vitesse. A vrai dire, elle oubliait ses goûts dans la Mercédès de Wisner.

D'ailleurs, Georges prenait généralement la voiture. Il arriva même que pendant deux mois, ils n'en louèrent pas. Tout le monde murmurait que les affaires de Brunel devaient aller mal. Alors il en loua une nouvelle, dont le luxe consistait en un tas de petits porte-bouquets où ils mirent des roses, sans se préoccuper de la saison.

« On ne voit jamais votre petit beau-frère, fit remarquer Diane à Marguerite, est-ce qu'il nous fuit?

— Oh, Pierre ne fréquente que le demi-monde, il est insupportable! C'est dommage parce qu'il est très drôle.

— Eh bien, ma chère, est-ce que nous sommes si collet monté que ça lui fasse peur? Vous savez, tant pis si ça fâche le capitaine! Mais si le lieutenant de Sabran veut amener avec lui tout le Palais-Royal, je n'y vois aucun inconvénient. Ça nous changera de M. Blin.

— Le Palais-Royal, c'est fini. Il fait dans l'Opéra-Comique...

— Mais alors, petite provinciale! que parlez-vous du demi-monde! C'est le faubourg Saint-Germain, cela! »

Néanmoins, Pierre de Sabran ne vint pas rue d'Offémont. Diane n'eut pas trop l'air de le remarquer, parce que beaucoup de nouveaux habitués y apparurent. Cela fut un soulagement pour Marguerite à qui Pierre avait répondu : « Quand on est putain, j'aime mieux qu'on le dise! » On avait été faire une descente chez le général Dorsch avec l'auto de Wisner. Le général avait organisé impromptu pour ces dames une revue de la garnison.

Wisner avait des intérêts dans les Balkans. Marguerite ne comprenait pas très bien. On dit que les routes y sont si mauvaises, est-ce qu'ils achètent beaucoup d'autos là-bas? Mais non, cela n'avait rien à voir avec l'automobile. Des mines en Serbie. Et Wisner, avec orgueil, avait ajouté : « Moi, c'est aux rois, que je prête de l'argent... »

Le roi Pierre de Serbie était venu à Paris cet hiver-là et toute une série de fonctionnaires de l'ambassade de Serbie, l'attaché militaire, hantaient maintenant l'hôtel de la rue d'Offémont. Ils avaient tous plus ou moins assassiné la reine Draga et son époux. L'un d'eux avait été en prison sous leur règne. Dans une espèce de puits, paraît-il. Diane flirtait un peu avec un secrétaire d'ambassade qui s'appelait Milan quelque chose, une sorte de housard très beau, avec de grands yeux noirs. Il paraît que c'est lui qui avait jeté la reine par la fenêtre. Il patinait très bien. Marguerite, Diane et lui avaient été au Palais de Glace. Tout en tournant à deux (il faisait fort attention d'alterner exactement les promenades avec Diane et Marguerite) il expliquait à Marguerite que les défunts souverains en réalité étaient à la dévotion de l'Allemagne. Elle n'arrivait jamais très bien à se souvenir lesquels étaient des Obrenovitch et lesquels des Karageorgevitch. Milan insistait sur la germanophilie du règne précédent, et l'état d'abjection du pays sous la férule de Draga Machine, une dompteuse. Pas de libertés. La Serbie était une colonie allemande. Maintenant la Serbie était un pays libéral. L'esprit de la grande Révolution française y était entré avec le nouveau souverain, qui avait étudié à Paris. Et Milan faisait des huit sur la glace en l'honneur de la France.

« La société serbe est beaucoup plus cultivée que vous ne croyez, chère madame. Je suis sûr qu'à Aix (c'est d'Aix que vous êtes ? non, Toulon) on lit beaucoup moins la nouvelle littérature qu'à Belgrade ou n'importe où en province dans les bonnes maisons serbes. Bourget, Farrère et même Francis Jammes...

— Ah oui, même Francis Jammes ?

— Parfaitement, *Clara d'Ellébeuse.* »

Marguerite était très touchée, parce que justement elle raffolait de Jammes. Tout ce que Jammes disait des petits ânes était vraiment adorable, elle avait eu un âne qui s'appelait Tout-fou.

« Et il y a longtemps que vous connaissez M. Wisner ? » lui demanda le Serbe au tour suivant. Marguerite l'avait connu par Mme Brunel. Un homme charmant. N'est-ce pas, si gai ? Et puis comme businessman ! Là-dessus, Milan était intarissable. Enfin il prit le ton de la confidence : « Je puis vous dire que M. Wisner a fait énormément pour l'influence française en Serbie, énormément. Le nom de Wisner est cher à tout cœur serbe, à tout cœur de patriote serbe... — Pourquoi ? » demanda peut-être étourdiment Marguerite. Milan traça un trois avant de répondre, et Marguerite faillit tomber.

« Chère madame, dit-il enfin, ceci, c'est de l'histoire. De l'histoire! »

Guy aimait beaucoup les Serbes, parce qu'il avait commencé une collection de timbres-poste et que tout d'un coup la Serbie, qui avait une page toute vide dans son album, s'était peuplée de timbres de toutes les tailles. Sa prédilection allait aux timbres du roi assassiné, qui avaient encore servi pour les premiers jours du règne de Pierre Ier, avec un cachet noir aux armes de Serbie cachant la tête du tyran déchu.

Le général Dorsch lui avait envoyé tout un paquet de timbres des colonies françaises, très intéressants, avec leurs paysages vert amande dans des cadres groseille, ou des jaguars sépia entourés d'indigo. Les nègres d'Obok, ceux de Djibouti, les administrateurs de Madagascar portés à dos d'homme dans leurs filanzanes, tout cela, et même une girafe anglaise du Nyassa, réveillait dans la tête de Guy le souvenir de récits entendus à table quand le cousin Bruyère racontait comment au Sénégal, à Dakar, il était indispensable, si on voulait continuer à être respecté, que quand on croisait un indigène sur un trottoir on l'en fît descendre à coups de cravache : sans cela, ils deviendraient familiers. Le cousin Bruyère avait pas mal roulé sa bosse, c'était l'expression de grand-père. A vrai dire Guy ne comprenait pas comment on pouvait dire ça du cousin Bruyère. D'abord il n'était pas bossu. Et puis on ne le voyait pas se roulant comme un clown. Un homme très sévère, avec un pince-nez et une voix sèche. La Légion d'honneur. On disait qu'à Madagascar, où il était allé aussitôt après la campagne, comme administrateur, il avait joué plus d'un tour aux Anglais. Guy, en regardant un timbre de 35 centimes de Madagascar, essayait de se figurer le cousin Bruyère en filanzane, avec son pince-nez.

Comme il collait bien sagement ses timbres, Guy venait de trouver dans l'envoi du général Dorsch un timbre de Saint-Pierre-et-Miquelon, et justement il n'avait encore aucun timbre de Saint-Pierre-et-Miquelon, un bruit de pétard dans le hall, comme pour les soirées de Noël, lui fit quitter la chambre d'étude.

De la galerie qui dominait le hall, il vit Georges au bout du Pleyel, penché en avant, et la porte du fond qui s'ouvrait, et Diane en déshabillé avec un bonnet de dentelle à la Fanchon, l'air épouvanté, qui du pas de la porte criait : « Pour Dieu, Georges, qui est-ce qui a tiré ? » Et le valet de chambre était entré de l'autre côté, et personne ne faisait attention à Guy, son timbre de Saint-Pierre-et-Miquelon à la main, qui descendait l'escalier et qui se trouva tout à côté de Georges avant qu'on l'ait vu venir.

Il y avait un homme par terre, entre la bergère et le pouf, sur le tapis persan. Il était tombé à la renverse, et en s'approchant Guy vit qu'il y avait autour de lui une quantité incroyable de sang. Georges le regardait, assez stupide. L'homme tombé tenait encore un revolver. On ne pouvait pas bien voir s'il était jeune ou vieux, parce qu'il s'était tiré dans la tête et qu'il avait la face tout éclatée, avec de la cervelle qui coulait sous les cheveux très blonds.

Guy n'avait jamais vu de mort. Il n'avait pas peur. Il était terriblement intéressé. Il n'oubliait pas qu'il tenait un timbre de Saint-Pierre-et-Miquelon, et le serrait très fort entre son pouce et son index gauche, tout en remarquant que la chasuble qui venait de l'abbaye de Cîteaux et qui était jetée sur le Pleyel avait été très vilainement éclaboussée.

Georges releva la tête, vit l'enfant, et dit à Diane avec une drôle de voix toute changée : « Emmène le petit.

C'est Pierre de Sabran. Ne touchez à rien, Joseph, et vous ne laisserez entrer personne. Il faut que la police trouve tout comme c'est. »

C'est tout ce que Guy entendit parce que Diane, avec la gorge agitée d'une façon hystérique, l'avait pris dans ses bras comme s'il avait été un bébé qui ne sait pas marcher. Il sentait les seins de sa mère très près de lui. Il ne se débattait pas. Il serrait son timbre. Quand Diane l'avait déposé, d'une traite, et il était lourd, dans la chambre d'étude, au premier, elle l'avait caressé comme elle ne faisait jamais, et elle avait demandé : « Pauvre chéri ! Tu n'as rien vu, n'est-ce pas ? »

Guy comprit qu'elle désirait qu'il n'ait rien vu. Il ne la contraria pas. Il posa une question un peu à côté, en rougissant : « Qui c'est, le monsieur qui est tombé ? » Diane respira. Il n'avait rien vu ! « Laisse, mon mignon, c'est quelqu'un que tu ne connais pas... Tout cela s'arrangera. Alors, joue, n'est-ce pas ? Je vais écrire des lettres. »

Il savait qu'elle était repartie dans le hall. Ses timbres ne l'intéressaient plus. Il colla machinalement celui de Saint-Pierre-et-Miquelon. Devant l'album ouvert, il pensait à la cervelle. Il n'avait pas assez bien regardé...

VII

Du point de vue de la justice, tout s'arrangea très bien. Le suicide ne pouvait être contesté. Sur les mobiles, une déclaration de M. Brunel, que l'on décida de garder secrète, avait donné toutes les clartés désirables. Dans les premiers jours, les journaux se bornèrent à une information très vague. Le lieutenant de Sabran s'était tué d'une balle dans la tête chez un ami, pour des raisons d'ordre intime. L'affaire fut classée.

Mais les Sabran étaient liés à tout ce que la France républicaine compte de donjons et de tourelles. On ne s'y satisfit point d'un silence qu'on imputait aux relations politiques des Brunel. Et quelles relations! Viviani, disait-on, l'homme qui éteint les étoiles, Klotz, Wisner, un tas de Juifs. Wisner, rétorquait-on, n'est pas juif. Hum! enfin, ça revient au même. Klotz s'était affiché à Contrexéville avec la belle Mme Brunel. Si, si, *L'Action Française* s'en mêla.

Elle plaidait le meurtre. Pierre de Sabran, attiré par Diane dans les lacets de son mari, avait refusé les propositions d'espionnage pour le compte de l'Allemagne que lui avait transmises Brunel, agissant pour Wisner, Klotz et Briand. Quand Brunel avait vu qu'il n'y avait rien à faire et que l'intrépide lieutenant allait dévoiler le pot aux roses, il avait froidement exécuté Pierre de Sabran. Puis Viviani avait fait venir dans son bureau le juge d'instruction et lui avait donné des ordres. Toute la presse avait été payée par Wisner, avec des chèques signés Klotz.

Le scandale ne pouvait plus être évité. La presse se fit l'écho réservé des propos de Charles Maurras, qui affirmait que l'hôtel de la rue d'Offémont était le siège d'une conspiration anti-française dont l'âme était Aristide Briand. Léon Daudet fit savoir que s'il était assassiné dans les jours qui allaient venir, il faudrait regarder du côté du Parc Monceau pour rechercher l'assassin. « La balle qui me tuera sera sortie du revolver qui a supprimé le lieutenant de Sabran. »

Il y eut à la Chambre une séance où l'émotion et l'indignation donnèrent au ministre de la Justice, mis en cause avec son collègue des Finances, des accents qui retentirent dans tout le pays : « Les ennemis du régime, s'écria-t-il, veulent s'emparer d'un drame de la vie intime, qui endeuille deux familles à la fois, celle du mort et celle dont il a choisi la maison pour cadre à son geste tragique, les ennemis du régime veulent faire d'un suicide émouvant certes, mais somme toute banal, un épisode d'une trahison monstrueuse, l'étape d'un parricide plus odieux que le parricide même, d'un crime de Français contre la France! Et de quels Français! De ceux-là précisément que tous ici, messieurs, que vous soyez assis à côté de M. Jaurès ou de M. de Baudry d'Asson, vous respectez, vous vénérez comme les plus dévoués des fils de cette France, trop souvent désunis, trop souvent dressés les uns contre les autres! Le gouvernement tient à dire qu'il n'y a dans ces monstrueuses imputations rien qui mérite d'être retenu, rien qui ne mérite d'être repoussé avec le pied du dédain. J'ai eu entre les mains le dossier de l'affaire, et sans vouloir ici donner pâture de détails aux affamés de scandale, je puis vous dire que je n'y ai trouvé que des faits qui commandent le respect pour les Français chez qui un Français s'est donné la mort. S'il avait su, s'il avait pu prévoir, le malheureux jeune homme! quel déluge de boue et de haine son acte allait déchaîner contre des amis envers lesquels il n'avait que de l'estime, et peut-être mieux que de l'estime, qui sait? Cela l'aurait peut-être fait renoncer à sa tragique résolution! Mais, au-delà de ce drame privé qui ne met en jeu que des personnes qui n'ont point part à la gestion de l'État, on cherche à atteindre des personnalités qu'on n'a pas le droit de soupçonner! (*Rumeurs diverses.*) Oui, messieurs, j'ose le dire, qu'on n'a pas le droit de soupçonner. Celui qui prétendrait douter de l'intégrité de M. Klotz... »

Le Parlement avait fait au Garde des Sceaux une telle ovation que Brunel était bien en droit de dire : « La France nous rend justice! » Mais dans un cercle plus réduit, on ne pouvait se contenter d'explications si générales, et cet excès d'honneur n'épargna pas à Diane et à Georges toute une série d'explications extrêmement pénibles et dont ils se seraient bien passés.

Le capitaine de Sabran en uniforme, sur un appel téléphonique de Georges lui-même, était arrivé rue d'Offémont tout de suite après le terrible événement. Il s'excusa avec assez de sécheresse de ne s'être pas changé, et se montra extrêmement sobre de gestes et de questions, comme un homme qui s'attendait à tout et qui sait à quoi s'en tenir. Les explications rapides de Georges n'eurent aucunement l'air de l'intéresser. En réalité il était simplement si éberlué de ce qui s'était passé là qu'il se sentait incapable de penser à autre chose qu'à sa dignité d'officier, et il avait une hâte puérile d'en avoir fini, parce qu'il redoutait de se mettre à chialer tout d'un coup, là, chez les Brunel.

Après cela, évidemment, ça lui était très difficile de revenir sur cette attitude. Marguerite, prise de panique, ne désirait aucunement revoir Diane : elle avait peur de la conversation, et Diane de son côté avait fait condamner sa porte, sous prétexte qu'elle était malade, ce que personne ne croyait, et qui était pourtant vrai. Elle avait une petite crise d'appendicite et on lui mettait de la glace sur le ventre.

Quand *L'Action Française* avait commencé à brouiller les cartes, il était devenu évident qu'on ne pourrait plus s'en tenir à la seule déclaration de Georges à la justice. Il faudrait bien faire un récit du suicide à quelques intimes. Georges ne cachait pas que cette histoire pouvait avoir des effets désastreux sur ses affaires : il savait très bien d'ailleurs de qui provenait toute la campagne. C'était d'un concurrent à qui on ne pouvait rien refuser chez Daudet, parce qu'il *tenait* le duc d'Orléans. Diane, de son côté, ne pourrait pas rester couchée toute la vie, la glace commençait à fondre.

Mais surtout Robert était aux cent coups. Il faisait très gratin dans les derniers temps, et il y avait des gens qui lui avaient tout simplement tourné le dos. Comme il ne pouvait pas gifler tout le monde, et d'ailleurs il trouvait le duel une chose absurde, sa carrière d'André de Fouquières était bougrement compromise. Un télégramme de Mrs Page qui annonçait son mariage avec un grand d'Espagne l'acheva : « Vous devez faire quelque chose », déclara-t-il à son beau-frère.

Mme de Nettencourt était la moins embarrassée de la famille. Quand les choses n'allaient plus, elle faisait un plongeon : c'était sa méthode. Présentement, elle passait ses journées à Saint-Thomas d'Aquin où elle donnait le tableau d'une piété édifiante. Il y avait à cette église un nouveau vicaire, un véritable saint Augustin. Le teint pâle, les yeux profonds, une voix chaude, si compréhensif au tribunal de la pénitence, que Christiane se serait bien confessée trois fois la semaine, et puis un cadet d'une des meilleures familles du Poitou (il avait quitté son nom, comme une vanité de cette terre, pour n'être plus appelé que l'abbé Gabriel)... Christiane en parlait avec une telle ferveur qu'Édouard lui dit : « Invite-le donc à dîner. »

Là-dessus, Georges reçut une lettre du général Dorsch :

« Mon cher Brunel,

« N'étaient les sévères obligations d'un métier qui ne me permet pas de faire passer avant lui l'amitié, même dans d'aussi douloureuses circonstances, vous pensez bien qu'à la première nouvelle de la mort de ce malheureux Sabran, je serais accouru à Paris, sans rien consulter, pour être parmi vous dans ces moment pénibles (PÉNIBLES *était écrit en surcharge, sur* DOULOUREUX *raturé*).

« Mais les devoirs de ma charge, autant que le respect des étoiles que je porte me forcent à me tenir sur une réserve dont je souffre quand je ne la vois pas partagée par chacun.

« De plus, je me souviens que c'est moi qui ai amené chez vous Jacques de Sabran par qui vous avez connu Pierre. J'ai donc, bien indirectement sans doute, une certaine part de responsabilité dans ce qui vient de se produire, et cela implique pour moi des obligations impérieuses, cela me donne le droit, non d'exiger la vérité, mais de la connaître.

« Ne croyez pas que je cède ici à la curiosité, ni à une sentimentalité qui siérait mal à un homme de ma sorte. Mais après tout, sans exagérer on pourrait dire de moi que j'ai été un familier de cet hôtel de la rue d'Offémont dont s'occupe la presse entière. Jusqu'à présent le fait est qu'aucun journaliste encore ne s'en est avisé. Jusqu'à présent. Mais chaque jour, en ouvrant mon journal, je m'attends à apprendre qu'un folliculaire quelconque, un socialiste par exemple, un ami de ce brave Wisner dont je ne partage point les idées, s'est soudain rappelé certaine photo dans *Femina* où je suis parfaitement reconnaissable, en grand uniforme, avec quarante-sept décorations, à côté de notre chère Diane (qui doit être bien éprouvée dans tout ceci, et dont je baise très respectueusement la menotte).

« Non, ce n'est pas l'idée d'une vie fauchée dans sa fleur qui me fait aujourd'hui me tourner vers vous avec anxiété. Car, pour nous autres, militaires, la vie humaine est peu de chose, nous en avons fait une fois pour toutes cadeau à la patrie et nous considérons le monde comme un vaste champ de bataille où peu importe qui et combien tombent, mais où l'essentiel est ce qui reste debout, au-dessus des morts et derrière eux, l'idée qui nous dirige, et qui ne doit pas être éclaboussée par la mort d'un des nôtres. Il ne faut pas que la fin de Pierre de Sabran puisse permettre de salir le drapeau, de compromettre l'armée, de traîner dans l'ordure avec le vieux nom alsacien des Dorsch l'honneur, le prestige des généraux français, qui mèneront un jour ce peuple de frondeurs et de chansonniers à la glorieuse revanche d'un Sedan, dont le nom seul nous fait gémir.

« Je n'ai pas besoin d'insister. Vous m'avez compris. Samedi prochain j'arriverai à Paris par le train de 6 h 50. Dans les circonstances présentes, je pense qu'il serait de mauvais goût que je me présentasse rue d'Offémont. Je suis surtout animé du désir d'éviter à Diane des émotions qui ces temps-ci ne lui ont guère été ménagées. D'autre part, mon pied-à-terre de la rue Greuze est si encombré qu'à peine puis-je y camper à la diable, il ne m'est pas possible de vous y recevoir. Dans ces conditions, comment faire ? Vous donner rendez-vous au cercle militaire serait prêter à tous les commérages. Je suppose que vous aimez autant ne pas vous montrer au Volney ces jours-ci. Alors voici ce que je vous propose :

« De la gare d'Orsay, je ne fais qu'un saut chez Larue où vous aurez retenu un cabinet particulier. Avec un taxi (il y en a bien, malgré la grève ?) j'y suis vers 7 h. 10, le temps de m'arrêter à la consigne. Disons 7 heures un quart. Je vous y trouve. Nous y prenons un de ces petits dîners pas trop tardifs, dont vous avez perdu l'habitude, sacré Parisien ! mais dont mon estomac est maintenant entiché après un an de province.

« Et n'est-ce pas, comme il y a une chose qu'en aucune circonstance on ne doit faire, c'est de bouder son ventre, nonobstant le sérieux de notre entretien, n'oubliez pas en commandant notre repas d'avance, de façon que les garçons ne nous importunent pas, que j'adore la bisque de homard et qu'un petit Chambolle-Musigny 1905 serait merveilleux avec une béarnaise!

« Vous savez que dans l'armée, nous ne mettons pas de formule de politesse pour finir, mais cependant n'oubliez pas de déposer mon épée aux pieds de la très belle, de la très charmante, de l'inoubliable Mme Brunel.

« J.-B. Dorsch. »

« Eh bien, dit simplement Georges à cette lecture, j'espère! »

Mais le coup décisif fut porté par Wisner.

Pour Wisner, pas de porte condamnée. « Il y a des choses, n'est-ce pas? que je ne vais pas laisser dire... » Il marchait de long en large dans la chambre de Diane qui n'était pas grande, Georges dans la causeuse près de la cheminée électrique, et Diane dans son lit, très belle, avec une chemise de Grand Opéra, et un kimono d'or de chez Liberty sur les épaules. Il y avait beaucoup de fumée dans la pièce. Georges dévorait très nerveusement des cigarettes. Wisner écrasait au passage son cigare dans le bénitier roman à côté de la coiffeuse, qui servait d'ordinaire de vide-poche à Diane. Diane, visiblement incommodée par la fumée, l'écartait un peu de temps en temps avec un geste du poignet et de la tête, mais ne s'arrêtait pas de sourire.

« Vous direz ce que vous voudrez, mais c'est moi qui suis visé. Derrière Daudet, il y a Lorraine-Dietrich ou Delaunay-Belleville. Peut-être les deux. Cela tombe trop bien : au moment où je viens de sortir la Spido double soupape! Elle est dans les choux, la Spido, si on laisse faire.

— Mon ami, dit Diane, asseyez-vous, je vous prie, vous me donnez mal à la tête. »

Wisner se laissa tomber sur la chaise longue. Guy jouait silencieusement sous la coiffeuse, avec ses timbres. « Enfin, dit Georges, qu'est-ce que tu veux qu'on foute, mon vieux ? Je ne peux pourtant pas leur raconter mes affaires sous prétexte que les louftingues croient que je porte les plans du mont Valérien dans ma cravate! »

Wisner s'impatienta : « Ne fais pas la bête! Tes affaires sont un peu les miennes, je n'ai aucun besoin que tu montres tes livres au public. Mais enfin vous avez eu une version pour le juge. Elle est ce qu'elle est. Elle ne peut pas rester confidentielle.

— Tu oublies que c'est extrêmement désagréable pour Diane...

— Ah ça, par exemple! c'est comique. C'est toi maintenant qui vas prendre la défense de Diane contre moi ? Diane, mon petit, je suis bien sûr que vous ne direz pas le quart des idioties que Georges est là à nous dégoiser. Diane comprend, mon cher, Diane comprend mieux les affaires que toi.

— Qu'est-ce que vous voulez de moi, mon ami ? » dit Diane en tournant lentement le buste vers Wisner.

« Là, tu vois! Ce que je désire, ma chère Diane, c'est de ne pas être obligé, socialement obligé, de laisser tomber Georges du jour au lendemain. Vous savez ce que ça signifie pour nous tous ? »

Manifestement, ils le savaient. Wisner reprit :

« Pour nous débarrasser des imputations imbéciles dont nous sommes l'objet, nous serons fatalement appelés un jour ou l'autre à dire la vérité. Est-ce que vous croyez que ce sera drôle ? Non. Eh bien alors, il vaudrait mieux prendre les devants bien gentiment, et à mon avis Georges pourrait parler au capitaine de Sabran...

— Merci, dit Georges, moi j'ai déjà la vieille culotte de peau ! » Il brandissait la lettre de Dorsch. « M'est avis que Diane ferait ça beaucoup mieux que moi avec le capitaine. Pas, ma vieille ?

— Si c'est tout à fait nécessaire... » répondit Diane en virant à nouveau du buste dans les draps brodés.

Ce soir-là, Mme de Nettencourt et Édouard dînaient rue d'Offémont. Diane parla longuement avec sa mère. En rentrant chez eux, Édouard, relativement animé, demanda à Christiane : « Alors, qu'est-ce que Diane t'a dit ?

— Diane est une sainte, se borna à répondre Mme de Nettencourt, mais il faut que je voie Mme Blin. »

VIII

Le mercredi, le capitaine de Sabran recevait une lettre de Diane. Elle disait, avec une grande écriture d'ancienne élève des Oiseaux, qu'elle ne savait pas comment s'y prendre, qu'elle ne parlait de cette démarche à personne, surtout pas à son mari, qu'elle était au lit avec la glace sur le ventre, et qu'elle ne pouvait que s'en remettre à lui, à son caractère chevaleresque. Paraît-il, elle devait subir une opération grave, peut-être mortelle, et elle ne voulait pas disparaître sans avoir parlé au frère de Pierre de Sabran. Est-ce qu'il ne pouvait pas venir le jour même ou le lendemain vers trois heures ? Elle s'arrangerait pour que son fils, Guy, ne soit pas à la maison, et c'est Mme de Lérins, de la discrétion de laquelle on pouvait être tout à fait sûr, qui l'introduirait chez elle. Georges, en ce moment, la laissait très seule, avec ses affaires. Diane ajoutait qu'évidemment elle eût pu, semblait-il, s'adresser à Marguerite, dont elle avait ressenti terriblement l'éloignement pendant ces journées abominables, mais Marguerite était encore presque une jeune fille, et comprendrait-elle ? Tandis que lui, etc.

Le capitaine de Sabran murmura tout d'abord : Quelle impudence! et se leva pour aller raconter l'affaire à Marguerite. Mais il s'arrêta en route, en souriant. C'est vrai, Marguerite était presque une jeune fille. Il reprit la lettre et la relut. A seconde lecture, il lui parut qu'il y avait des accents de vérité là-dedans, et il ne put s'empêcher d'être ému à l'idée qu'on allait opérer Diane, une magnifique créature. Maladie de femme, sans doute. En tout cas, il fallait répondre. Et mieux valait ne pas remettre de le faire, puisqu'elle l'attendait dès le jour même. Un pneu. Il se mit à l'écrire, mais dès le premier mot il se trouva pris au dépourvu : *Chère madame, chère amie, chère Diane ?* La situation était abominablement délicate. D'ailleurs Diane ne demandait pas de réponse. Elle était si sûre qu'il viendrait. Est-ce qu'il avait peur d'elle ? Il eut honte. Cela simplifiait les choses, il irait le lendemain.

Le jour même il se trouvait à trois heures, heure militaire, à la porte de Diane. Mme de Lérins l'introduisit. Il ne put s'empêcher de remarquer qu'elle lui disait : *Capitaine*, en baissant les yeux, exactement comme la maquerelle du bordel de Châlons-sur-Marne. Diane lisait, très pâle dans ses oreillers, sans fard. Le coupe-papier de cornaline glissa du livre, comme elle le posait sur le lit. En se baissant pour baiser la main de la malade, Jacques de Sabran jeta malgré lui un coup d'œil sur le livre : *Ainsi parlait Zarathoustra*, édition du Mercure de France. Jacques n'avait jamais lu Nietzsche.

« Vous êtes venu. Ah merci! »

Elle lui tendait la main, elle lui montrait un fauteuil. Il approcha une chaise. Elle était manifestement épuisée par l'élan qu'elle venait d'avoir. Silence insupportable. Jacques de Sabran se pencha un peu pour dire : « J'ai été très ému de ce que vous me disiez de votre santé... Je pense que les événements que nous venons de traverser ne sont pas étrangers... » Diane eut un pauvre petit sourire lumineux et un geste de la main, comme pour dire : *laissons cela!* « Comment va Marguerite? » Il ne sut pourquoi, mais cette question le mit très mal à son aise. Il avait un peu honte que Marguerite ne fût pas tombée malade. Lui, peut-être heureusement, il avait été très occupé. On l'avait détaché auprès du ministère de l'Intérieur pendant les grèves... Diane ignorait qu'il y avait eu des grèves ; Georges ne voulait pas lui laisser lire les journaux parce que cela l'agitait. Jacques remarqua au-dessus du lit qui était carré, immense, le lit de la Du Barry disait-on, une Vierge espagnole tout habillée, très brune avec des yeux clairs, et des bijoux. Diane lui en parut plus pure, presque déjà d'un autre monde. Il ne l'avait jamais vue sans bagues. Il remarqua qu'elle ne portait pas son alliance.

« Jacques, dit-elle soudain en posant sa main sur la sienne, et jamais jusqu'alors elle ne l'avait appelé ainsi, j'ai voulu vous parler comme à un frère. » Elle sembla percevoir l'ambiguïté de sa phrase, car elle se reprit : « Comme au frère de quelqu'un qui est peut-être mort par ma faute.

— Par votre faute? Mais, jour du ciel! Diane, qu'avez-vous à faire dans tout ceci? Pierre vous avait à peine aperçue et...

— Mon ami, je vous raconterai tout par le commencement, mais dites-moi comment donc vous expliquez-vous ce... cette chose, si vous m'y croyez étrangère? »

Jacques était tout à fait mal à son aise. Il avait de petites gouttes de sueur sur le nez, assez risibles. Il s'épongeait en répondant.

« Ma foi, la première surprise passée, je dois vous dire que je n'ai rien imaginé du tout. Pierre et moi, nous étions très différents de caractère, cela ne m'était pas plus mystérieux que ses goûts en général. Mais tout de même, on disait qu'il était venu demander de l'argent à M. Brunel... »

Diane se soulevait sur le lit, et le geste disjoignait la berthe de dentelle passée pour cacher la chemise. On voyait battre son cœur.

« ... Demander de l'argent à Georges? Mais quelle folie! Pierre n'aurait jamais fait une chose pareille! »

Le capitaine s'excusait déjà. C'est vrai Pierre et M. Brunel n'étaient guère liés, mais où est le mal à demander un service à un homme qu'on sait à l'abri du besoin. Et enfin, il faut le reconnaître, Pierre était endetté de toutes parts ces derniers temps, il avait fait des folies pour une demoiselle de l'Opéra-Comique... Diane cacha ses yeux dans ses mains.

« Oh, pauvre petit Pierrot! Et tout cela par ma faute, par ma faute!

— Expliquez-vous, je ne comprends même pas, ma chère Diane, de quoi vous vous accusez! »

Alors Diane raconta le drame. Elle parlait avec une certaine fébrilité, qui était loin de cette froideur de statue qu'on connaissait à la belle Mme Brunel, et Jacques s'avouait qu'il la préférait encore ainsi. Elle n'avait pas l'air d'être gênée de sa présence. Elle parlait parfois comme à soi-même. D'autres fois, elle baissait légèrement la voix et l'officier se sentait comme un confesseur, avec un certain sentiment du péché en même temps. Il avait rapproché la chaise du lit. La main gauche de Diane l'avait saisi à l'avant-bras droit, et ne le lâchait plus, comme si Diane voyait se passer devant elle les scènes qu'elle décrivait, et qu'elle se retînt à Jacques, par peur des fantômes.

Cela avait débuté à Saint-Cyr, quand Jacques les avait présentés. Tout de suite Pierre lui avait fait la cour, mais d'une façon si enfantine qu'elle s'en était amusée. Jacques se souvenait des acrobaties hippiques de Pierre ? Et comme il l'avait saluée ? Après la fête, il lui avait présenté ses hommages et elle l'avait grondé. En réponse, il avait demandé à la voir.

« J'ai été folle. J'aurais dû refuser, ne pas encourager cet enfant. Mais pouvais-je savoir ? Il est revenu. Mais il ne voulait pas se rencontrer avec mes amis. Il se cachait de vous, Jacques. »

Jacques n'en revenait pas. Il ne reconnaissait plus son frère. Cet espèce de noceur insolent qui n'aimait que l'atmosphère des coulisses...

« J'avais peut-être une excuse, ce n'est pas un mystère combien j'aime mon mari. Le fait est que Georges me laisse très seule, à cause de ses affaires. Pierre me détournait des idées noires que je me fais quand j'attends Georges. Il avait pour lui sa jeunesse, sa fraîcheur... » Ici elle dut voir quelque chose des pensées du capitaine dans les yeux de celui-ci, car elle eut comme un sursaut de révolte : « Ah! qu'allez-vous imaginer, Pierre n'a jamais été pour moi qu'un gentil camarade, un compagnon, et c'est bien là tout le malheur! »

Jacques voulait bien croire tout ce qu'on lui disait, mais tout de même il ne pût s'empêcher de soulever quelques difficultés qui le dérangeaient. Cette vie qu'on connaissait à son frère ? Les actrices ? Le fait que tout de même il n'ait jamais paru rue d'Offémont ? « Parce que même, tenez, il me revient en mémoire un détail auquel je n'avais pas attaché d'importance... je ne prête guère d'attention au babillage de Marguerite... mais elle m'a raconté qu'elle lui avait dit de venir un soir, au poker, et Pierre avait refusé, même avec une certaine rudesse.

— Cet enfant, cet enfant! Bien qu'il n'y eût rien de... coupable dans nos relations, leur caractère clandestin et soutenu faisait qu'il avait une peur atroce de me compromettre. Il passait des heures à me raconter ce qu'il faisait pour rendre invraisemblable toute médisance. Il allait jusqu'à tenir de moi des propos assez risqués, pour empêcher tout soupçon de venir dans les têtes. Plusieurs fois je l'ai grondé à ce sujet, parce que enfin! Et surtout plus il était épris de moi, plus il me suppliait de lui céder, et plus il se jetait par ailleurs dans une dissipation dont il m'étalait le tableau pour m'accabler, m'en rendre responsable, et me dire qu'il ne tenait qu'à moi que cela cessât dans l'instant. Les actrices, selon lui, étaient un dérivatif indispensable à sa jeunesse, et il ne regardait pas le prix qu'il y mettait, parce qu'il voulait que ses aventures fussent éclatantes, ses liaisons affichées. Même je m'inquiétai plusieurs fois des dépenses dans lesquelles il se lançait. Il me dit qu'il avait joué aux courses, et gagné. Il connaissait très bien les chevaux. »

Jacques acquiesça. Lui aussi, connaissait très bien les chevaux, cependant jadis il avait perdu royalement sur les hippodromes. Son frère était très différent de lui. Le récit continuait : bref, Pierre s'était fait pressant, il ne se contentait plus de cette innocente complicité. Dix fois après des scènes très pénibles Diane avait dû lui interdire sa porte. La dernière fois, tout de même, il avait voulu aller si loin, que cette fois Diane quand il était revenu n'avait vraiment plus pu le recevoir. Elle s'était dû de s'en ouvrir à Georges, et c'était Georges qui avait reçu Pierre. Quand il avait vu qu'elle lui envoyait son mari, il avait compris qu'il n'y avait pas d'espoir, et alors, et alors... Diane pleurait.

Le capitaine de Sabran était bouleversé. Tout s'expliquait. Et lui comme une brute... bien entendu que Pierre ne pouvait venir demander de l'argent au mari d'une femme dont il était à ce point épris, un Sabran!

Diane dans ses larmes dit quelque chose qu'il ne comprit point. Elle releva son beau visage baigné et le regarda bien en face.

« Oui, dit-elle, c'est une abomination que d'avoir résisté à cet enfant. Je devais comprendre ce que cela signifiait pour lui. Je suis une meurtrière. Jugez-moi comme telle. »

Il la rassurait. Voyons, elle ne pouvait pas se tenir pour responsable, elle aimait son mari, personne n'était forcé.

« Une abomination, répéta-t-elle, que de tenir le don de soi-même pour quelque chose de si grand que cela puisse être mis en balance avec la vie humaine. Une abomination comme toute cette comédie de vertu et d'honorabilité qui m'entoure et qui me fait horreur. Une abomination comme tout votre monde, vos mensonges, vos conventions. Pauvre Pierrot! Pourquoi n'ai-je pas été sa maîtresse, tout simplement ? »

Jacques de Sabran, à ces paroles, ressentit comme un choc. Tout ce qu'il pensait du bien et du mal vacillait. Il ne pouvait que concéder à Diane la niaiserie de la vertu, et en même temps il était frappé de stupeur par le cas prodigieux de Diane elle-même. Comme elle avait résisté! Il n'était pas loin de penser comme Christiane que Diane était une sainte.

Enfin elle avait séché ses yeux, réarrangé sa coiffure, et s'était mis un peu de poudre. Puis elle lui dit : « Écoutez, Jacques, je vais maintenant vous dire quelque chose que je n'ai dit à personne, que je ne peux dire à personne, pas même à un prêtre, parce que j'ai perdu la foi, et que je ne peux plus avoir les consolations de la religion. »

Il attendait, pantelant.

« Jacques, le pire, écoutez-moi bien, c'est que si j'ai fermé ma porte à Pierre, si je l'ai poussé au désespoir, écoutez-moi bien, Jacques : c'est parce que je l'aimais. »

Ce qui se passait dans le cœur de Jacques était incroyable. Cet aveu après tout le reste! Quelle confiance elle avait en lui! Il n'en serait pas indigne. Mon Dieu, comme la vie est bête, tout aurait pu s'arranger si bien. Le capitaine avec étonnement songea que pas un instant dans tout ceci il n'avait eu la tête à son frère. Il ne voyait que Diane, il ne pensait qu'à Diane, aux moments qu'elle avait dû passer, au bonheur de Diane, au coup que cette mort lui avait porté. Il essayait de se forcer à revoir le pitoyable cadavre qu'il était venu chercher dans cette maison. Impossible. Diane était là, qui ne portait pas son alliance. Toute la fin de l'entrevue se passa dans une espèce de brouillard. Il s'entendit, de la porte, répéter pour la quatrième fois : « Je vous enverrai Marguerite pour vous soigner », et se retrouva dans la rue avec la tête à l'envers. Il traversa le Parc Monceau, gagna l'avenue Friedland, l'Étoile. *L'Action Française* à un kiosque auprès du métro le mit soudain dans une fureur extraordinaire.

Il venait de changer de convictions politiques.

IX

Le jeudi, M. Blin fut tout étonné de voir entrer dans sa boutique de la rue de la Paix Christiane de Nettencourt dans un tailleur parme. Elle s'adressa à lui comme si de rien n'était, disant qu'il y avait un temps infini qu'elle n'avait pas vu Mme Blin. Il bafouilla quelque chose touchant la santé et le ménage de celle-ci, mais Christiane eut la bonne grâce de ne pas l'écouter et d'ajouter : « D'ailleurs, j'avais tout à fait disparu de la circulation, parce que certaines choses vous rapprochent des préoccupations religieuses, et j'ai fait une sorte de retraite sous la direction de l'abbé Gabriel, le nouveau vicaire de Saint-Thomas d'Aquin. » M. Blin dit quelque chose sur la beauté du culte catholique, que Mme de Nettencourt eut encore la bonté de ne pas relever.

Elle avait sorti de son sac une bague ancienne qu'elle montrait à M. Blin : « J'aurais évidemment pu porter cette réparation au bijoutier du coin, dit-elle, et il est bien sans-gêne à moi de faire appel à vous pour réassortir une rose qui manque, et refixer la topaze centrale qui est tombée. La voilà. Mais aussi j'ai répugné à remettre cette bague en n'importe quelles mains. C'est un cadeau de Louis XV à une aïeule d'Édouard, Céline de Cerisy, qu'il avait séquestrée quelque temps dans son Parc aux Cerfs, avant de la donner en mariage à un Nettencourt, alors capitaine des gardes. Vous me comprenez? On dit même que ce mariage fut pratiqué *in extremis*, de sorte que les Nettencourt issus de l'aîné des enfants de Céline de Cérisy, pourraient bien descendre de Charlemagne... »

Les notions généalogiques de M. Blin le firent un instant hésiter. Puis il songea que ce n'était pas à lui que Christiane aurait dû aller raconter tout ça, mais à Léon Daudet, à qui ça aurait peut-être fait abandonner sa campagne. Il promit néanmoins de faire la réparation « comme s'il s'agissait d'un château historique ». Ils rirent tous les deux.

« Alors, au revoir, cher monsieur, et dites bien à Mme Blin que j'attends son coup de téléphone. J'ai plusieurs choses à lui raconter. »

Elle était partie là-dessus, et qu'est-ce que M. Blin pouvait faire? C'est ce qu'il expliquait à Mme Blin. « Alors tu as dit que j'allais téléphoner? — Euh, pas positivement, pas positivement... mais cela me paraît bien difficile. — Tu es fou à lier. Ce n'est pas à moi à lui faire des avances. — Mais elle a dit qu'elle avait plusieurs choses à te dire. — Et alors? — Alors... »

La main de M. Blin montrait le tas de journaux achetés chaque jour par Mme Blin depuis le début de l'affaire : « Je pensais que cela pouvait t'intéresser. — M'intéresser? Un tel manque de dignité. »

Le vendredi matin, Mme Blin téléphonait à Christiane, et vers cinq heures le même jour, ces dames se rencontraient chez Kardomah, qui n'était pas un de leurs thés habituels. D'un mutuel accord elles avaient renoncé à Rumpel ou à Jondowa, où elles risquaient de rencontrer Mary Walker ou Milan Popovitch. Christiane parla de l'abbé Gabriel pendant près de vingt minutes. C'était un Lacordaire, un Fléchier et un saint Augustin tout à la fois. Vingt-six, vingt-sept ans. L'autre jour au confessionnal, il y avait là pour l'attendre la vieille princesse de Broglie, et une haute personnalité politique dont la conversion ferait bientôt sans doute sensation, mais dont jusque-là il était peut-être plus discret de ne pas révéler le nom...

« Et comment madame votre fille se remet-elle de ses émotions ? » interrompit Mme Blin, précise comme à son habitude. Christiane soupira.

« Vous savez que nous avons eu une consultation avec Pozzi ? On voudrait éviter l'opération. Diane, dans tout cela, est admirable. M. l'abbé Gabriel me le disait : Mme votre fille est une sainte, quel malheur qu'elle ne pratique pas ! Enfin, la Providence y pourvoira sans doute... »

Là-dessus Mme Blin, avec le cynisme d'un journaliste qui va au fait, se mit à interroger d'une façon serrée sa partenaire, et elle lui arracha la vérité, toute la vérité. Elle sut que Pierre de Sabran était un cerveau brûlé. Bon. Qu'il faisait à Diane une cour à laquelle celle-ci avait dû mettre le holà. Sans doute qu'il s'était jeté dans des dissipations pour l'oublier. Ensuite qu'il entretenait cette petite de l'Opéra-Comique, comment s'appelle-t-elle donc, qui chante dans *Lakmé* ? On sait, on sait. Que la chanteuse lui était en réalité parfaitement indifférente. Ah, ah. Qu'il harcelait Diane, qu'elle l'avait repoussé, qu'il s'était tué chez elle après l'en avoir menacée, elle ne l'avait pas cru. Tout ceci absolument entre nous, Georges préfère laisser dire n'importe quoi sur son compte à permettre qu'on mêle même accidentellement le nom de Diane à ce suicide. Mme Blin ne regrettait pas les petits fours. Ah voilà, ah c'était donc ça. Elle promit de venir tenir compagnie à Diane. Surtout pas un mot à M. Blin. Vous voulez rire !

Le vendredi soir et le samedi matin, Mme Blin se trouva parler au téléphone avec une foule de gens. Avec Mary Walker qui avait été opérée par Pozzi, et à qui il était bien difficile de cacher quoi que ce soit, et elle-même avait appelé une série d'amis auxquels elle devait parler à cause d'une fête persane qu'elle voulait organiser. De telle sorte que samedi après-midi, quand Milan Popovitch vint apporter des fleurs, quand Mary Walker vint prendre des nouvelles, et dix autres, tous purent constater que Marguerite de Sabran était au chevet de la malade. C'est elle qui mit les fleurs dans les vases, qui renvoya les importuns, qui fit comprendre à Mme Blin qu'il valait mieux écourter les visites, etc. Aussi l'on peut dire que quand le samedi soir le général Dorsch débarque à la gare d'Orsay à 6 h. 50, la situation mondaine des Brunel est rétablie, tout Paris considère Diane comme une victime, Georges comme étranger à l'affaire et Pierre de Sabran avait cessé d'être le protagoniste d'un drame qui dépendait maintenant du professeur Pozzi.

Le général Dorsch n'avait eu son train que de justesse. Le lieutenant Desgouttes-Valèze, récemment sorti de Saumur, et qui allait en permission à Paris, lui avait pris son billet par avance et il avait sauté dans le train, comme celui-ci partait. Desgouttes-Valèze était un garçon charmant et il l'avait autorisé à s'asseoir dans son compartiment. Cette jeunesse! Il le mit sur le chapitre femmes, et le lieutenant n'osait pas y aller. Ce fut alors le général qui débita d'anciennes aventures à lui, des souvenirs d'un peu partout. Tenez, quand j'étais à Saumur, en 1878...

Là-dessus Desgouttes-Valèze n'avait plus qu'à s'exécuter ; il parla de Saumur. Tout ce qu'il racontait n'était guère fait pour les oreilles d'un chef, mais l'indulgence de Dorsch ne lui était-elle pas assurée? Desgouttes-Valèze s'était trouvé là-bas avec le jeune Gilson-Quesnel, des sucres, un fils de minotier, l'héritier de la banque Neauple, enfin tout un tas de richards : l'Armée avait fini d'être le refuge des sans-le-sou dans son genre, et c'était bien difficile de suivre le train de ces gens-là.

Au wagon-restaurant, Dorsch interrogea paternellement son jeune compagnon sur ses expédients financiers à Saumur. Desgouttes-Valèze, lui, ne s'en était pas trop mal tiré, mais la plupart des camarades tombaient entre les pattes des usuriers, et une fois là! c'était comme ce pauvre Pierre de Sabran.

Le général Dorsch reprit du veau jardinière, et demanda au lieutenant ce qu'il entendait par là. Comment le général ne savait pas? Ce Brunel chez qui Sabran s'était fait sauter, était un usurier très connu à Saumur. Desgouttes-Valèze était-il bien sûr de ce qu'il avançait là? Comment! Tenez, mon général, je dois encore avoir dans mon portefeuille un des petits prospectus qu'il fait distribuer à Saumur. On ne sait jamais, je l'avais gardé. Ah, ce sera resté dans l'autre portefeuille. Non, le voilà.

Il n'y avait pas le plus léger doute. Le prospectus était explicite. C'était une offre de services à peine déguisée. Le nom de Brunel y était, et l'adresse de la rue d'Offémont. Dorsch se sentait tout froid. C'était même incompréhensible qu'un prospectus pareil ne soit pas tombé entre les mains des journalistes. En attendant, il était là, irréfutable. On arrivait à Angoulême. Le général entendit son compagnon expliquer toute l'affaire de Sabran, l'actrice de l'Opéra-Comique, une auto que Pierre lui avait payée, les traites, etc.

C'est alors que commença à se poser dans la tête du général un dilemme vraiment cornélien. Il venait de songer au dîner chez Larue. Toute la route d'Angoulême à Paris se passa à débattre mentalement ce qu'il fallait faire. Il remit même assez sévèrement à sa place Desgouttes-Valèze qui devenait sentimental et lui montrait des photographies.

A 6 h. 50, gare d'Orsay, le général rendit son salut au lieutenant et porta mécaniquement ses valises à la consigne. A l'heure dite, il était chez Larue. Brunel aussi, avec un gros œillet mauve à la boutonnière. Parler tout de suite? Ma foi, quand le vin est tiré, il faut le boire. On dîna donc.

Vers la salade, Georges glissa vers le sujet de l'entrevue. Il raconta sous le sceau du secret au général toute l'histoire de la cour faite par Pierre à sa femme, et ce qui s'ensuit, et la santé de Diane, le professeur Pozzi. « La famille de Sabran, je dois dire, a été extrêmement correcte. Je quitte à l'instant Mme Jacques de Sabran qui a veillé tout l'après-midi à ce que notre petite Diane ait de la glace bien froide sur son ventrichon! »

Il était bien content de lui, Georges Brunel. L'affaire était dans le sac. Paris était conquis, et ce vieux mirliflor comme les autres. Georges se rappelait, quand il était à la caserne, ce que des ronchonneaux de ce genre-là avaient pu le faire baver.

Dorsch hochait la tête. Les choses n'étaient pas exactement comme le pensait Desgouttes-Valèze. Pauvre petite Diane, si innocente dans tout cela! Mais le mari qui lui racontait l'histoire, ce type qui lui faisait verser pour l'instant une fine Napoléon vous m'en direz des nouvelles, n'en était pas moins un prêteur à la petite semaine, un usurier.

Dorsch se surprit à mettre dans sa tête le même accent sur ce mot qu'y mettait Christiane quand elle parlait du château de Nettencourt.

Ce Brunel! Il avait joué double jeu, comme mari et comme prêteur, et le petit de Sabran était resté sur le carreau.

Son devoir à lui, général Dorsch, était bien clair. Il

écrirait ensuite à Diane, mais maintenant, ce soir, il fallait briser là avec le triste individu... Non, merci, vraiment pas, c'est excellent, mais... vraiment pas... C'était assez délicat à faire. Pas de violence inutile.

Le général donc, se renversant un peu sur sa chaise, se lança dans un long préambule sur l'affection qu'il avait toujours portée à Diane et à sa mère, et l'inquiétude que faisait naître en lui la perspective d'une opération, toujours... aléatoire, aléatoire.

Brunel pensait : « Qu'est-ce qu'il veut? Est-ce qu'il va me taper? Ah ça, non, par exemple! »

Quand il sortit brusquement de sa poche le prospectus que Desgouttes-Valèze avait consenti à lui laisser, et qu'il le mit sous le nez de Brunel, celui-ci comprit parfaitement que tout était foutu. Sur un certain plan tout au moins. Il était beau joueur, il commença sur-le-champ à songer aux opérations nécessaires, au déchet qu'il y aurait. Après tout Paris n'est pas le monde et l'argent lui restait. Il toucherait les billets signés par Pierre de Sabran, que le suicide de celui-ci l'avait forcé de garder dans sa poche. Il ricana.

« Alors, mon pauvre Dorsch, dit-il, ces choses-là vous scandalisent. Il y a pour vous des façons nobles de gagner de l'argent, et des façons ignobles? Non, ne répondez pas. Je sais ce que vous pensez, c'est effrayant ce que tout le monde peut savoir ce que vous pensez. On l'a si bien deviné qu'on l'a écrit d'avance dans tous les manuels de morale puérile et honnête.

— Georges Brunel, vous êtes un homme cynique.

— Vous l'avez dit, mon général! Mais prêter à la petite semaine, comme je le fais, en risquant toujours d'être volé, parce qu'on n'est pas protégé par la loi, et que les jeunes gens de famille sont tous des cochons qui escomptent le cancer de papa, et qui considèrent ça comme une œuvre pie, s'ils le peuvent, de me voler et de ne pas faire honneur à leur parole de merdeux, paraît que pour vous c'est moins reluisant que d'être banquier, par exemple! Je voudrais, fichtre, que vous me disiez où est la différence.

— Enfin pourtant...

— Pourtant quoi? Ça fait près de quinze ans que je la cherche, la différence, et je ne la trouve pas. Et banquier, encore passe. Mais rentier, ça vous paraît naturel à vous qu'il y ait des rentiers?

— Je ne comprends pas, Brunel, quel intérêt vous avez à assimiler des honnêtes gens à... à...

— L'intérêt serait clair. Mais ce n'est pas une question d'intérêt, c'est une question de fait. Quand j'ai dix mille, vingt, trente mille francs chez moi, qui ne doivent rien à personne... Remarquez qu'il y a des partageux qui prétendent que la propriété c'est le vol. Ça c'est une autre histoire. Avec eux je discuterais avec des mitrailleuses. Mais avec vous, mon général, c'est bien différent, je ne voudrais pas vous blesser, mais on est entre soi... »

Le général eut un geste vague.

« Donc si j'ai des billets chez moi et qu'il me plaît de les investir dans une affaire constituée par un jeune homme qui a envie de payer des robes à une putain, et qui consent pour ça ou pour régler ses dettes de roulette à me signer une reconnaissance du double ou du triple payable sur un héritage qu'il prétend qu'il fera, et entendez-moi bien, *il mentait*, car il savait pertinemment que l'héritage devait aller à l'Académie française pour fonder un prix de vertu! Ça c'est mon boulot, ou je marche, ou je ne marche pas. Mais au lieu de ça, si je prends la cote Desfossés, et que je me mets à me demander si je vais acheter des mines de perlinpinpin ou des usines de mords-moi-le-doigt, ou des actions de Monte-Carlo spéculant sur le trente-et-quarante qui est responsable d'une centaine de suicides par saison, ou des emprunts russes qui vivent du knout et de la Sibérie pour des milliers de maladroits, ou de la De Beers qui fait ouvrir le ventre des nègres pour y chercher les diamants qu'on ne trouve pas dans le caca, ou de Schneider dont je ne dis rien par respect pour l'Armée, ou des valeurs anglaises qui vivent du trafic de l'opium, ou, tenez, des parts de l'affaire Wisner, de notre cher ami Wisner, qui a le record de la mortalité pour l'Europe dans ses ateliers d'automobiles, et qui y introduit déjà des méthodes américaines *pour faire mieux*? Si je prête non plus à Pierre de Sabran mais aux Turcs pour massacrer les Grecs, ou aux Anglais pour mettre de l'Hindou en compote, ou aux Français, n'oublions pas les Français! pour se payer des vestes en peau de Marocain? Alors je ne suis plus un usurier, je suis un rentier, je passe toucher mes coupons, je suis bien vu de mon concierge et, même mieux, si je fous assez de pèze dans une affaire quelconque qui intéresse le gouvernement de la République, on me donnera la Légion d'honneur au 14 juillet, et j'aurai le droit d'être enterré avec, derrière le convoi, de malheureux zèbres qu'on a pris pour deux ans dans les casernes, histoire de leur apprendre à défendre la bicyclette La Gauloise, le papier à cigarettes Job et le chocolat Meunier!

— Antimilitariste, par-dessus le marché, arriva à souffler le général Dorsch.

— Quelle erreur, mon général! L'Armée est une institution bien trop utile aux usuriers pour que je sois antimilitariste. Je ne vois aucun inconvénient à ce qu'on entretienne pendant des années des bandes armées à ne faire que semblant de travailler, à porter-armes et demi-tour à droite, et autres divertissements qui joignent l'utile à l'agréable, pourvu que ces bandes avec leurs chefs et sous-chefs de bande soient prêtes à me défendre, moi, mes opérations compliquées et mes taux usuraires, comme elles défendront, le cas échéant, M. Peugeot, les frères Izola, le patron du Chabanais et les Établissements Dufayel. Les meneurs ouvriers, les agitateurs, grévistes et autres grandes gueules, ont inventé de nous traiter tous en bloc, vous comme moi, mon général, M. Lebaudy comme le premier épicier venu, de parasites, et ils ont raison. Nous sommes tous des parasites. Pourquoi ne pas l'avouer ? Il n'y a là rien qui me choque. En quoi est-il mieux d'être la bête qui a des parasites, que le parasite sur le dos du bétail ? Pour moi, je pense tout au contraire que c'est là ce qui s'appelle la civilisation. Nous sommes arrivés à une époque de culture et de raffinement qui nécessite une grande division du travail. Jadis, voyez, le commerce était méprisé, il était interdit aux nobles. Tout cela a bien changé. Le parasitisme est une forme supérieure de la sociabilité, et l'avenir est au parasitisme, le tout est d'en inventer sans cesse des modalités nouvelles ! Je bois au parasitisme, et vous me rendrez bien raison ! »

Le général Dorsch chercha un geste élégant pour en sortir. Il prit donc le verre de fine Napoléon (que lui tendait Brunel en faisant observer, que celui-là, Napoléon, avait été un parasite de première grandeur) et, l'élevant, avec une certaine majesté, il trouva enfin une formule :

« Je bois, dit-il, au patriotisme !

— Là, s'écria Georges, c'est ce que je disais ! »

X

Georges ne rentra pas directement rue d'Offémont. Il flâna. Les boulevards, un promenoir ; à l'heure de la sortie des théâtres, il se trouva chez Weber où il salua un tas de gens qui s'empressèrent, quelques-uns pas encore au courant qui n'eurent pas l'air de le reconnaître. Georges ne s'en froissa pas. Il parvint à ne s'asseoir à la table de personne. Il continuait tout seul la conversation de chez Larue. Il supputait les fortunes assises là, à prendre un Welsh, ou un sandwich. Il avait de petits rires pour lui-même, à chaque grosse dame, à chaque jeune homme, dont le profil, les seins ou le chapeau de paille lui rappelaient une histoire scandaleuse, une escroquerie, ou quelque honorable affaire de Bourse bien soignée. Du Weber, il gagna le Parc Monceau par Montmartre. Sabran payerait-il vite les effets signés par son frère ? Il donna au maître d'hôtel du Rat Mort un pourboire formidable, de quoi payer sa chambre pour deux mois, peut-être. Il avait terriblement besoin de servilité autour de lui, Georges.

Diane n'était pas endormie quand il rentra.

Le lendemain matin, elle fit téléphoner à sa mère de venir la voir, et ferma sa porte à tous, sauf à Marguerite qui vint après déjeuner, et que l'aspect de Diane effraya. Pâle, les lèvres tremblantes, les yeux rouges.

« Vous avez pleuré, ma chérie ?

— Non, petite, je n'ai pas fermé l'œil et j'ai lu, voyez ».

Le Voyageur et son ombre avait été coupé jusqu'à la dernière feuille.

Christiane avait l'air extrêmement inquiète. Elle dit

deux ou trois fois à Marguerite que Georges n'était pas ménager de la santé de sa femme. Elle était ennuyée que Robert ne fût pas à Paris pour la journée. Georges, étant venu deux ou trois fois voir comment allait Diane, fut, sembla-t-il à Marguerite, assez mal reçu. Mme de Sabran s'en alla vers les sept heures avec un vague sentiment de malaise, après avoir entendu Diane se plaindre que ça lui faisait mal.

Dans la nuit du dimanche au lundi le médecin fut appelé rue d'Offémont. Il trouva Diane très nerveuse, les yeux cernés, se plaignant du ventre, mais il s'en alla en disant qu'il n'y avait rien de grave. Cependant le lundi matin, Diane était transportée d'urgence à la clinique du professeur Pozzi, et opérée de l'appendicite à chaud. La lettre que lui avait écrite le général Dorsch ne lui fut donc remise que plusieurs jours plus tard avec le dernier numéro du *Tatler*, *Je sais tout* et toute une série de cartes cornées ; Marguerite de Sabran arrangeait dans un coin de la chambre celles des fleurs que le docteur avait permis de mettre chez la malade. Elle fut effrayée par le cri que poussa Diane. Tout cela resta gravé dans sa mémoire. Mais Diane, la courageuse Diane, s'était reprise. « Rien, ma chérie, simplement une douleur plus forte que les autres... »

L'action du général Dorsch avait été un peu moins prompte que la parade de la belle Mme Brunel. Sa lettre écrite et envoyée le dimanche, le général dès le lundi matin se rendait chez Wisner pour le mettre au courant. Malgré les divergences politiques entre l'industriel et lui, il considérait comme de son devoir de faire part de ses découvertes à un homme qui était connu pour le familier de Brunel, et après tout, l'un des chefs de l'industrie française, sur laquelle toute cette boue allait rejaillir si Wisner non prévenu continuait à s'exposer à la médisance. C'est de la bouche de Wisner que Dorsch apprit l'opération ; à cette minute Mme Brunel était entre la vie et la mort... et on pouvait voir que Wisner était très affecté.

Cela donna l'occasion au général de poser d'abord comme un fait établi, indéniable, la distinction fondamentale qu'il faisait entre Diane, une créature absolument adorable, exquise, une femme cultivée, ayant de la race, du charme, et cette brute, cet arriviste, cet être infect qu'était Georges.

« Halte-là, mon général, je vous arrête, dit Wisner, Brunel est mon ami et...

— Ce sentiment vous honore, mais voici ce que je suis venu vous apprendre. »

Wisner tomba des nues. Un usurier, Brunel un usurier! Mais à qui se fier vraiment? Malheureuse Diane! Ah, sur ce point, le général et l'industriel s'entendaient. L'incroyable discours tenu par Georges à Dorsch et que celui-ci rapportait en gros, jetait, ça on ne pouvait pas en douter, une lumière déplorable sur ce que c'était en fait que ce bonhomme. Rien de très propre. Car par exemple Wisner, qui avait des idées sociales très... poussées, eh bien, ces propos-là le révoltaient. Ah les hommes d'affaires, les industriels étaient tous des usuriers pour le Shylock de la rue d'Offémont! Eh bien, on allait voir. Wisner s'arrêta.

« Mais comment agir sans blesser ce pauvre petit oiseau qu'est notre Diane? » Le général était dans la perplexité.

Cela fit tout de même qu'il attendit de savoir que Diane avait reçu la permission de se lever pour aller voir Jacques de Sabran. Entre-temps il avait déposé plusieurs fois des fleurs à la maison de santé, et téléphoné à Mme de Nettencourt qui l'avait rassuré sur les dimensions de la cicatrice. « Petite comme ça! » hurlait Christiane dans l'appareil. Le général ne pouvait pas voir au téléphone, mais ça n'avait pas l'air très grand. Ce Pozzi est un magicien.

Le jour où il devait aller chez les Sabran, c'était tout à la fin de son congé, il reçut un mot de Diane qui le priait, sur tout ce qu'il avait de sacré au monde, de passer la voir le jour même.

Ce que fut l'entrevue est indescriptible, le général en sortit avec la tête à l'envers. Un vieux militaire, habitué aux champs de bataille, ne peut pas se faire une idée de cet héroïsme-là. Il n'y avait rien au monde de plus admirable que Diane. Elle n'avait pas répondu à sa lettre parce qu'elle avait voulu d'abord parler à Georges. Dès qu'elle avait été en état de le faire, elle l'avait fait. Il avait tout avoué. Tout était désormais fini entre eux. Certes elle l'aimait encore, il avait été dans sa vie la grande révélation physique, elle pouvait, elle devait le dire au général, pour qu'il comprenne mieux certaines choses. Mais, n'est-ce pas, il y a des sentiments qu'il faut vaincre, et Diane vaincrait, elle en était sûre. En attendant... Elle ne demandait à son vieil ami qu'une chose : Jacques et Marguerite de Sabran allaient la croire mêlée à toute cette horreur, elle voulait que le général aille les trouver, ne leur dise rien, les lui amène, et devant lui elle leur parlerait.

Les entrevues historiques se succédaient. Comment Jacques et Marguerite n'auraient-ils pas été émus aux larmes d'entendre de la bouche de la convalescente le récit de l'horrible découverte? Moralement certes Georges Brunel avait tué Pierre de Sabran. Jacques apprit l'existence des effets signés par son frère. Diane le prévenait comme une sœur que ce bandit de Brunel allait les lui présenter.

Mme de Nettencourt, chez Topsy, raconta à Mme Blin combien le général Dorsch avait été merveilleux dans toute l'affaire. Un ami véritable, et la haute garantie morale que ses fonctions lui confèrent... Diane avait été si ébranlée par tout cela qu'elle avait consenti à recevoir l'abbé Gabriel. Entre nous soit dit, ce Brunel avait sur elle une influence détestable, c'était lui qui l'avait éloignée de la religion.

« Tout de même, ma chère Christiane, dit Mme Blin, comment peut-on vivre avec un homme pendant des années et ignorer ce qu'il fait et de quoi l'on vit ?

— Ah, Pauline, je me le demande comme vous ! Naturellement pour des natures pratiques comme vous et moi, cela serait inimaginable. Mais ma petite Diane est tout le portrait de son père. Vous savez, Édouard, pourvu qu'il ait son *Figaro*, il ne se demande jamais avec quoi il le paye. Les Nettencourt sont des rêveurs, je ne sais pas, moi.

— En effet, parce que Robert, lui, qui était dans les affaires de M. Brunel...

— Oh ! ce malheureux Robert ! Je ne vous ai pas dit ? C'est insensé ! Non seulement il ne s'est jamais douté de rien, non seulement il n'a été qu'un instrument inconscient dans les mains de son beau-frère, mais imaginez-vous qu'à l'heure actuelle il nie encore ! Il refuse d'y croire ! Il prétend que ce sont des calomnies ! Quand je te dis que Georges reconnaît les faits, lui criait sa sœur. Il lui a fait une scène, il est parti en claquant les portes, il ne veut plus la revoir...

— Non ?

— Vous pensez bien que comme mère, je suis déchirée, déchirée, de voir mes enfants dressés l'un contre l'autre. Car Diane, injuste, j'en suis persuadée, prétend que Robert était au courant de tout, qu'il prend parti pour Brunel, que sais-je? Ah je suis bien tourmentée, bien tourmentée.

— Voyons, tout cela s'arrangera.

— C'est ce que je me dis, tout cela s'arrangera. En attendant, on n'entendra plus parler du sieur Brunel. Diane divorce, elle reprend le nom de Nettencourt.

— C'est très bien, c'est très bien à elle. »

Mme Blin était réellement émue.

« On peut dire que Diane a été nette, catégorique. C'est très chic, très digne.

— N'est-ce pas? Oh, cela n'a pas traîné. Un soir, quand mon ex-gendre est rentré, il a trouvé sa malle faite et descendue dans le hall; le domestique lui a remis une lettre de Diane. Il a essayé de protester, mais quand le domestique lui a dit qu'il avait des ordres de Madame, d'appeler la police si Monsieur insistait, Brunel a préféré prendre un taxi.

— Mais comment? Qu'est-ce que vous me racontez là? Est-ce qu'on peut mettre son mari comme cela à la porte de chez lui?

— De chez lui, de chez lui? Diane est mariée sous le régime de la séparation, l'hôtel de la rue d'Offémont est à elle, Nettencourt est à elle, et elle a ses rentes à elle, à son nom. Brunel n'avait qu'à déguerpir, et il l'a compris. Bon voyage, monsieur Dumollet!

— En effet, Diane a été très énergique, constata Mme Blin. Mais ce qui m'étonne à la réflexion, c'est que M. Brunel n'ait pas cependant essayé de la revoir, ou de discuter...

— Pensez donc! Diane en sait bien trop long sur son compte! Il a peur de ce qu'elle pourrait raconter! Et puis, d'ailleurs, il lui a écrit. Maintenant, imaginez-vous qu'il la lui fait à la passion!

— Mon Dieu, on conçoit que l'on puisse être épris de

Mme Brun... de Diane, veux-je dire. Et cela a dû être un coup pour son mari...

— Pffuît! Il la trompait! C'était épouvantable. Je le lui disais moi : Diane, tu n'as donc pas de sang dans les veines, on ne se laisse pas traiter comme ça par un monsieur! Je suis ta mère, eh bien, je n'ai pas de conseil à te donner, mais à ta place, moi, je prendrais un amant!

— C'était un peu... moderne!

— Vous savez, moi, je suis tout impulsivité! Enfin cet individu qui passait ses nuits avec des créatures, des drôlesses qui ne valaient pas le petit doigt de Diane, maintenant qu'il a perdu sa femme, lui écrit des lettres de collégien... qui ne trompent personne, heureusement. On l'a vu rôder rue d'Offémont. Diane va d'ailleurs passer quelque temps à Nettencourt. »

Le capitaine de Sabran était très ennuyé. Par trois fois, Brunel s'était présenté chez lui, il avait fait répondre qu'il n'était pas là. La dernière fois, de la salle de bains, il avait entendu la voix de l'usurier qui parlait très fort dans l'antichambre, qui faisait de l'ironie. Il s'était enfin résolu à le recevoir.

Dans le petit salon de la rue César-Franck, quartier militaire, portes à carreaux Louis XVI, bibelots chinois, et un portrait d'Alphonse de Sabran mort à Fontenoy, le capitaine de Sabran avait refusé même de regarder les papiers que lui tendait celui qu'il avait si longtemps considéré comme un ami, qui n'était qu'un escroc et l'assassin de son frère, il ne lui envoyait pas dire. Brunel ne se fâcha pas.

« Voyons, mon capitaine, c'est entendu, je suis une canaille, si ça peut vous faire plaisir. Mais ce n'est pas de cela qu'il s'agit. Votre frère a signé de son nom, voyez là, Pierre de Sabran, cent cinquante mille francs d'effets. Vous qui n'êtes ni un escroc ni une canaille, mais un capitaine d'État-Major, le dépositaire de l'honneur des Sabran... » Ici Georges Brunel fit un petit salut à l'aïeul de Fontenoy « ...vous n'allez pas hésiter un instant, vous allez reconnaître ces traites, une petite signature me suffira... »

Le capitaine de Sabran fut magnifique.

« Monsieur, vous êtes ici chez moi, et si je vous abattais comme un chien, je serais acquitté avec les félicitations du jury. Partez, avant que la tentation ne soit trop forte. »

M. Brunel avait ramassé ses petits papiers sans valeur, et du seuil il avait dit : « Mon capitaine, je n'ai qu'un conseil à vous donner. Divorcez, épousez ma femme, vous ferez un beau couple! »

Le général Dorsch commentait ce trait final avec une fureur pathétique : « Le misérable, disait-il à Wisner, ce que je ne lui pardonne pas, c'est d'avoir abusé une femme comme Diane! Enfin il est tout de même agréable de constater, dans de grandes convulsions comme celles-ci, qui détruisent un foyer, bouleversent des familles, qu'il y a encore des honnêtes gens et de grands cœurs comme le capitaine de Sabran, comme Diane...

— Mon général, dit Wisner, quand serez-vous à la retraite?

— Le plus tard possible, le plus tard possible.

— Mais encore?

— Pourquoi cela? Cela dépend. Si je passe divisionnaire, pas de sitôt, si je reste brigadier c'est l'affaire d'un lustre... Mais?

— Je pensais que vous auriez une place toute trouvée dans un de mes conseils d'administration... d'ailleurs nous en reparlerons dans un lustre, ou plus tard!

— Mon cher Wisner, comment vous dire? Je suis ému, positivement ému...

— Mon général, vous m'avez rendu un service qui ne s'oublie pas... »

Marguerite était très triste de la rupture entre Robert et Diane. Un frère et une sœur. En accompagnant à la gare Diane qui partait pour Nettencourt, elle lui en reparlait. Il y avait là l'abbé Gabriel qui était maintenant un familier de la rue d'Offémont. « N'est-ce pas, monsieur l'abbé, un frère et une sœur!

— Dieu y pourvoira, madame, Dieu y pourvoira.

— L'abbé, dit Diane, m'avez-vous apporté ce remède dont vous m'avez parlé?

— Certainement, certainement. Il est déjà dans votre sac, je l'avais remis à votre chère mère...

— Quant à Robert, ma pauvre Marguerite, tu peux dire qu'il n'avait rien à gagner avec moi et tout à perdre du côté de Georges. Il a été où il y avait à brouter.

— Oh Diane, comment croire?

— En ne jugeant pas les autres d'après soi. Guy, viens vite dire au revoir à M. l'abbé.

— Au revoir, monsieur l'abbé », dit Guy ressortant dans le couloir.

Guy était très content d'aller à Nettencourt, mais il n'aimait pas les curés.

XI

« Assieds-toi là, prends une cigarette... dans la boîte rouge... et chante-moi ton petit couplet. »

Georges était chez Wisner. Il voulait savoir jusqu'à quel point il pouvait encore compter sur son aide, à celui-là, et puis il fallait bien lui dire l'accueil qu'il avait reçu chez le capitaine de Sabran. C'est par là qu'il commença.

« Bon! dit Wisner, c'était couru. Leur honneur, on sait ce que ça vaut. Mais si je comprends bien, tu ne me racontes pas cette petite histoire pour le plaisir de me donner des vues sur l'aristocratie et l'armée. Combien est-ce que je t'avais avancé pour le petit Sabran?

— Soixante-quinze billets.

— Et il t'en devait cent cinquante? D'habitude, tu ne m'avouais pas d'aussi grandes différences.

— Il faut bien gagner sa vie.

— Somme toute, mon vieux, on a bien raison de le dire. C'est de l'usure, ça. Moi je te demanderai cent mille comme entendu. Ça, c'est du commerce.

— Je crois que tu ne m'as pas tout à fait saisi...

— Mais si, fiston. Tu comptes passer cette somme à l'as? Ou bien tu désirerais peut-être des facilités de paiement? »

Wisner était plus jovial que jamais. Georges serra les dents, mais retrouva un peu de sa gaîté pour répondre :

« Je ne désire de facilités de paiement ni pour cette somme-là, ni pour aucune autre. Je fais faillite. »

Wisner le regarda avec intérêt. « Ah oui? Tu vas me coûter cher. Et qu'est-ce que tu me donnes en échange?

— Ma femme, répondit Brunel.

— Tu ne manques pas de culot. D'abord je l'ai déjà, ta femme, et puis de toute façon tu ne l'as plus. »

Georges tiqua un peu. Au fond, c'était bien là ce qui lui était le plus sensible dans l'affaire. Il l'aimait à sa manière, Diane.

« Possible, siffla-t-il légèrement, mais il faut considérer l'opération dans son ensemble. Il te reste Diane, je garde l'argent. Nous mettons en commun les profits et les pertes.

— Mon cher Georges, je suis bien sûr que nous finirons par trouver un arrangement, mais il me semble qu'il y a dans tes conceptions quelque chose de faux, de radicalement faux, pour ainsi dire juridiquement. N'oublie pas que je n'ai jamais été qu'un commanditaire, et non pas un associé. Ne proteste pas. Je n'ai jamais fourré mon nez dans tes livres, je te donnais de l'argent, tu en faisais l'usage que tu voulais. Remarque que je pourrais prétendre que j'ignorais la nature de tes tractations puisque, en fait, j'en ignorais le détail. Les confidences purement amicales que j'ai reçues de toi ne s'adressaient pas au bailleur de fonds, lequel n'aurait pu que blâmer des opérations qui n'étaient pas couvertes par la loi. Qu'est-ce que tu as à faire des gestes ? Je ne te les reproche pas d'un point de vue moral, tes petites affaires. Mais j'avoue que ce qui me dépasse, c'est que tu aies eu l'idée de mettre en circulation un prospectus avec ton nom et ton adresse. Ça, mon petit, pour ne pas être fort, ça n'était pas fort.

— Il fallait que j'aie des bureaux quelque part et on ne peut pas travailler sous un faux nom dans la partie, ou par intermédiaire, parce que ce n'est pas sûr...

— A qui le dis-tu, Georges ? Tu es désarmant. Enfin tu sais ce que ça te coûte, ce que ça me coûte...

— Ça, il ne faudrait pas exagérer. Tu es en gain dans l'ensemble...

— Ça, ce sont mes oignons. Et puis j'ai des frais considérables... »

Cette dernière formule dut leur rappeler une bonne histoire à eux, car ils se mirent à rigoler, et à se taper les cuisses.

« Sans plaisanterie, reprit Brunel, avec Diane, tu gardes Nettencourt, la rue d'Offémont, les bijoux et quelques broutilles...

— Tout ça est à Diane personnellement...

— Oui, c'est ce qu'elle dit. Mais puisque tu gardes Diane...

— Une idée à toi, ça. Mais pour cela, il faut qu'elle divorce.

— Qu'est-ce que je fais ici ? »

Wisner, au fond, avait toujours eu un faible pour cette canaille de Brunel. Alors, c'est ça qu'il était venu lui proposer ? C'était ficelle. En fait il ne comptait rien retirer de l'histoire. Le compte Brunel était pour lui une petite spéculation, dans laquelle d'ailleurs il se retrouvait après tout. Il n'avait pas l'intention d'épouser Diane. Combien d'années qu'il couchait avec elle ? Ça vous vieillit.

« Maintenant j'ai une autre proposition à te faire : si tu veux remettre des fonds dans la combine, tu sais que j'ai plusieurs créances intéressantes, au point de vue politique... je pourrais remonter un cabinet à Nice. Le voisinage de Monte-Carlo... »

Wisner coupa court à ce plan : « Non, Georges. Ce qui t'a toujours manqué, c'est de réaliser que quand c'est fini, c'est fini. Ma situation, à l'heure actuelle, ne me permet pas de continuer à subventionner quelqu'un qui a fait des fautes aussi graves que les tiennes.... Comprends bien, mon petit, qu'à cette heure je n'ai pas trop de toutes mes disponibilités pour soutenir l'œuvre admirable que la France entreprend au Maroc... »

Georges le regarda pour voir s'il rigolait. Il était sérieux comme un pape. Oui, Wisner pensait, après tout, que les gens comme lui un jour ou l'autre devaient cesser de jouer des parties individuelles et, en faisant le jeu de l'État, en apportant à la communauté des forces jusque-là indisciplinées... Georges était trop étonné pour lui couper la parole.

« Mon vieux, il faut bien t'imaginer que ce n'est pas que je croie aux balivernes, aux grandes machines avec lesquelles on fait marcher les foules... Quand je dis *la France*, c'est une façon de parler très simple, pour dire *nous*, un certain groupe d'intérêts communs. Il n'en est pas moins vrai que, la règle du jeu une fois admise, nous sommes en train de transformer une région sauvage, improductive, en une espèce de petit paradis terrestre, où ça sera curieux de se promener dans dix, quinze ans, si nos reins nous le permettent. Oui, je vais faire une petite cure à Contrexéville, Thompson m'a dit qu'il y partait... C'est tout de même un peu plus excitant de prêter de l'argent pour une entreprise de ce genre que de jouer ton petit truc à 100 % avec des cocos comme ce Sabran, qui compromet le tout bêtement en se faisant sauter la cervelle. Moi, dans mon jeu, les Sabran par centaines sont les pions d'une partie autrement intéressante, et s'il s'en casse en route, eh bien, au moins, ce n'est pas pour rien! Mort au champ d'honneur, c'est plus reluisant que le suicide! Il en reste une belle et bonne colonie, des mines, des cultures, des villes, des ports, des routes, des voies ferrées.

— Si on vous les laisse. Ça ne marche pas fort d'après les journaux.

— Les incidents de Fez? Oui, mais maintenant nous venons d'envoyer là-bas un homme, mon vieux Georges, avec qui ça ne traînera pas. Lyautey. Tu le connais, toi, Lyautey?

— Mon beau-frère, à Alençon pendant son service, était au 14e hussards qu'il a commandé. Et puis le cousin Émile l'a connu à Madagascar. Il en raconte des vertes et des pas mûres sur ton grand homme.

— Je sais, je sais. En attendant, depuis qu'il est là-bas, les actions montent. Ce sont des problèmes à n'en plus finir. Moulay Hafid, le Sultan, nous tire dans les pattes. Il va falloir le remplacer. Et puis il faudra revoir toute la législation marocaine pour donner une base à nos titres de propriété, parce que le régime de la propriété au Maroc est d'une complication! Il y a les biens maghzen, les biens melk, les biens habous, on s'y perd! Impossible là-dessus de baser une propriété véritable, il y a toujours la tribu, l'État, qui réclament, ce sont des contestations à n'en plus finir. Lyautey... »

Georges sifflotait d'admiration. Il était bien parti, son Wisner. Une idée diabolique lui vint.

« Et si ton petit copain Guillaume revenait sur ses arrangements coloniaux, dis donc? Il y a toujours les frères Manesmann au Maroc...

— La France, dit très dignement Wisner, ne craint pas l'empereur. Elle saura se faire respecter aux colonies comme dans la métropole. On ne nous empêchera pas de poursuivre notre œuvre de civilisation. Et s'il faut faire la guerre...

— Dans tout ça, tu auras bien pour moi une petite situation... »

Wisner s'arrêta comme pour réfléchir.

« Pourquoi non? dit-il. Mais à une condition...

— Fais voir.

— Que tu partes au Maroc tout de suite.

— Merci, dit Georges, mais j'ai une petite amie qui ne veut pas quitter sa vieille mère! »

Il s'apprêtait à partir.

Wisner soudain l'arrêta :

« Ou encore... si tu voulais entrer dans la police? »

DEUXIÈME PARTIE

Catherine

I

Le lieutenant Desgouttes-Valèze, en quittant le général Dorsch à la gare d'Orsay, avait fait un saut rue de Rennes, chez sa mère, où il avait été se mettre en civil. Mme Desgouttes-Valèze aurait beaucoup voulu lui parler d'un tas de choses ; comment il ne restait pas dîner ? Oh ! mon petit, vraiment. Non, il était attendu. Enfin tu devrais bien comprendre... Le lieutenant cherchait un bouton de col et n'en trouvait pas, c'était dégoûtant comme la chemise était empesée, il fallait enfin quitter cette blanchisseuse. J'aurais voulu te parler, Fernand, pour une question qui somme toute est de tes affaires. Fernand se débattait avec ses cravates, pas une propre ! On me conseille un placement. Je ne sais pas si je dois le faire. Il faudrait vendre les aciéries de Longwy pour pouvoir racheter. C'est une responsabilité.

Fernand Desgouttes-Valèze considérait avec ironie les chaussettes de soie qu'il venait de tirer de la commode. Toutes les paires mêlées, il fallait passer un temps fou pour reconnaître quelles chaussettes allaient ensemble, celle-ci avait une reprise sur le dessus...

... Est-ce que tu crois que je dois vendre mes aciéries de Longwy ? J'en ai dix. Ton pauvre père...

« Enfin, maman, dit Fernand, à quoi pense Marinette ? Une bonne qui est dans une maison depuis vingt-cinq ans...

— Trente bientôt. Mais tu ne me réponds pas et tu vas t'en aller. Est-ce que je dois vendre mes aciéries ?

— Tu feras ce que tu voudras. Mais s'il y a la guerre on ne pourra pas trouver de meilleur placement que les aciéries de Longwy...

— Ne parle pas de malheur ! La guerre ! Ah tiens, avec un fils officier, il y a des choses qu'une mère ne peut pas entendre dire ! S'il y a la guerre, je me tuerai tout de suite pour ne pas voir ça ! »

Fernand rit un peu, embrassa sa mère et, comme il était déjà huit heures, il prit un taxi, bien que la rue de Babylone fût très près, et le chauffeur ronchonna quelque chose sur les gens qui ne pouvaient pas aller à pied. Cinq mois de grève n'avaient pas rendu ces gens-là plus aimables, décidément.

Le commandant Mercurot et sa femme habitaient une maison qui donnait sur les jardins de l'ambassade de Chine. Il était à l'État-Major, et Jacques de Sabran se trouvait sous ses ordres. A table, Fernand raconta sa conversation dans le train avec le général Dorsch. Mercurot eut un gros rire : « Pour une gaffe, ah lala ! Comment, jeune homme, vous ne savez pas que Dorsch est l'amant de la belle Mme Brunel ! Mais enfin ! » Fernand était effondré. Mais il n'avait d'yeux que pour la sœur de Mme Mercurot, Catherine Simonidzé, qu'il avait tant craint de ne pas rencontrer ce soir-là chez le commandant.

En 1912, Catherine a vingt-six ans, et elle est un témoignage vivant de ce que le *Dictionnaire Larousse* affirme des Géorgiens, à savoir que c'est la plus belle race humaine qui soit au monde. Toutes les légendes amassées sur l'origine des hommes et l'Iran et les paradis terrestres et le Caucase au front duquel se seraient suspendus des bateaux, toutes les explications mythiques de la puissance des hommes blancs de l'Inde aux mers armoricaines, viennent sombrer dans le noir Orient de ses cheveux. Une masse de ténèbres au-dessus d'une jeune fille, ployant son cou mince et long, noyant sa tête d'oiseau dont il n'est possible de retenir que les yeux démesurés, le regard vert sous les cils incroyables, la bouche faite avec un rouge sombre, le teint d'une blancheur surnaturelle. Espèce de chimère moderne, très mince et sans défaut, la féminité faite femme et juchée sur des talons Louis XV à défier l'expression, roulée dans sa robe on dirait, une espèce de fourreau de velours noir, avec des mains et des pieds si petits qu'on prétend parfois que c'est laid, enfant au-delà de l'enfance, et une voix profonde comme la nuit, elle a l'air d'être la dernière expression de tout un monde, son charme et sa négation. A vingt-six ans, elle n'a pas cessé d'en avoir seize, malgré ce sentiment qu'elle a d'être d'une beauté scandaleuse, et elle aime ce scandale, entre autres. Bien que du pays familial il n'y ait plus qu'une image effacée, intermittente et lointaine au fond de ses yeux glauques, et encore elle n'est pas sûre de ne pas confondre Tiflis avec des paysages de la Suisse italienne où elle se revoit à cinq ans accrochée aux jupons de sa mère, et il y a des cristaux sur la table, et de la mandoline en l'air, et des messieurs empressés autour de Mme Simonidzé, et des montagnes, les lacs bleus, des jouets de bois peint... bien que du pays familial, et de son père, un homme avec une barbe noire et des puits de pétrole, elle ne sache guère que ce que racontent des photos jaunissantes que sa mère entasse dans un coffret persan, Catherine, comme Hélène Mercurot, son aînée, a gardé de là-bas ce roucoulement de pigeon, qui fait que dans un lieu public les gens se retournent surpris, et elle aime par un certain mauvais goût à quoi tout conspire, à compliquer d'un parfum d'aventurière son allure imperdable de fillette blessée. Elle est, elle restera du temps des cartes postales de Raphaël Kirchner, le Viennois, où des demi-vierges en camaïeu sur fond d'or soufflent des ronds de fumée, cueillent des cerises avec des bras nus. Le commandant Mercurot est arrivé à déshabituer sa femme de la cigarette, mais il doit bien supporter les Batscharis de sa belle-sœur, même à table, même quand il y a là un de ses subordonnés, comme le lieutenant Desgouttes-Valèze, ou Régis, ou Saint-Juran.

Le destin de Pierre de Sabran n'émeut pas très vivement Mlle Simonidzé. Elle dit que dans cette histoire s'il y a une victime c'est Mme Brunel, qui est très belle, paraît-il, et dans la société actuelle toutes les femmes sont des esclaves, et il faut prendre leur parti à toutes les occasions.

Le commandant fait observer que la victime a un certain train de maison, et somme toute partage avec son mari les fruits de l'usure, mais Catherine se fâche un peu. Puisque c'est son mari, c'est un maître, et vous êtes tous les mêmes à jeter la pierre aux femmes, elles ne sont pas solidaires de vous.

La main de Mme Mercurot s'est posée sur celle du commandant, pour tacitement démentir les propos de sa sœur.

« Je vous assure, mademoiselle, que Diane Brunel n'est pas intéressante. D'abord, elle est blonde, et puis on dit qu'à part son mari (et Dorsch à en croire le commandant) elle couche avec le Wisner des autos...

— Et alors ? voilà bien des propos d'hommes ! Wisner, lui, est-il moins *intéressant* parce qu'il a couché avec

Mme Brunel? Monstrueuse inégalité! Tenez, on voit bien que vous n'êtes que des soudards! »

Le commandant déteste les sorties de sa belle-sœur, mais il sait par expérience que ça n'arrange rien de vouloir s'y opposer. Il regarde avce attendrissement Lenotchka, si différente.

Hélène Mercurot, de quatre ans plus âgée que sa sœur, n'en a plus l'éclat, mais on peut la préférer à Catherine. Elle est plus grande, elle a plus d'ampleur. Le lieutenant Desgouttes-Valèze ne la voit tout simplement pas.

Il n'a rencontré Catherine que cinq ou six fois, l'année précédente, il n'a parlé avec elle qu'une seule fois, à un mariage, mais il n'est pas moins attiré par ce qu'elle dit que par ce qu'elle est. Du moins, à ce qu'il pense. Elle est moralement tout le contraire des femmes qu'il a connues, jeunes filles, poules de Saumur, femmes de supérieurs. Tout ce qu'il croit, tout ce qu'il respecte, tout ce qu'il a appris, ce jeune officier élevé à Stanislas, elle le bafoue à chaque mot, et le dédain de sa narine parfaite déconcerte Fernand à tout ce qu'il dit lui-même. Il se sent comme un provincial devant elle. Le parfum de Guerlain dont elle est inondée est pour lui l'odeur de Tiflis. L'étrange liberté de ses propos vient assurément de l'atmosphère des vergers des *Mille et une Nuits*. Ce féminisme même a pour soi l'excuse de l'Asie, sans qu'il songe un instant à ce que cela peut avoir de paradoxal. *Géorgienne*, ce mot est pour le lieutenant d'une beauté surprenante, comme Catherine. Il se l'explique, Catherine, en pensant : « C'est une nietzschéenne! »

Mercurot a su faire dévier la conversation sur les événements des Balkans. Conversation militaire qui écartera les femmes. Ah! bah! Catherine, rapidement, est parvenue à couper la parole au commandant, et il s'agit bien maintenant de la stratégie en Macédoine, de la possibilité de tenir ou non sur la ligne du Wardar! Elle chante les louanges, avec cette voix d'outre-Arabie qui est comme le grand Opéra pour le jeune convive, des ouvriers des Balkans qui se mettent partout en grève pour protester contre la guerre. Il paraît que c'est la première fois qu'on voit une chose pareille, et il y a un Bulgare, un nommé Sakasoff dont Catherine parle avec des yeux brillants. Qui est-ce? Fernand suppose qu'il s'agit d'un anarchiste. Cependant Catherine a ses sympathies du côté des Turcs. Cela n'est pas très compréhensible, et il semble à Desgouttes-Valèze que si on a des sentiments de gauche comme Mlle Simonidzé, on doit souhaiter l'émancipation nationale des Serbes, des Grecs et des Bulgares. C'est une guerre démocratique, contre le sultan, qui est d'ailleurs l'homme de l'Allemagne, pour la liberté, les principes de 89. Catherine regarde le lieutenant avec pitié.

« Voulez-vous bien la laisser votre liberté avec votre démocratie? Quand un pays qui se dit républicain est l'allié du tzar, du bourreau de Pétersbourg... La victoire des Turcs, c'est tout d'abord l'écrasement du tzar, comprenez-vous, c'est pourquoi je la souhaite, moi, Géorgienne. Et il y a des grèves à Pétersbourg et à Moscou, tout le temps déjà, et il y aura des bombes... »

Mlle Simonidzé s'anime davantage encore lorsque ayant fait allusion à des incidents qui viennent de se produire en Sibérie, dans les mines d'or, elle constate que ces événements sont passés inaperçus de tous ses interlocuteurs. Un peu étourdiment, Fernand s'étonne surtout qu'il y ait des mines d'or en Sibérie. Il l'ignorait. Le mépris de Catherine éclate.

Le commandant, très ennuyé, préfère encore revenir au cadavre de Pierre de Sabran. Cela se fait par l'intermédiaire de Wisner, et de la Serbie où il a des intérêts.

Et voilà le nom de Diane qui retombe dans la conversation.

« Je parie, dit Catherine, qu'on ne lui a jamais rien appris à faire de ses dix doigts. A broder peut-être. C'est comme moi, j'aurais voulu apprendre le piano, mais il n'y en avait que pour cette chère Hélène, et on ne pouvait pas payer des leçons pour deux. Enfin qu'est-ce que vous voulez qu'une femme devienne, si ce n'est pas une ouvrière? Une cocotte, mariée ou non. »

Fernand se porta au secours de Mercurot. Il parla musique. Catherine alors s'humanisa. Le commandant s'épanouit. Il avait eu chaud : toute la soirée il avait craint que l'affaire Bonnot ne vînt sur le tapis...

II

Quand M. Simonidzé était venu à Paris pour l'Exposition Universelle de 1900, il n'avait guère aimé trouver ses filles avec leur mère dans la pension de famille du Quartier Latin où elles avaient deux chambres. Le fils des propriétaires de la pension faisait la cour à Hélène. Et les yeux de Catherine réveillèrent sans doute un cœur au fond du porte-monnaie paternel.

Voilà comment Mme Simonidzé émigra avec ses filles dans un petit appartement de la rue Blaise-Desgoffe près de la gare Montparnasse, qu'elle meubla à tempérament chez Dufayel, parce que les générosités de son mari avaient servi à amortir les dettes. La pension qu'elle recevait de lui était maigre, et surtout d'une irrégularité à frémir.

Vers cette époque, Mme Simonidzé qui venait d'atteindre ou de dépasser la quarantaine était déjà une vieille femme. Les cheveux gris qu'elle avait portés quatre ou cinq ans avec insolence, comme une coquetterie et un charme de plus, s'étaient trouvés un beau jour ne plus contredire son visage. Elle avait maigri et sa peau ne s'y était pas faite. C'est ainsi qu'un grand changement s'était produit dans la famille, et qu'on avait été réduit à la pension paternelle.

Quand Mme Simonidzé avait-elle quitté Tiflis et le foyer conjugal? En un temps dont Catherine n'avait pas mémoire, et des récits de sa mère, et des souvenirs d'Hélène, il résultait que là-bas, c'était le Moyen Age, les femmes maintenues dans une ignorance et une sujétion sordides, et que M. Simonidzé buvait, battait sa femme, et dansait au dessert.

Mme Simonidzé avait été plus belle que ses filles. Interlaken, Baden-Baden, Nice, Florence l'avaient vue tour à tour, d'année en année dans un brouhaha de succès et de richesse. Il y avait sans cesse des fleurs dans ces chambres de passage où Catherine se sentait chez elle à Paris comme au Bodensee. Une femme de chambre suivait ces dames des plages du Nord aux pentes du Vésuve. Elle prenait soin des petites, quand les amis de leur mère venaient le soir la chercher, toute parée, avec ses épaules nues qui étaient son triomphe, pour ces fêtes mystérieuses dont les enfants rêvaient.

Il y avait sur la table à coiffer de leur mère, déballée avant tout là où l'on arrivait, une photographie d'un homme jeune, et pâle, que Catherine n'avait pas connu. Mme Simonidzé lui avait dit seulement que c'était là Grigori, un héros. Hélène prétendait s'en souvenir, et disait que Grigori jadis faisait des scènes à maman. Catherine à six ans songeait longuement devant ce beau visage, quand sa mère était sortie. Hélène l'y surprit. C'est comme cela que Catherine commença de détester sa sœur.

Deux fois l'an il fallait être à Paris, quoi qu'il en coûtât, quels que fussent les plaisirs qu'on abandonnait, les messieurs désespérés qui parlaient de se tuer le soir dans le jardin de l'hôtel, les crises de nerfs d'Hélène qui s'était fait des amies qu'on ne retrouverait plus jamais, qui sait? dans nos voyages : c'est que Mme Simonidzé devait s'habiller, comprends-tu, mon enfant. Chez Worth. Et jamais ailleurs.

Mme Simonidzé était entourée d'un halo de passion. Quelles différences entre tous ces hommes que Catherine voyait rôder autour de sa mère, qui lui envoyaient des bouquets, qui la conduisaient au théâtre, et qui la regardaient tous de la même façon! Il y en avait qui l'avaient suivie d'Isola Bella à Ostende. D'autres semblaient attachés au décor d'un seul lieu, et quand elle partait, elle avait l'air de les déchirer comme une vieille lettre. Hommes jeunes et oisifs, qu'un regard faisait pâlir. Vieux diplomates apportant à combattre l'âge le soin qu'ils donnaient aux affaires de leur pays. Officiers autrichiens ou anglais, hommes d'affaires du monde entier, jusqu'à un prince égyptien avec lequel on avait parcouru la Riviera italienne.

Puis Hélène avait été mise au couvent, quelque part près de San Remo, où elle s'était liée avec des petites filles si riches, que ça n'était pas croyable. Catherine resta dans les jupes de sa mère, comme un petit chat, toute seule avec la photo de Grigori.

Mme Simonidzé rencontrait parfois en Suisse des compatriotes, ou tout au moins des Russes, qu'elle connaissait de là-bas. C'étaient pour la plupart des gens très différents de ses amis occidentaux. Des étudiants, des professeurs, des médecins. Des gens graves, assez mal tenus, véhéments. Ils avaient de longues conversations, que Catherine s'efforçait de suivre, sage, dans un coin, bien qu'ils employassent en russe de nombreux mots dont elle ignorait la signification. Après cela, Mme Simonidzé avait des crises de tristesse, elle mettait tout le monde à la porte pendant quarante-huit heures. Puis il faisait beau. Un prince de la maison de Wittelsbach qui lui faisait la cour venait chercher la boudeuse en tonneau, et la photo de Grigori restait seule avec la petite fille dans une chambre d'hôtel. Ils avaient parlé de lui, cette fois. Le monsieur au lorgnon avait demandé à maman, peut-être pas des nouvelles de Grigori, mais quelque chose d'approchant. Et Catherine avait bien vu que maman avait pleuré.

Mme Simonidzé ne croyait pas en Dieu. Elle racontait à Catherine comment les prêtres vivent de la crédulité publique, et en Russie c'est le tzar qui les commande, qui est une espèce d'idiot, l'idiot le plus riche de la terre, et une brute extraordinaire. La preuve qu'il n'y avait pas de Dieu était que les révolutionnaires qui voulaient en débarrasser la Russie n'arrivaient pas à le tuer, comme ils avaient fait de son prédécesseur. Catherine s'était fait raconter très souvent la mort d'Alexandre II. Comment le tzar ce jour-là revenait de passer une revue, et comment les nihilistes l'attendaient dans plusieurs rues parce qu'on ne savait pas laquelle il emprunterait pour le retour. Pétersbourg est une ville avec des canaux, et Catherine connaissait Venise et Bruges, et elle s'imaginait d'après cela la scène quand la voiture impériale passe vers le soir, il fait un temps superbe, avec un cosaque sur le siège à côté du cocher, et le tyran en costume d'officier du génie, le long du quai bordé d'hôtels de la noblesse. Malgré elle, le jeune paysan qui surgit tout à coup et qui jette une bombe dans les jambes des chevaux, elle se le représentait toujours avec les traits de Grigori. C'est cette bombe-là qui en avait fait du bruit en éclatant! Le tyran n'avait rien, il était sorti du coupé en miettes, dans la neige, dure encore sous le soleil de février, mais le cocher, le cosaque, des passants, les chevaux, étaient tués. Et l'homme qui avait lancé la bombe était traîné, devant lui, à demi assommé par la police. Ici Catherine devenait toute froide, parce que c'était Grigori que frappaient les gendarmes, Grigori que le tzar interrogeait. Comme le tzar va monter en traîneau, quelqu'un lui demande s'il n'est pas blessé : « Grâce à Dieu, non! » répond-il. Mais à ce moment surgit un autre paysan : « Ne dis pas encore grâce à Dieu! »

Le second paysan ressemble aussi à Grigori. Peut-être même que c'est lui, et que l'autre c'était son frère. Comme il a bien lancé la bombe, juste dans les pieds de l'Empereur! Le monde s'est obscurci dans un coup de tonnerre : toutes les demeures de la noblesse ont tressailli, et les vitres se sont brisées aux fenêtres, et quand la fumée se dissipe, Alexandre est encore debout, mais sanglant, contre le parapet du canal, et tout autour de lui, il y a des cadavres, comme une image de son règne, et des blessés rougissent la neige. Et le tzar dit : « J'ai froid! »

Cinq hommes et une femme. Les conjurés qui guettaient l'empereur étaient cinq hommes et une femme, là dans la rue, avec les bombes ; sachant qu'ils donnaient leur vie en prenant celle du tzar. Comme ils avaient dû sentir battre leur cœur après la première bombe, quand Alexandre était apparu sain et sauf, tandis qu'à côté de lui tombait un garçon boucher qui portait une corbeille sur sa tête! Et la longue histoire des jours d'avant l'attentat! La femme, c'était la comtesse Perovskaïa. Elle était enceinte. On ne la pendit point avec les autres : elle dut mettre au monde d'abord un enfant dont on ferait un soldat du tzar un jour. Quand l'enfant fut né, Alexandre III fit pendre la comtesse.

Mme Simonidzé prononçait avec une tendresse extraordinaire le nom de la comtesse : Perovskaïa... Mais Catherine ne pensait qu'aux cinq hommes, qui tous les cinq étaient Grigori pour elle.

Quand, aux vacances, Hélène les rejoignit à Vevey, elle était toute changée, elle ne parlait pas à Catherine, trop petite. Elle était devenue très pieuse, au couvent, et Mme Simonidzé n'était pas contente, mais Hélène obstinément portait un scapulaire, et le soir elle n'en finissait plus de dire ses prières. Catherine regardait ces simagrées avec horreur, sa sœur obéissait au tzar maintenant sans doute : elle était passé dans le camp de ceux qui faisaient pendre Grigori.

Hélène apprenait le piano et le chant au couvent. Catherine l'enviait pour cela, car elle adorait la musique. Elle pria sa mère de les lui faire enseigner. Mais ce n'était pas commode, toujours en voyage. D'ailleurs il y avait le temps. Et puis Mme Simonidzé, qui avait une secrète préférence pour Hélène, était sûre que Catherine n'avait aucune disposition pour le piano. Quant au chant, ce n'est pas bon pour la voix d'étudier trop tôt.

A vrai dire, Catherine commençait, même alors, à ressentir les effets de cette préférence maternelle. Elle en souffrait. Mme Simonidzé, malgré ce que le couvent comportait de contradictions pour elle à toutes ses idées, n'hésitait pas à y laisser sa fille aînée, parce qu'elle avait pour celle-ci une ambition sociale aussi grande que son affection exclusive. Hélène était si jolie! Il faudrait un jour qu'elle ait tout, les bijoux, les dentelles, le luxe. Tout ce que Mme Simonidzé savait fort bien qu'elle n'avait que pour quelques jours.

Et qu'il avait suffi un peu plus tard de pas grand' chose, quelques rides, cette peau un beau jour qui n'était pas revenue sur elle-même, pour lui retirer tout à fait.

III

Catherine avait huit ans l année que sa mère prit à Paris un appartement meublé qui fut sa dernière splendeur. Ce qu'était au juste M. Dérys, Catherine ne se le demanda pas, mais elle détestait ses moustaches quand il l'embrassait.

M. Dérys était très malheureux certains jours quand Mme Simonidzé lui reprochait sa richesse et son écurie de course. Catherine jouait parmi les poufs et les meubles de bois noir avec la demi-douzaine de poupées que M. Dérys lui avait apportées, et auxquelles elle préférait avec une partialité passionnée une espèce de Tonkinoise en carton-pâte achetée par sa mère avec elle, sur les boulevards, dans les boutiques du jour de l'an.

Mais M. Dérys était très occupé, et le plus souvent il y avait là des hommes jeunes et quelques femmes, qui parlaient pendant des heures des livres que maman lisait. Ibsen, Mirbeau. Catherine aurait tant voulu que sa mère lui lût Mirbeau. Elle s'imaginait ces livres qui faisaient tant parler, que c'était comme un alcool. Des livres où il devait faire toujours chaud, avec un grand soleil, et des hommes très beaux et très bons, persécutés par la société, qui s'éprenaient d'une jeune fille et s'enfuyaient avec elle dans un pays merveilleux avec des oiseaux verts et des chansons.

Mme Simonidzé lisait, comme si elle s'était sentie vieillir. Elle voulait connaître les hommes qui avaient écrit ces paroles où elle trouvait contre la vie fuyante une espèce de drogue tragiquement inutile. Elle parlait à Catherine comme Catherine à ses poupées : « Tu verras, mon petit chat, tu verras le monsieur qui va venir... Il est très beau, il a des yeux si clairs... Non, il a des yeux noirs... C'est un grand écrivain, un poète !... Tu n'en as jamais vu de pareils, il te surprendra... Il faudra être bien sage et je te mettrai ta robe verte, et tu n'iras pas te coucher... On l'appelle Laurent Tailhade... » Mme Simonidzé récitait la ballade à l'anarchie, et Catherine attendait tout le jour en répétant à sa Tonkinoise : « Il faudra être bien sage... Je te prendrai avec moi... » et dès quatre heures de l'après-midi, avec une sévérité qui frisait la tyrannie, couchait toutes les autres poupées, implacablement, en vue de la visite du soir.

Un des auteurs favoris de Mme Simonidzé était Marcel Schwob. Elle s'étonnait que sa voix n'atteignît pas, non pas ce public absurde qui va s'entasser le soir au Palais-Royal et aux Nouveautés, mais l'immense masse populaire pour laquelle elle ne ratait pas une occasion d'afficher une sympathie agressive. Au fond, il en était de Schwob comme d'elle-même : une sorte de malédiction le séparait des foules, pour lesquelles chacun de ses mots était né. Mme Simonidzé de même, qui éprouvait avec une acuité croissante ce qui la retranchait de tout un monde, n'était-elle pas du parti des ouvriers qu'on voit passer dans les rues avec un sac à outils sur l'épaule ? Mais quel commun langage pouvait-il y avoir entre elle et eux ?

Mme Simonidzé finit par rencontrer Schwob, et elle

parla à Catherine avec feu de la jeune femme de son favori, une actrice. Celle-ci vint même une fois à la maison. Elle était très belle au goût de Catherine. Catherine rêva d'être actrice et mariée à un grand écrivain.

Qui était-ce qui avait amené un jour cet homme grand et maigre, avec une barbe brune, en pointe, et le teint de ceux qui ont vécu aux colonies, un front immense, Catherine par la suite ne put s'en souvenir? Il revint trois ou quatre fois, et il parlait de l'Argentine ; l'enfant comprit que l'Argentine était ce pays auquel le nom de Mirbeau la faisait invinciblement rêver. Tapie contre sa mère, elle écoutait les récits des forêts du Grand Chaco, des plaines tropicales où sur les herbes hautes de deux à trois mètres passent les oiseaux-mouches qu'un beau jour remplacent les étincelles d'un incendie soudain. Comme il se passionnait à décrire les flammes, le visiteur! Il appelait ces jours où le feu régnait sur son horizon ses *Pâques rouges*. Il parlait de ses lectures là-bas, des insectes qu'il collectionnait. Catherine n'osait pas lui demander de montrer ses papillons. Elle voyait bien que c'était un homme très pauvre, et Mme Simonidzé pour lui parler mettait plus d'emphase que jamais, disant que loin de toute civilisation, comme cela, elle aurait aimé vivre, auprès de ces nations primitives qui ne connaissent pas l'horreur des machines, l'exploitation, le règne sanglant des bourgeois.

Le visiteur secouait sa tête, et sur son front élevé Catherine suivait les veines visibles de la pensée. Elle ne comprenait pas tout ce qu'il disait, et quand il cessait de parler de l'Argentine, elle s'attardait après lui dans ce pays de merveilles où les singes hurleurs, les crocodiles et les pumas ornaient pour elle un décor déjà familier, un décor élu, quand sa mère lui lisait la *Géographie universelle* d'Élisée Reclus.

Ces quelques visites firent en elle une impression profonde et elle se souvint de la dernière, bien que rien après tout ne s'y fût passé d'étonnant, comme de quelque chose de solennel, de quelque chose qui présageait de grands événements. *Il* avait parlé de son enfance, et Catherine alors avait frémi de l'imaginer petit, comme elle, un camarade avec lequel elle aurait regardé les illustrations de l'Atlas, partagé ses jouets. Car il serait venu jouer chez elle, et elle l'aurait embrassé pour le réchauffer quand il serait arrivé de la rue froide et on lui aurait donné des beurrées, du cacao. Avait-il alors déjà ces veines pensives à son front enfantin, dans le village des Ardennes où il gardait les bêtes et songeait de longues heures au bord mystérieux des mares ? Et quand le pâtissier Corbet à Paris le battait pour avoir flâné en revenant à la boutique ? Et plus tard à Sedan devant le four à puddler, à treize ans, nu jusqu'à la ceinture, épuisé par la charge trop lourde à retourner, avec l'haleine affreuse du charbon et du feu sur sa figure ? Et l'Algérie, avec sa fabrique de chaussures militaires, la prison, et loin dans l'intérieur, le travail misérable dans une carrière à plâtre, les fièvres, l'hôpital.

Catherine avait vu des larmes dans les yeux de sa mère. Elle ne savait pas trop de quoi l'on parlait, assez vaguement, mais qui devait se produire. C'était le soir, et comme toutes les fois, sauf la première, il n'y avait là que Mme Simonidzé, Catherine et le visiteur.

Il disait, caressant les cheveux de l'enfant, combien sa présence ici lui paraissait bizarre. Il vivait très misérablement dans la banlieue. Il avait une petite fille un peu plus grande que Catherine, Sidonie. Il gagnait vingt francs par semaine chez un maroquinier. Il lui aurait fallu une chambre *pour ses études*. Mais pour cela ne fallait-il pas au moins payer une semaine d'avance ? Catherine n'écoutait plus rien, elle était jalouse de Sidonie, et elle aurait voulu la connaître. Est-ce que Sidonie avait été en Argentine ?

Mme Simonidzé, comment s'y était-elle prise ? avait donné de l'argent à son visiteur. Cela, Catherine en était sûre, et elle en était honteuse, et terrifiée, parce qu'elle avait peur que lui, jetât l'argent à terre et prononçât soudain des paroles terribles.

Mais il était là, immobile, au moment de partir, la main ouverte, avec une pièce d'or de vingt francs, l'air misérable. « Je vous remercie, madame, dit-il. Il y a là aussi pour la valise, mais il ne faut plus que nous nous revoyions. » Sa main s'était refermée sur le louis et le serrait comme une arme. Mme Simonidzé, tremblante, près de la porte dit seulement : « Après ?

— Il y a très peu de chances, madame, ou tout au moins qui sait ? Quand je défendrai ma tête... »

Il y avait des fleurs partout dans la maison, et quand elle fut seule, Mme Simonidzé n'en put plus supporter la vue. Elle allait par l'appartement, heureuse après tout d'avoir imaginé de le défleurir. Elle s'arrêtait devant les miroirs. Et elle dit à l'enfant, qu'elle oubliait d'envoyer au lit : « Suis-je donc si laide, Katioucha, ou déjà si vieille ? »

Pour la Saint-Nicolas, M. Dérys apporta à Catherine une maison de poupée avec quatre pièces, et tous les petits meubles, et la cuisine avec les casseroles, les plats, les assiettes, une merveille. Mme Simonidzé accueillit très mal ce cadeau, et refusa en se fâchant de le mettre le soir sur les pantoufles de la petite dans la cheminée. Elle trouvait ça idiot, remit l'objet directement à Catherine, et devant M. Dérys consterné expliqua à sa fille toute la mystification de saint Nicolas et de Noël, répéta qu'il n'y avait pas plus de Dieu que de saint

Nicolas, mais qu'avec tout ça Catherine *devait* embrasser M. Dérys et le remercier. Catherine s'exécuta, très gênée, et détournant les yeux, tandis que M. Dérys balbutiait qu'il n'y était pour rien et que c'était le petit Jésus, sur quoi il fut proprement traité d'imbécile, se fâcha, partit tout rouge et bouda pendant quatre jours.

Au bout de ce temps, il réapparut extrêmement confus et cherchant par des cadeaux et des fleurs à se faire pardonner, ce que Mme Simonidzé qui lui parlait toujours d'une façon très méprisante n'eut garde de lui refuser, car cela avait été le matin même un défilé ininterrompu de fournisseurs. Décembre est un mois ruineux. M. Dérys implora la faveur de mener ce soir-là Mme Simonidzé et sa fille à dîner dans un grand restaurant des boulevards. Il l'obtint.

Mme Simonidzé, ce soir-là, était splendide, et la petite avait une robe faite dans le même taffetas que la toilette de sa mère. Par la fenêtre, elle aperçut le coupé de M. Dérys. Celui-ci tomba dans l'appartement, et la femme de chambre, qui portait le bonnet tourangeau, prévint Madame qu'il devait être arrivé quelque chose à Monsieur, parce que Monsieur n'avait pas l'air très bien.

Dérys, affalé sur la liseuse du boudoir, ne lâchait pas *La Patrie*, qu'il tenait dépliée, et où on pouvait voir en effet qu'il s'était passé quelque chose rien qu'à la dimension des titres. Il était bien question d'aller dîner en ville un soir pareil! Une bombe avait été lancée l'après-midi à la Chambre des députés, juste comme le vicomte de Montfort allait prendre la parole, et on ne pouvait pas encore dire le nombre des morts! Un anarchiste, bien entendu. C'était Ravachol qui recommençait. Quel effet est-ce que cela allait avoir sur la

Bourse ? Et Dérys qui jouait à la hausse ! Charles Dupuy avait été héroïque. Il présidait la séance, et il avait dit aussitôt après l'éclatement de l'engin : « Messieurs, la séance continue ! » En attendant, dans les tribunes, des femmes et des enfants avaient été mis en bouillie.

« En bouillie ! » répétait Dérys, et sa main qu'il n'avait pas eu même l'idée de déganter décrivait un cercle beurre frais comme si elle eût agité cette bouillie dans une marmite imaginaire. On nommait déjà des victimes : le général Billot, le baron Gérard, le comte de Lanjuinais, l'abbé Lemire... Celui-ci n'avait que ce qu'il méritait avec ses idées ! Mais enfin tout de même est-ce qu'on allait repasser par les jours sombres de 1892, l'attentat de la rue de Clichy, la bombe chez Véry ! Maintenant c'était le Palais-Bourbon. Demain nous sauterons tous !

« Est-ce qu'on a arrêté l'anarchiste ? » demanda Mme Simonidzé. Probablement, on avait arrêté tout le monde, alors... sans doute que dans le tas...

Catherine était très triste de s'être habillée pour rien, et enfin elle trouvait que tout ça n'était pas une raison pour la priver d'un plaisir. Mme Simonidzé, non plus d'ailleurs, car elle s'arrangea les cheveux devant la psyché et dit avec tout le charme et la lassitude du Caucase dans sa voix : « Allons, mon ami, remettez-vous ! J'ai, ce soir, une irrésistible envie de champagne. Pendant que nous nous habillons, allez donc me chercher un camélia : une robe, sans fleur, a l'air vraiment de n'être pas finie... »

Il avait fallu mettre Dérys dehors.

IV

Quand il fut parfaitement établi qu'aucun miracle ne rendrait plus à la vie de Mme Simonidzé le lustre évanoui de jeunesse, quand les miroirs lui eurent montré cette infinité de petites rides près des yeux, cet effondrement prématuré du cou, qui ne permettaient aucun espoir, quand elle eut mesuré les maigres ressources qui lui restaient, le problème se posa pour elle de savoir s'il fallait retirer Hélène de la pension élégante où elle l'avait mise.

Pas un instant l'idée ne l'effleura qu'il pouvait y avoir des maisons d'éducation à plus bas prix où sa cadette et sa première-née eussent pu l'une et l'autre étudier. Catherine ne comptait pas plus qu'un petit animal, mais pour Hélène, pour permettre à Hélène de de pas déchoir, tout ce que cette mère partiale pouvait avoir à vendre se vendit. Les dentelles, les bijoux partirent. Mme Simonidzé se dépouillait de tout peu à peu. Il y avait déjà longtemps qu'il n'était plus question de Worth : même une petite couturière à façon qui venait à la maison travailler d'après les journaux de mode devint bientôt une splendeur insoutenable, et elle ne sonnait plus chez les Simonidzé que pour se faire payer les journées en retard. C'était Catherine qui allait entrebâiller la porte, prétendant que sa mère n'était pas là, et elle recevait honteusement les doléances de la couturière. Si Mme Simonidzé ne pouvait pas lui allonger d'un coup les cinquante francs qu'elle lui devait, pourquoi ne les lui donnerait-elle pas par dix francs? Mais revenir, comme cela cinq, six fois, pour réclamer son argent, quand il faut travailler et qu'on a des bouches à nourrir. Avec ça, que c'était haut, cinq étages. Les yeux de Catherine fuyaient.

Même ce cinquième devint un luxe auquel il fallut renoncer. Alors commença la tournée des garnis, puis la chambre d'hôtel qu'un beau jour on quitte après de longues semaines martyrisées par les regards des domestiques et des patrons, l'angoisse, à chaque sortie, de la question redoutée, l'escalier qui vous brûle les pieds, les difficultés du blanchissage.

On venait de déménager dans une pension de famille près du Luxembourg quand Hélène fut retirée de pension. Elle avait quatorze ans et des manières de dame. Son trousseau de l'école dura quelque temps, et Catherine comparait avec jalousie son linge à celui de sa sœur. Chaque jour, Hélène au piano du salon faisait une heure d'exercices, et vocalisait. Elle eut très vite l'attention des vieilles dames et de quelques jeunes gens sournois, pour lesquels elle jouait du Chopin, l'*Impromptu-Fantaisie*, son succès.

Catherine, plantée dans un coin du salon, près d'un cache-pot drapé où s'étiolait un phénix, restait longuement à l'abri de la semi-obscurité que la maîtresse de pension y maintenait, même quand Mlle Hélène était au piano *puisqu'elle jouait par cœur*, pour que le soleil ne fanât point les meubles, d'ailleurs nantis de housses.

Catherine sentait grandir en elle de très vilains sentiments. Tout ce que sa sœur avait, et qu'il n'était pas question qu'elle eût, lui était une abominable souffrance. Mais surtout la musique. Elle suppliait sa mère de lui en faire donner des leçons. Cela n'était vraiment plus possible. Catherine se glissait comme une voleuse au salon, quand personne n'y était et, relevant le couvercle du *Paucelle et Coquet*, elle en regardait longtemps les touches jaunies. Parfois, elle passait très vite ses mains sur le clavier, et elle frissonnait tout entière. Peu à peu elle s'enhardit.

Un jour, Mme Simonidzé la surprit jouant un air qu'elles avaient entendu la veille dans un café-chantant où elles avaient été toutes trois, mais qu'elles avaient dû quitter précipitamment à cause des grossièretés d'un voisin qui importunait Hélène ; ce jour-là, Mme Simonidzé regretta de n'avoir pas songé, dans les temps meilleurs, à faire instruire sa fille. Elle dit à Hélène d'essayer de donner des leçons de musique à sa sœur.

Catherine, profondément humiliée, se sentait prise entre sa haine pour sa sœur et sa passion de la musique. Hélène d'ailleurs détestait avoir à s'occuper de la petite. Elle l'écrasait de son mépris parce qu'elle ne pouvait du premier coup jouer du Grieg. A vrai dire, avec une rapidité extrême, Catherine put, à sa façon, jouer n'importe quoi avec l'inexactitude de l'ignorance et de l'instinct, alors qu'elle savait à peine lire ses notes. Cela aussi fâchait la grande sœur, qui interrompait Catherine pour se mettre à sa place, et jouer, ce qui s'appelle jouer.

D'ailleurs, les leçons étaient vite coupées par l'entrée au salon d'un des jeunes gens qui faisaient la cour à Hélène — provinciaux à peine sortis de leur famille, qui les avait mis en pension ici, parce que c'était le genre de maison où ils ne pourraient pas ramener chez eux des filles. Issus de familles catholiques, dans leurs hauts faux cols avec cravates bouffantes ombiliquées par une petite épingle d'or, cadeau de première communion, ils avaient des manières très correctes, mais, hypocrites, s'arrangeaient pour flairer les cheveux d'Hélène, rencontrer ses mains dans le casier à musique où il fallait toujours remuer tout un paquet d'exercices de Czerny et de polkas en miettes pour trouver l'air de

Mozart ou de Hændel qui mettait en valeur l'étrange contralto d'Hélène, dont Catherine même éprouvait le charme d'au-delà des mers.

A dix ans, Catherine avait déjà des hommes une curiosité brûlante, et leurs regards posés sur sa sœur lui causaient, à elle, une souffrance, pire encore que sa jalousie musicale. Au Luxembourg où elle allait se promener toute seule, ne songeant pas un instant qu'elle pût se lier avec les enfants de son âge dont les jeux bruyants l'effrayaient et lui paraissaient puérils, elle errait pendant des heures tandis que sa sœur faisait salon, et que sa mère, qui ne se levait souvent pas l'hiver jusqu'à la nuit, traînait au lit, dans sa chambre, lisant, lisant, lisant sans cesse, avec des bouts de cigarettes jetés partout dans la pièce, qu'elle enfumait.

Non, ce n'étaient pas les enfants qui attiraient Catherine dans ce jardin où elle préférait les coins solitaires, non point pour leur solitude, mais pour la qualité des couples qu'elle y rencontrait. Elle s'adossait à un arbre, et feignant de méditer elle s'absorbait dans la contemplation des amoureux. Ou bien, aux heures d'affluence, elle circulait dans la partie du jardin qui va de la terrasse au carrefour Médicis, à regarder des groupes de jeunes hommes, riant et bavardant comme un monde de mystères joyeux, et ces femmes qui se mêlaient à eux avec tant d'incompréhensible insolence, des robes si nouvelles que Catherine en rêvait, et poudrées, fardées, les lèvres rouges.

Elle était très éloignée de sa mère, du fait du retour d'Hélène. Pourtant en 1897 quelque chose les avait rapprochées, une passion commune, au moment de l'entrevue de Cronstadt et de l'alliance franco-russe. Une révolte. La France, la terre de la liberté, s'allier ainsi aux bourreaux russes! Mme Simonidzé disait que le tzar allait exiger de Félix Faure qu'on lui livrât tous les réfugiés, révolutionnaires, nihilistes. L'enfant sentait avec une terreur qui la tenait éveillée l'étroitesse de cette terre sur laquelle il n'y aura bientôt plus moyen de se cacher, sur laquelle ce ne sera plus assez bientôt comme autrefois que de passer les frontières gardées sous un déguisement pour fuir le cauchemar d'un pays, comme on s'évaderait d'un siècle du Moyen Age directement dans les jours d'aujourd'hui. Catherine détesta Félix Faure.

On ne quittait plus Paris. C'était là la plus grande modification de la vie des Simonidzé. Même l'été, quand la ville était vide, le Luxembourg abandonné des jeunes gens et la proie des nourrices, des ménagères et des enfants qui font des pâtés de sable sans sable, et sucent des cailloux, l'horizon de Catherine restait le même. Elle surprit un jour Hélène près de la fontaine Médicis avec un jeune homme qu'elle, Catherine, ne connaissait pas. Cela lui fut un coup extraordinaire. Elle méprisa sa sœur et s'en fut en courant.

A la table d'hôte, avec l'été, de nombreux étrangers avaient remplacé les jeunes gens catholiques qui courtisaient Hélène. Les repas étaient pour Catherine un insupportable supplice. Elle souffrait des taches sur la nappe, des ronds de serviette, de la conversation. Aussi accueillit-elle comme une partie de plaisir le changement de résidence qui survint vers septembre. Il y avait dix-huit mois qu'on habitait dans cette pension : M. Simonidzé s'étant montré très régulier dans cette période, sauf une fois, on avait toujours payé la pension au jour dû. Il est probable qu'en août il avait voyagé, été quelque part à la campagne, mais tout à coup le mandat s'était trouvé en retard de trois semaines, et Mme Gelotte, la propriétaire de la pension, avait fait à Madame

Simonidzé des remarques telles que celle-ci ne put les supporter et, dès l'argent arrivé, paya et s'en fut.

Cette fois, la famille prit une seule grande chambre dans un hôtel ; mais il n'y avait que deux lits. Catherine naturellement couchait avec sa mère. Elle avait de cela une horreur physique qui la faisait silencieusement pleurer, la lampe éteinte : une grosse lampe à pétrole, d'un système si perfectionné, si moderne, que dès qu'elle charbonnait ou filait il fallait appeler le garçon pour l'arranger, parce que ces dames n'avaient pu saisir le système.

Le garçon avait peut-être vingt ans, et souvent il faisait le ménage avec ses manches relevées. Catherine regardait ses bras, et ensuite sous la chemise elle retrouvait, à l'aisance des mouvements, les muscles qui lui rappelaient des statues dans les jardins publics. Mais Alfred, qui cherchait tous les prétextes pour entrer à l'improviste chez ces dames, n'avait d'yeux que pour Hélène. Et Hélène ne savait même pas qu'il existait. Hélène dans la rue s'intéressait aux Polytechniciens.

En 1898, on fit quatre ou cinq hôtels et pensions. Les tables d'hôte alternaient ainsi avec les repas pris dans la chambre, sur un petit réchaud qu'on cache précipitamment dans l'armoire quand quelqu'un tape à la porte, et les déjeuners dans des crémeries chaudes, en comptant dix fois pour ne pas dépasser le maigre budget alimentaire. Périodiquement Mme Simonidzé déclarait qu'il n'y avait que la pension de possible, parce qu'ainsi on était sûr de manger tous les jours. Mais périodiquement le dégoût des haricots pleins de fils et du retour de la même sauce aux câpres, confondante, faisait que, tant pis, on aimait mieux l'aléa des petits restaurants, la graisse noyant la nourriture, le veau un peu vieux, les bouchées à la reine douteuses où on retrouvait tout ce qu'on n'avait pas voulu du menu la veille, les hachis bon marché, le petit fromage désespérant qu'on vous met sur l'assiette en affirmant : « J'espère qu'il est bien fait, celui-là! » d'une manière qui est sans réplique. Il y avait des fins de quinzaine où c'était impossible d'aller deux fois par jour dans un de ces bouillons, et où on s'attardait alors dans un café avec des bretzels. Il y avait des fins de mois, où tout simplement on renonçait à sortir de la chambre, quitte à faire durer un pot de confitures. Mme Simonidzé lisait et fumait. Hélène fumait sans lire. Catherine collait son nez aux vitres. Ni Hélène ni sa mère n'auraient jamais songé qu'elles pouvaient améliorer leur situation en travaillant. L'argent tombait du ciel par la poste, venait du lointain, du problématique M. Simonidzé, qui avait des puits de pétrole. C'était une chose due, un peu parcimonieusement sans doute, mais sans aucun lien avec la vie. A vrai dire, on n'y songeait pas. L'argent arrivait ou n'arrivait pas, et c'était tout. A partir d'une certaine date, on commençait à attendre le facteur. On avait la crainte que la lettre annonçant le dernier changement d'adresse ne fût pas parvenue à Tiflis, ou qu'elle ait dû courir après son destinataire, en Turquie ou à Pétersbourg. Quand enfin l'argent arrivait, Mme Simonidzé faisait preuve de toute la prudence dont elle était capable en acquérant d'un coup quelques centaines de cigarettes, de peur d'en manquer comme l'autre mois, ce qui la rendait nerveuse, au point qu'elle avait les mains qui tremblaient quand elle restait trois ou quatre heures sans fumer.

V

La rue Blaise-Desgoffe est une rue tranquille, et sans doute qu'au début les dames Simonidzé y firent tache, parce qu'elles étaient étrangères, qu'elles se levaient à midi ou plus tard, restaient des jours sans sortir, recevaient un tas de gens, et des messieurs tant et plus, fumaient, s'habillaient de façon voyante, et n'avaient presque rien chez elles, si bien que les fournisseurs venaient chez la concierge demander si vraiment on pouvait faire crédit. Mais, à la longue, ces dames appartinrent au paysage, il y eut de nouveaux locataires au 7, des artistes qui firent jaser davantage ; Mme Simonidzé parla un jour avec la fillette du rez-de-chaussée, grimpée sur la fenêtre, et la mère se mêla de la conversation, et elle rougit de plaisir parce que la flatteuse prétendait que la petite ressemblait à s'y méprendre à l'une des grandes-duchesses ; une des bonnes du 3 qu'un individu poursuivait dans la rue de Rennes, reconnaissant Catherine, lui demanda en tremblant de marcher à côté d'elle, ce qui était très crâne à elle d'accepter, dirent les voisins : enfin la rue les avait adoptées.

De l'ancien monde de Mme Simonidzé, bien peu étaient restés fidèles. Catherine ne reconnaissait de jadis que quelques compatriotes, des exilés. Pour le reste des relations, c'étaient assez essentiellement celles d'Hélène : amies de pension, de passage à Paris, car les Parisiennes ne poursuivaient pas longtemps des rapports commencés au couvent, dans un milieu où l'on avait pu croire Hélène et plus riche et mieux apparentée. Et puis des cousins de ces amies, qu'on revoyait davantage. Des amis des cousins. Hélène était vraiment très belle, bien qu'elle n'eût pas de santé, et que cela lui gâtât parfois le teint.

Dans tout cela, Catherine se sentait affreusement déplacée et malheureuse. L'appartement était petit, il n'y avait pas une pièce où se retirer quand Hélène recevait ses amis et que Mme Simonidzé, en peignoir, traînait chez elle à lire et à bayer. Catherine sortait par agacement, et pour laisser la place à ces gens qui n'étaient pas venus pour elle. Elle s'était fait à quinze ans un ami parmi les exilés de sa mère. Un certain Tseretelli, qui était placier en robinets, un vrai révolutionnaire celui-là, assurait Mme Simonidzé. Mais le plus souvent elle était toute seule.

Le monde de sa sœur reflétait fidèlement les goûts que celle-ci avait ramenés de San Remo. Elle aimait l'uniforme, et si tous ses amis, ou du moins ceux qui se plaisaient à revenir chez elle, n'étaient pas nécessairement des Saint-Cyriens, peu s'en fallait. En tout cas, les autres appartenaient à des milieux où les idées régnantes étaient celles des cercles militaires. Jeunes gens catholiques pour la plupart, très réservés. Il arrivait bien que, par quelque micmac ou des relations de quartier latin, l'un d'eux amenât un Turc, comme celui qui demanda la main de Catherine quand elle avait quatorze ans. Mais le plus souvent, dans les trois pièces de la rue Blaise-Desgoffe, défilait ainsi un choix assez uniforme de jeunes hommes, dont toutes les pensées étaient aux antipodes de celles que Catherine tenait de sa mère, ou qu'elle avait eues toute seule, au-delà de sa mère.

C'est par Régis, camarade à Charlemagne du lieutenant Mercurot, cousin d'une des sœurs, sœur Sainte-Marie-des-Flots, de l'Institution de San Remo, que les dames Simonidzé entrèrent en relation avec Mlle Josse. Brigitte Josse était de Bessèges, et elle arrivait à Paris, son père mort. Mme Josse, sa mère, avait attendu avec impatience cet événement si tardif, pour venir se fixer dans la capitale. Le défunt dirigeait des mines, dans cet infect trou méridional (Mme Josse était née à Cherbourg) où elle avait abîmé le plus clair de sa vie. A vrai dire, on ne voyait pas trop en quoi Mme Josse, qui ne sortait guère de son appartement de Passy et de la tapisserie au petit point sur laquelle elle achevait ses yeux guettés par une maladie qui les blanchissait, en quoi Mme Josse était plus avancée à Paris qu'à Bessèges. Le matin, elle allait bien un peu dans le quartier, les jours de marché, pour voir les prix et surveiller sa cuisinière. Et puis elle passait de longues heures à Saint-Honoré d'Eylau. Mais ne fallait-il pas marier Brigitte?

Brigitte aurait une dot de cent cinquante mille francs. Ce fut presque la première chose que Mme Josse dit à Mme Simonidzé quand elle vint la voir, car d'étonnants rapports s'établirent entre ces mères dont un témoin eût pu regarder la rencontre comme une de ces erreurs de la nature qui fait pousser un chou-fleur à côté d'un araucaria. Mme Josse voulait d'abord se rendre compte dans quel milieu tombait sa fille, mais elle l'oublia pour parler de Bessèges, de l'horreur que c'était quand il y avait des grèves dans les mines, un danger, chère madame! Et le grisou, et la famille de l'ingénieur Tesseydre, enfin bref, Mme Simonidzé lui parut tout à fait grande dame. Elle l'interrogea sur la cour de Russie, et les réponses lui semblèrent très satisfaisantes.

Brigitte n'était pas laide, mais elle n'était pas belle non plus. Elle avait surtout des jambes si mal faites que lorsque, pour monter à bicyclette, on imagina la robe trotteuse qui découvrait presque la cheville, elle cessa de sortir le matin, et en eut les yeux rouges pendant tout un hiver. Elle vivait dans l'admiration d'Hélène, dont elle fut tout de suite la grande amie. Très ignorante de Paris, et du monde en général, elle trouvait chez les Simonidzé comme un parfum du vaste univers dont on n'a pas idée à Bessèges. Les sorties de Catherine, toute cette anarchie enfantine, ne la troublaient guère, parce qu'elle trouvait en Hélène une apaisante communauté de vues sur la religion, le mariage, et une conception de l'amour, dont le grand livre fut bientôt cette *Amitié amoureuse* qu'on ne pouvait se procurer à la bibliothèque de prêt, où elles avaient un abonnement pour elles deux, tant le quartier Saint-Sulpice se l'arrachait. Mme Simonidzé voyait d'un très bon œil cette amitié nouvelle. Elle craignait que ses filles, ne fréquentant que des jeunes gens, ne trouvassent point à se marier. Et elle inventa un très joli jeu : c'était Brigitte à qui elle cherchait un époux parmi les Saint-Cyriens d'Hélène. Elle répétait à chacun que Brigitte était une héritière. Il arriva qu'elle en intéressa ainsi. Du coup le petit appartement où venait cette jeune fille si riche gagnait de la respectabilité, malgré ce que ces dames avaient d'excentrique.

Régis, au reste, faisait la cour à Hélène, et il avait connu M. Josse, par conséquent, il était fort naturel qu'il sortît avec les deux jeunes filles. Très naturellement aussi ils s'adjoignirent dans ces sorties le lieutenant Mercurot, son ami, qui avait une petite moustache blonde très fine, et un point de vue chevaleresque de toutes choses. Brigitte ne savait pas se servir d'un vélo, et Régis non plus du reste. Bientôt Hélène et le lieutenant eurent leurs courses matinales au Bois, allant parfois jusqu'à Suresnes, sur des machines louées à la Porte Maillot, avenue de Neuilly, aux Cycles Poulet ;

devant la porte du magasin il y avait l'appareil avec une grande roue, et la seconde minuscule, sur lequel jadis feu M. Poulet père avait gagné une course à Amsterdam. Sa femme, une Irlandaise au visage tout boursouflé de petite vérole, et les cheveux teints en noir, régnait sur le local demi-garage et demi-boutique, où la vogue du vélo amenait une foule de jeunes gens à qui ses fils enseignaient l'art de la pédale.

Hélène, avec son canotier haut perché sur le chignon, sa robe à volants, dont par un artifice tout nouveau on pouvait enlever le dernier, fixé au bas de la robe par des boutons-pression, pour être à l'aise sur la machine, apprit très vite à rouler, la selle tenue par M. Poulet fils, en culotte bouffante avec des bas cyclistes et une barbe rousse sous un visage d'enfant. M. Poulet fils s'était-il seulement aperçu qu'Hélène était jolie? En tout cas, c'est à le voir tenir la selle, la main si près d'Hélène, que le lieutenant Mercurot sentit un mouvement de jalousie qui lui apprit qu'il était pincé.

VI

Régis, délaissé par Hélène, commença à regarder la petite. Il avait des dents très blanches et Catherine en rêvait. Non pas qu'elle s'avouât en être éprise. Non. Il ne pouvait rien y avoir de sérieux entre elle et lui, parce qu'elle le sentait son inférieur, il ne comprenait rien. Mais il avait une espèce d'élégance et de force, et elle n'en pouvait plus d'envie de l'embrasser le soir qu'ils allèrent à la Foire de Neuilly, et qu'il se passionna comme un niais à faire des cartons au *Tir Universel*, tandis que défilaient sur fond noir des pipes, des chameaux, des danseuses, tout cela animé d'une lenteur de droite à gauche, et moins blanc que ses dents lorsqu'il riait d'avoir fait mouche.

Dans le fiacre de l'Urbaine au retour (on avait perdu Mercurot, Brigitte et Hélène vers chez Pezon), c'est Catherine qui se jeta au cou de Régis. Il était très surpris, et heureux comme un enfant pour lequel toute une nouvelle vie va commencer. Naturellement, il crut tout de suite pouvoir en faire davantage, et Catherine sauta à bas du fiacre en marche, et il n'osa pas la rattraper.

C'était quelque part le long de la Seine. Catherine s'en allait avec pas mal d'amertume d'avoir fui les mains gauches de ce grand garçon égarées dans ses jupes. Elle avait la tête tout à l'envers du baiser, du premier baiser de sa vie. Mais qu'est-ce que c'était que Régis ? Un fils de magistrat. Son père avait été assesseur au procès d'Émile Henry. Et lui-même il étudiait le droit et travaillait à l'Institut Catholique. Il ne comprenait rien. Peut-être que les choses de l'amour étaient tout à fait sans importance, mais Catherine n'en était pas sûre. Puis il y avait cette peur vague de la maternité. En tout cas, pas Régis. Un passant. Pas Régis. Un homme qui la suivait lui fit peur. Elle n'avait que seize ans. Elle pressa le pas. Si l'homme avait simplement posé la main sur son bras, elle l'aurait suivi à l'hôtel. Il trouva qu'elle marchait trop vite. Il n'était pas très tard, onze heures, mais tout de même.

Le lendemain, Régis vint la voir avec des fleurs : elle eut envie de rire, et tenta de se rappeler l'autre, sur le quai. Un homme de trente ans, un désœuvré. Régis cherchait à être seul avec elle. Elle n'y tenait plus. Il fallait que la tête lui tournât.

Pourtant, ils sortirent ensemble, et elle partagea ceux

des divertissements de Régis que celui-ci jugeait convenir à une jeune fille.

Il la mena ainsi au cercle catholique de la rue Vaneau, où se donnaient des fêtes sous l'œil de prêtres dont les robes noires allaient par les couloirs au-devant des invités, se perdaient dans la foule aux comptoirs de charité, pour reparaître à la tombola, ou vers la scène de théâtre, dans les groupes de jeunes gens graves parlant politique, près des familles assises avec leurs filles près du buffet. Des oies nerveuses qui riaient, qui riaient.

Paul Jonghens était très heureux de retrouver son ami Régis avec une aussi jolie fille. Et une Russe. Ce petit géant des Flandres dont les parents avaient eu une filature et qui n'était venu que très récemment à Paris, eux morts et ruinés, eut une espèce d'éblouissement qui n'échappa point à Catherine. Elle mesura du premier coup l'abîme d'idiotie qu'il y avait dans ces yeux bleus, mais en même temps elle eut comme le sentiment que ces yeux-là devaient avoir avec une facilité extraordinaire le vertige, ce vertige qu'elle commençait à se connaître et à redouter.

Régis, en amenant ici Catherine, avait fait un certain calcul, parce que le cercle catholique était tout ce qu'il y avait d'avancé, le comte Albert de Mun y avait pris la parole l'autre jour, et c'était cette partie de la jeunesse catholique qui y fréquentait, qui a réalisé ce qu'il y a de bon dans le socialisme, et le danger à laisser les ouvriers sans direction, alors qu'il suffirait de reprendre la pure doctrine du Christ pour tout remettre en ordre. Un petit parfum d'excommunication suivait l'abbé Desgranges, qui dirigeait le cercle. L'archevêque lui avait parfois adressé des avertissements. C'était un ami de l'abbé Lemire, qui était député dans le coin de la famille Jonghens, et le père de Jonghens, racontait Régis, votait pour l'abbé, bien qu'il eût été un patron, du reste ça le faisait bien voir de ses ouvriers.

Ce que tout cela révélait de désir de séduction de la part de Régis, Catherine s'en moquait pas mal : il était loin de compte, Régis, avec toutes ces histoires, d'ailleurs qu'entendait-elle à la politique de plus que lui ? Jonghens revenait, très affairé, et heureux : « Mademoiselle, en votre honneur, voyez-vous, au-dessus de la scène nous avons fait ajouter aux autres un drapeau russe... » Catherine se sentit toute froide, elle répondit avec hauteur : « Vous ne pouviez pas faire pire, monsieur », et Régis dut expliquer que mademoiselle était géorgienne, que ce n'était pas du tout la même chose, que la Géorgie c'était l'Alsace-Lorraine de la Russie... Vous imaginez l'effet que vous auriez fait à une Alsacienne en arborant le drapeau allemand en son honneur ; Jonghens était confus, mais il ignorait, nous connaissons si mal la géographie en France, on allait tout de suite enlever le malencontreux insigne. Et il s'éloigna, et il y eut un remous parmi des jeunes gens à binocle, et un jeune abbé grimpa sur une échelle, Jonghens s'épongeait le front. Le drapeau fut amené.

Il y avait une partie de concert, Catherine s'ennuyait ferme, Régis avait amené un élève de l'École des Chartes qui s'intéressait aux choses sociales. Il lui parlait du syndicalisme chrétien en Belgique. Catherine avait un peu la nausée, en particulier quand son interlocuteur disait en baissant les yeux que dans les patronages on combattait chez les jeunes ouvriers les mauvaises pensées par le sport et la prière, et que ce qu'on cherchait avant tout c'était à faire que les jeunes n'aient jamais d'argent à eux. Leur paye, ils la portaient à leur famille. Cela rendait bien des choses plus difficiles, et les parents étaient contents parce qu'ils les savaient surveillés ainsi, sur la bonne voie pour devenir des hommes sérieux, capables. Régis jouait avec les gants de Catherine. Catherine pensait à Paul Jonghens.

Sur la scène que ne surmontait plus le drapeau des tzars, une pièce succéda au concert. M. Cernon, patron chrétien, n'avait pas reculé devant les plus grands sacrifices pour améliorer le sort de ses ouvriers, mais ceux-ci, leurrés par les discours des socialistes, excités par les « marchands de promesses », n'hésitent pas à déclarer la grève et à ruiner leur bienfaiteur. Le renvoi d'une forte tête pour qui M. Cernon n'a eu cependant que des paroles de bienveillance en est le prétexte. Patron et délégués du syndicat discutent, l'un amicalement, les autres avec arrogance, quand un domestique apporte l'atroce nouvelle : Mme Cernon, femme du patron et providence des pauvres, est morte en sauvant l'existence au fils de la forte tête, venu à l'atelier pour saboter une machine. Confus, les délégués se découvrent respectueusement. « On nous a trompés, déclarent-ils. Les semeurs de haines et de belles paroles nous ont égarés. Mais un tel acte d'amour nous éclaire enfin. »

Une espèce d'émotion approbative avait saisi la salle, où les applaudissements se mêlaient d'exclamations. Le voisin de Catherine se pencha vers elle. « La pièce est un peu primitive, au point de vue littéraire. Mais les faits sont exacts. Cela s'est rigoureusement passé ainsi... quelque part dans les Charentes... L'auteur, vous savez, ne s'en est pas trop mal tiré. La pièce est populaire. Et portera. Vous voyez ici, sur un public de famille, l'effet. Mais elle est écrite pour l'usine. Il y avait à craindre un parti pris bourgeois à l'égard de toute revendication ouvrière. Cela n'aurait pas été compris. Oh! nous connaissons les ouvriers! L'écueil a été évité en opposant non pas patrons et salariés, mais l'amour et la haine qui sont de toutes les classes. »

Régis offrait une orangeade au buffet. Catherine s'esquiva pour un instant sous un prétexte, en réalité elle gagnait la sortie. Tant pis, Régis garderait ses gants et elle rentrerait seule, la rue Blaise-Desgoffe n'était pas loin. Près du vestiaire, Paul Jonghens la rejoignit. Il avait vingt ans et cet éclat qui fait plus tard la couperose. « Vous partez, mademoiselle ? » Elle eut quelque peine à l'empêcher d'aller à la recherche de Régis. Ils sortirent ensemble.

Comment se trouvèrent-ils chez Balzard, c'est ce que chacun avait l'air de croire le fait de l'autre. Il y avait là des étudiants et des filles, et il n'était pas de la morale de Jonghens que quelqu'un comme Mlle Simonidzé... La Géorgie expliquait tout. Ils croquaient des bretzels avec leur bière. L'action sociale faisait les frais de la conversation. Catherine, absolument ivre d'arrière-pensées, ne s'était jamais tant intéressée de sa vie à l'apostolat laïc. Jonghens lui avait pris les mains. Les siennes étaient un peu moites. La table était petite et les voisins nombreux les forçaient à se serrer. Elle sentait très près d'elle cette présence affolée, que soulignait encore le vocabulaire pieux des paroles. Ils reprirent de la bière. On voyait aux vitres qu'il faisait très froid dans la rue. Catherine pensait très vite à des milliers de choses, parmi lesquelles il y avait l'étrange tentation d'être prise dans les bras de son voisin et serrée contre son corps jeune et chaud. « Où habitez-vous ? » dit-elle. Il se méprit : « Dans une pension : ce n'est pas commode... » Elle se sentit aussitôt dégrisée. Il la raccompagna jusqu'à sa porte assez vite, sans comprendre.

Elle trouva chez elle Régis aux cent coups, qui était

venu rapporter les gants. Il n'y avait là que Mme Simonidzé qui passa chez elle, les laissant s'expliquer. Il partait pour une scène. Catherine le trouva gentil, et en même temps ne put supporter le bruit qu'il allait faire. Elle se blottit dans ses bras.

VII

Croyez-moi, chère mademoiselle, les vertus religieuses des classes ouvrières les conduiront plus sûrement à l'aisance que l'aisance ne saurait les conduire à un perfectionnement moral. »

Jonghens, pas plus que Régis, n'était l'amant de Catherine. Elle l'avait embrassé, comme d'autres. Avec une espèce de fièvre, elle s'était mise à ce jeu terrible où elle avait la peur perpétuelle de s'engager davantage. Non qu'elle vît en principe un obstacle quelconque, moral ou autre, à s'abandonner, mais c'était une considération sociale après tout qui la retenait : elle ne voulait pas être la femme d'*un* homme, elle avait peur de se voir définie par l'homme à qui elle se donnerait. Bref, tout ce langage de propriétaire de l'amour, en même temps qu'elle le niait et le trouvait absurde, elle en était assez prisonnière pour craindre le plaisir, comme une hypothèque sur demain.

Jonghens avait un frère plus âgé, et trois sœurs. L'aînée, Martha, faisait apparemment vivre toute la famille. Elle avait ouvert, au moment de l'Exposition Universelle, une pension de famille pour étrangères au Champ de Mars, avec l'aide d'une Miss Baxton, une Anglaise qui avait de petits capitaux. A vrai dire, on pouvait assez rapidement comprendre que l'importance de celle-ci dans la maison n'était guère que sa connaissance des langues, et que ce visiteur hollandais, que recevait fréquemment Martha Jonghens, M. de Houten, y jouait un rôle prééminent. Rien à dire d'ailleurs pour la tenue, la plus grande correction régnait dans cette maison où l'on n'avait guère que des jeunes filles, et des ménages de tout repos. Si Mlle Jonghens avait quelque chose dans sa vie privée, cela se passait ailleurs, cela ne touchait pas sa dignité qui était très grande, on n'avait rien à y voir.

Catherine approuvait Martha. Elle l'approuvait de ne pas être mariée, de travailler, de braver le qu'en-dira-t-on. Elle méprisait les deux autres sœurs dont l'une venait d'être épousée, l'autre accompagnait les jeunes étrangères de la pension à leurs cours. Une sournoise, jolie, mais pas franche, pas franche véritablement. Et puis elle portait à son cou une petite croix d'or, et faisait la pieuse avec ça, cette Solange. Les deux sœurs Simonidzé, Régis, Brigitte Josse, le lieutenant Mercurot devinrent des familiers de la pension Jonghens. Régis était moins attentif auprès de Catherine depuis qu'il connaissait Solange. M. de Houten s'était lié avec le lieutenant Mercurot à cause d'un goût qu'ils avaient l'un et l'autre pour les instruments d'optique et la photographie.

L'aîné des Jonghens, Blaise, était déjà débrouillé. Il travaillait chez un agent de change, et parlait finances. Il ressemblait beaucoup à son frère Paul, dont il raillait les idées sociales. C'était le libre penseur de la famille, il faut dire. Il trouvait qu'il fallait expulser les religieuses. Socialisme et christianisme lui paraissaient également méprisables et ridicules. Doctrines des faibles. Lui, une espèce d'athlète, qui allait aux courses le dimanche parce qu'il faut bien prendre l'air, il était pour la manière forte, comme il l'expliquait à Catherine qu'il avait sortie un soir à l'Apollo, où le *Looping the loop* à bicyclette faisait fureur. On n'aurait les ouvriers avec soi qu'en les tenant, que diable! Il fallait faire les affaires. Mlle Simonidzé raisonnait comme une enfant : est-ce qu'elle se représentait seulement les désastres immédiats qu'entraînerait la fermeture, je ne dis pas des boutiques, mais simplement de la Bourse? Oui, oui, naturellement, le monde voyait dans la Bourse une espèce de caverne d'Ali-Baba, c'était commode de personnifier ainsi le régime, de symboliser la corruption, le vol, etc., au moyen d'un édifice. Puis il y avait tout cet aboiement de midi qui chaque jour terrorisait les passants naïfs. Le vrai est que l'ignorance vulgaire devant les opérations qui s'y réalisent est tout à fait assimilable au philistinisme en face des mathématiques supérieures. On ne comprend pas, alors on accuse. Et il faut bien qu'on ait quelqu'un à qui s'en prendre des misères du temps, maintenant qu'on ne peut plus brûler les sorciers. Mais voyez-vous, mademoiselle, la supériorité des gens de Bourse est qu'ils ont la force. Et Blaise Jonghens faisait presque éclater son habit avec ses épaules. Le haut-de-forme sur sa tête rappelait, soulignait son origine flamande. Catherine le regardait avec une espèce de vertige.

Elle se demandait pourtant, dans tous ces hommes jeunes qu'elle approchait, si vraiment il n'y avait point un principe mystérieux qui la vainquait d'avance. Ils lui faisaient tous horreur, autant Paul avec son christianisme des faubourgs que Blaise qui aurait fait tirer sur le peuple, pour le mettre de son côté. Pourtant qu'est-ce qui pouvait bien la retenir de prendre d'eux ce qu'elle voulait, ce que quelque chose en elle voulait prendre ? Est-ce que c'était ça, être une grue ? Le mot ne l'épouvantait pas. Mais elle aurait voulu dominer les hommes, et non pas que leurs épaules retinssent ses yeux, leur aisance. Elle aurait voulu se comporter avec les hommes comme il est entendu qu'un homme se comporte avec les femmes. Un homme n'est pas défini par les femmes avec lesquelles il a couché.

La situation des femmes dans la société, voilà ce qui révoltait surtout Catherine. L'exemple de sa mère, cette déchéance sensible, dont elle avait devant elle le spectacle, ces vies finies à l'âge où l'homme est à son apogée, l'absurde jugement social qui ferme aux femmes dont la vie n'est pas régulière, tant de possibilités que Catherine n'enviait pas, mais qui étaient pour elle comme ces robes atroces et chères aux étalages, dont on se demande quel corps dément va s'en vêtir et qui pourtant vous font sentir votre pauvreté. Vierge, Catherine se sentait déjà déclassée comme une cocotte.

Toute l'énorme littérature sociale qu'elle avait dévorée avait essentiellement atteint Catherine par ce côté-là de ses pensées. Il est certain qu'elle brûlait les pages quand son problème, le problème de la libération de la femme, de l'égalité de l'homme et de la femme, n'était pas, au moins indirectement, en jeu. L'opposition fondamentale dans la société, la contradiction criarde, n'était-ce pas entre l'homme et la femme qu'elle se trouvait ? Le tzar dont la figure dominait les haines de son enfance, ce qu'il maintenait en Russie, c'était avant tout ce servage des femmes, que sa mère avait fui. Sur ce fond se profilaient toutes ces femmes romantiques, de Vera Zassoulitch à la comtesse Perovskaïa, qui étaient les raisons profondes de l'affection portée par Catherine aux doctrines révolutionnaires. La révolution, c'était sa place enfin faite à la femme. Les premières mesures révolutionnaires seraient l'abolition du mariage, l'avortement légal, le droit de vote aux femmes. Oui, même le droit de vote, bien que peut-être on ne voterait plus.

Ils la faisaient rire, les deux Jonghens, avec tout ce souci de museler les ouvriers, l'un à force de philanthropie chrétienne, l'autre avec ses gardes municipaux. Ils étaient sans doute des ennemis des travailleurs, et dans le système de Catherine les travailleurs étaient du côté des femmes. Mais pourtant aussi, quelle situation indigne faite aux femmes chez les ouvriers! Elle avait tous ces tableaux rapportés des quartiers où elle s'était promenée avec son ami Tseretelli; les femmes, vieillies avant l'âge, accablées de gosses, dans les rues, faisant la grande affaire de chercher la mangeaille de leurs hommes qu'elles prépareront à ceux-ci retour du travail ou du zinc. Des femmes battues, déflorées. Et Catherine avait aussi une curiosité des femmes du trottoir, de celles des bordels, de toutes ces victimes où il y avait de l'horreur et du grand opéra. Sur les boulevards extérieurs, elle avait vu entrer dans une de ces maisons dont l'existence même était pour elle une chose à se réveiller la nuit, des hommes pauvres, avec toute la saleté d'un travail accablant, qui venaient vers le soir chercher des chansons et une certaine illusion physique pour les quelques sous serrés dans leur mouchoir, qui étaient ce qu'ils auraient pu manger le lendemain. Terrassiers, maçons italiens peut-être, que rien n'accueille au monde que cet estaminet avec des chambres au-dessus. Les pensées de Catherine allaient bien vers eux, leur misère, mais si dénués qu'ils fussent, n'allaient-ils pas s'acheter des femmes? Tout changeait alors. Ils étaient les alliés de Blaise Jonghens, ils n'étaient plus avec elle contre toute cette saleté où la Bourse, le bordel et le tzar n'étaient qu'une seule réalité à détruire.

Catherine, à dix-sept ans, se mettait tout le fard qu'elle pouvait, parce que c'était afficher sa liberté et son dédain des hommes, et les provoquer, et rentrer dans cette atmosphère romantique où les femmes de demain retrouvent le souvenir des héroïnes antiques, de Théroigne de Méricourt.

Que pensait-elle de l'amour? C'est ce que lui demanda le jeune Devèze, qui était aux Langues Orientales et avec lequel elle était allée trois ou quatre fois, avenue du Bois, le matin, parce que c'était là qu'elle l'avait connu par Brigitte Josse. Il se destinait à la diplomatie, il apprenait le chinois et le russe; elle le regarda bien en face, il était très beau garçon malgré un tic qu'il avait dans le visage, et il portait des gants noirs parce qu'il achevait un deuil.

« Est-ce que je vous demande ce que vous pensez de la police? » Il rougit terriblement, et l'interrogea avec amertume. Qu'est-ce qu'elle voulait dire par là? Mais c'était toujours ainsi quand on mettait l'amour en cause. Ils entraient dans le Bois, et, le long du lac, Devèze, parmi les arbres dépouillés d'une fin d'hiver, éprouva le besoin d'appeler à son secours la poésie chinoise pour venir à bout de cette fille rétive. Il lui parla d'Ouên-Kiun qui, lorsque le poète Siang-ju la quitta pour une autre femme, composa la chanson des têtes blanches :

Blancs comme la neige sur les montagnes,
Blancs comme la lune au milieu des nuages,
J'apprends aujourd'hui que vous aviez deux pensées,
Et c'est pourquoi je vais me séparer de vous.

Une dernière fois je remplirai ma tasse du même vin qui
[emplira la vôtre.
Puis je m'embarquerai ; je quitterai ce rivage ;
Je voguerai sur les eaux du Yu-Kéou.
Elles aussi se divisent pour couler à l'Est et à l'Ouest.

Vous êtes tristes, vous êtes tristes, jeunes filles qui vous
[mariez!
Et pourtant vous ne devriez pas pleurer,
Si vous pensez avoir trouvé un homme de cœur,
Dont la tête blanchisse avec la vôtre, sans que vous vous
[quittiez jamais.

Mais de tout cela Catherine n'entendit qu'un vers :
Vous êtes tristes, vous êtes tristes, jeunes filles qui vous
[mariez!

Elle parla très amèrement de la fidélité des femmes, du mariage, cette honte, ce marché. Devèze, soudain, lui proposa de l'épouser. Cela fit très bizarre dans la tête de Catherine à qui personne n'avait encore jamais... mais elle vit bien dans les yeux de l'apprenti diplomate cette lueur du désir qu'elle avait une sorte de fureur d'allumer. Tant pis pour les passants! Elle s'approcha de lui, qui n'osait bouger, et, comme il était très grand, elle se haussa sur la pointe des pieds pour atteindre ses lèvres.

La poésie chinoise archaïque triomphait au Bois de Boulogne. Mais soudain, Catherine s'écarta, et dit avec une simplicité d'assassin : « Non, mon cher, je ne serai pas votre femme à cause de ce tic que vous avez dans la figure. »

VIII

M. de Houten posa le verre de Tokay que Mme Simonidzé venait de lui offrir, et regarda tout ce qui l'entourait avec une grande politesse : des photographies d'Interlaken, les soieries persanes, Hélène dont Mercurot tenait déjà tout à fait officiellement la main, une balalaïka accrochée au mur, Mlles Jonghens, Catherine et le portrait de Grigori.

M. de Houten avait presque l'âge de Mme Simonidzé, et une grande connaissance de l'Europe. Aussi avait-il su se retrouver une foule de relations communes avec son hôtesse. Le petit froid du printemps dissipé par un feu de bois se teintait, rue Blaise-Desgoffe, d'un certain romantisme cosmopolite, où Mme Simonidzé avait plus que jamais l'air princesse déchue.

Les débuts de la guerre russo-japonaise faisaient à vrai dire tous les frais de la conversation. M. de Houten, vivant en France, était républicain. Il souriait des sorties de Catherine, qui voyait dans la guerre les prémisses d'une révolution, et l'émancipation de la Géorgie et des femmes dans la victoire du mikado. Il avait lu Tolstoï. Le régime de la Sibérie ne pouvait évidemment pas durer éternellement.

Et le milliard des Chartreux? Ici Mercurot sortait de son mutisme. Qui est-ce qui nous débarrasserait à la fin de Combes et de sa clique? Ah, si Marchand avait voulu! Catherine était combiste. Elle défendait le général Picquart. Hélène était furieuse contre elle. Mlles Jonghens s'étonnaient.

Le scepticisme égalisateur de Mme Simonidzé passait

sur tout cela avec la fumée de sa cigarette. Le visage ridé sous les cheveux gris se plissait très près des yeux qui étaient tout ce qui subsistait d'une beauté récente, comme deux charbons dans la poussière.

M. de Houten trouvait ce nihilisme très distingué.

Martha Jonghens, avec son sourire un peu hésitant, et un regard circulaire, affirmait que ce qui comptait dans l'existence, c'était après tout ce qui se passait dans notre sphère, ce sur quoi nous pouvions directement agir : assurer l'existence des siens, faire sa tâche quotidienne... N'est-ce pas, mon ami? Son regard quêtait l'approbation de M. de Houten. Et la trouvait, respectueuse, cérémonieusement caressante.

La moustache blonde encore du Hollandais s'abaissait en même temps que ses cils comme pour mieux marquer l'estime profonde qu'il avait de l'aînée des demoiselles Jonghens. La cadette feuilletait, comme irrésistiblement, *L'Illustration* qui traînait sur le petit meuble de chez Krieger.

Catherine sentait très vivement ce qu'il y avait d'inadmissible, de faux, pour tout dire de conventionnel dans cette acceptation du monde tel qu'il est qu'exprimait presque chaque parole de Martha, dès qu'elle ne parlait pas de sa pension, des inquiétudes que lui donnait son frère Blaise, ou de quelque autre souci direct, et lié à sa vie. Mais elle passait cela à la jeune femme comme une espèce de rançon à une vie dont la noblesse la touchait, l'indépendance. La condition sociale de Martha éclipsait pour Catherine une certaine insuffisance de ses propos.

A la pension Jonghens, il y avait des petites soirées où les Simonidzé, Mercurot, les pensionnaires se retrouvaient avec toute la famille Jonghens, un couple américain. On faisait salon, puis Hélène se mettait au piano. Elle chantait. Des demoiselles anglaises lui caressaient les bras et lui entouraient la taille. Tout le succès était pour elle. Puis on faisait un peu tourner les tables, ou on jouait aux petits papiers. Solange Jonghens se laissait faire la cour par le mari américain, une espèce de brute, avec le poil ras.

C'est à une de ces réunions que Catherine rencontra le capitaine Thiébault. Jean Thiébault était à l'École de Guerre, et c'était M. de Houten qui l'avait amené. Il paraît que c'était un esprit supérieur dans sa partie. Il saurait très bien faire tuer les autres. Cette formule, dans la bouche du Hollandais, était une flatterie aux idées de Catherine. La moustache blonde se retroussait, carnassière, sur une dent d'or. Enfin le capitaine Thiébault avait devant lui une belle carrière.

Dans l'entourage de sa sœur, Catherine avait rencontré assez d'officiers pour reconnaître à celui-ci une qualité exceptionnelle. Il ne parlait pas comme les autres, il n'avait pas cet affreux et uniforme bagage de conversation qu'elle leur connaissait à tous. A lire le journal du matin, on ne pouvait pas deviner ce qu'il raconterait le soir. Un homme très bien élevé, mais tout de suite avec elle d'une extraordinaire rudesse. Elle sentait pourtant qu'elle l'attirait. Elle lui sut gré d'une franchise assez violente, elle apprécia les condamnations qu'il passait sur tout ce qu'il pouvait croire, à première vue, le monde de Mlle Simonidzé. Elle ressentit le besoin de lui prouver qu'elle n'était solidaire ni des Jonghens ni de Brigitte Josse, ni de sa sœur, ni de Mercurot. Elle éprouva pour la première fois que de simples déclarations ne seraient pas probantes. Elle eut l'envie d'exercer une séduction intellectuelle, et elle eut honte de ses robes le jour qu'ayant rendez-vous avec le capitaine pour aller au Salon des Artistes français, elle les étala sur le lit et les chaises, sans pouvoir se décider à choisir.

La vie du capitaine Thiébault était tracée toute droite devant lui. Il serait breveté, il parcourrait l'échelle militaire jusqu'en haut. Il commanderait. Il serait un chef aimé de ses hommes. Il était bon. Catherine éprouvait cette force et cette bonté comme un grand calme. Elle se sentait en sécurité quand il était là. Ce n'était pas comme avec les autres hommes. Aucune inquiétude. Elle savait à peine comment il était physiquement. Elle n'avait pas idée de lui appartenir comme des hommes médiocres lui en donnaient d'une façon passagère l'irritante envie fébrile. Leurs relations n'étaient pas une complicité. Il n'y eut aucune déclaration de l'un à l'autre. Ils trouvèrent naturel, très vite, de se revoir chaque jour. Au moment de se quitter, ils prenaient un rendez-vous pour le lendemain. Simplement.

Thiébault ne regardait les propos de Catherine ni comme des boutades d'enfant, ni comme des incongruités. Il avait en face d'une idéologie qui n'était pas la sienne l'attitude d'un savant en face d'une théorie à discuter. Un point facilitait leurs conversations, le seul qu'ils eussent en commun : le capitaine ne croyait pas en Dieu. Sans doute devait-il avoir une conception de la Patrie, et de toutes sortes de choses de ce genre, mais elles gardaient pour lui le caractère d'objets pour usage personnel. Il n'en faisait pas étalage. Il était de famille protestante. Catherine se sentait, par là, limitée dans son droit d'expression : si elle avait eu pour lui les violences de langage où les autres la jetaient, elle en aurait ressenti de la honte.

Ainsi tacitement se créait un terrain où ils se retrouvaient, du fait de quelques réserves ; et une sorte d'estime les entraînait plus loin qu'ils ne croyaient l'un et l'autre. Ils finirent par se sentir indispensables l'un à l'autre. Et l'un comme l'autre entra dans la voie des confidences. Il fut le premier homme qui parla de sa vie à Catherine sans rien attendre de cela. Au fond, elle n'avait aucune représentation de la réalité masculine : tous ces garçons autour d'elle, elle ne les avait connus qu'en représentation, faisant les beaux devant elle, elle avait guetté leurs défaillances.

Celui-ci, voilà que de plain-pied elle entrait chez lui. Elle connut sa mère, une veuve qui lui raconta tout ce qu'elle avait retenu d'un mari terrible, mais transfiguré par le souvenir, qui avait été le drame de son existence, de garnison en garnison, la coqueluche des sous-préfètes et des présidentes de tribunal. Et la mère, comme une poule inquiète, n'arrivait pas à croire que son fils ne ressemblât pas à ce père disparu. Elle attendait toujours qu'il se jetât dans des complications féminines, qu'il y eût des coups de revolver, des maris jaloux, des scandales.

Dès le premier jour, elle fut conquise par Catherine. Catherine fut dans son cœur la fiancée de Jean, malgré ou peut-être à cause de ses excentricités, de la Russie, des cigarettes fumées avec de longs bouts d'ambre, et les talons rouges un jour à ses souliers.

Pas un instant pourtant Catherine ne pouvait oublier que Jean était un ennemi. Mais les conditions dans lesquelles l'antagonisme apparaîtrait étaient encore vagues et lointaines. Le conflit entre eux nécessitait toute une mise en scène à quoi le monde entier devait conspirer. Sur un point essentiel, il n'était pas un adversaire : comme *homme* comprenez-vous bien, il n'était pas son adversaire à elle, *femme*. Et cela était d'une importance infinie. Elle avait confiance en lui sur ce terrain.

Sur ce terrain, il ne ferait rien de mal, il n'abuserait pas de sa force, il était incapable de le faire. C'était un soldat, mais un bon soldat.

Elle décida qu'elle coucherait avec lui.

IX

Cela se fit très simplement au mois de juillet 1904. Elle avait décidé Jean Thiébault à prendre son congé dans les montagnes et à l'emmener. Il fallut bien un peu tricher, pour le qu'en-dira-t-on. Plus à cause d'Hélène et de Mercurot que pour Mme Simonidzé. Et, bien que ce fût décidé comme un voyage de camarades, on inventa une fiction : une lettre d'invitation chez une amie de Brigitte, mise dans la combinaison.

Catherine et Jean se retrouvèrent à la gare de Lyon et s'en furent en Savoie. Ils avaient comploté un voyage à pied. L'itinéraire n'était pas arrêté dans tous ses détails, et cela prit une bonne partie de la nuit dans le train à discuter les chemins, les vallées, avec le guide Joanne, et un vieux Baedeker en anglais, qui venait de Mme Simonidzé.

Quand Jean se fut mis dans son coin pour dormir, avec son mouchoir étalé sur l'appui contre lequel il posait sa joue, Catherine, qui faisait semblant d'être assoupie, le regarda longuement, dans la demi-lumière du couloir, sous la lampe bleue du compartiment, à travers ses longs cils. Elle le voyait pour la première fois, comme un animal dont la respiration compte ; elle sentait qu'elle n'aurait jamais pour lui cet attendrissement qui était peut-être l'amour. Son souffle égal, dans le repos, lui fit soudain une peur abominable. Elle conçut le poids de ce corps sur elle. Elle s'endormit avec des sursauts de cauchemar.

Ils descendirent à Bellegarde. Thiébault avait gardé, de manœuvres le long de la frontière suisse, le désir de parcourir une région alors mal connue des touristes. Ce mois de juillet-là était d'une chaleur exceptionnelle et il y avait plus de fleurs dans les champs que Catherine n'en avait vu de toute sa vie. Sans parler de la lavande qui était une découverte pour elle. Des papillons rouges et bleus tournoyaient au-dessus des champs et s'endormaient collés ensemble, à deux, sur des fleurs. Les montagnes faisaient à leur voyage un décor fantastique où Jean naissait, pour Catherine, à une nouvelle vie. Comme il était fort! Il courait devant, lui chercher à boire aux sources, quand elle n'en pouvait plus de soleil. Les haltes fraîches dans des étables où du bétail rentrait à la nuit faisaient paraître comme un mauvais rêve ces petites soirées où l'on s'était connus chez les Jonghens.

Le premier soir, ils couchèrent à Vulbens dans une auberge où on les regarda drôlement quand ils prirent deux chambres. Puis ils continuèrent de glisser le long de la frontière. Tous ceux qu'ils rencontraient avaient des airs de contrebandiers. A Saint-Julien-en-Genevois où ils déjeunèrent le second jour, des douaniers leur parlèrent, soupçonneux. Quand ils surent que Jean était un capitaine, ils devinrent bavards et familiers, et l'on prit le café ensemble sous des arbres, près d'une fontaine. Ce furent des histoires scabreuses de dentelles passées par des femmes à la douane, en les cachant où vous pensez. Une, qui a fait ce trafic-là pendant des années, ma petite dame, sans qu'on ait jamais pu la pincer. Et elle nous était signalée, on l'embêtait chaque fois. Il y avait une visiteuse qui la faisait régulièrement mettre à poil, sauf votre respect. Faut vous dire que le brigadier Crevaz était assez beau garçon. Alors c'est lui qui a découvert le pot aux roses, parce qu'il l'avait prise dans un coin, et qu'il voulait en profiter. Et puis pas moyen, elle se débattait. Lui, il n'était pas habitué qu'on lui résiste, et puis un gars solide encore. Et voilà, imaginez-vous qu'il se fait mal. C'était un éventail qu'elle avait là! Jean était un peu gêné. Catherine ne le regardait pas.

A Étrembières, ils atteignirent la vallée de l'Arve qu'ils voulaient remonter jusqu'à Chamonix. Ils allèrent coucher à Annemasse. C'est là que, comme Jean se mettait au lit, la porte s'ouvrit et Catherine entra. Il se rajustait, incapable d'imaginer ce qui arrivait. C'était une de ces chambres de passage où tant de rouliers ont dormi. L'édredon rouge du lit, insupportable à voir par une température pareille, était jeté à terre, la fenêtre était ouverte sur les étoiles, et le pot à eau luisait près de la bougie, avec des oiseaux roses et des pêcheurs chinois.

Les affaires du jeune homme tirées de son sac étaient éparses dans la pièce. Un revolver d'ordonnance sur la table de nuit. Du linge déplié, prêt pour le lendemain, accusait l'intimité surprise.

Catherine s'avança aussi vite qu'elle put vers Jean et elle l'entoura de ses bras. Le lit était très haut, et la toilette basse. Au fur et à mesure que la bougie brûlait, les ombres grimpaient au plafond, caricaturales et terribles. Elle se réveilla dans la nuit le long de l'homme. Sa présence lui parut étrange. Il la tutoya en s'éveillant. Ils parlèrent jusqu'à l'aurore.

Vacances des jours qui suivirent. Plus tard, aux colonies, ou aux pires moments de la guerre, parmi les cris des mourants, dans le bruit épouvantable des bombes d'avions qui s'abattent comme des quintes de toux, c'est toujours vers ces heures de soleil torride où une aventure qui restera sans équivalent dans cette vie de conducteur d'hommes, se déroule parmi les fleurs de la Savoie, au-dessus d'un torrent, avec tous les caprices de la jeunesse et de la nature, que se retournera Jean Thiébault.

Ils passèrent trois jours à Bonneville, qui est une sous-préfecture. Trois jours d'hôtel, avec de paresseuses soirées à la sortie de la ville. Ils ne faisaient plus guère attention à cet itinéraire qu'ils s'étaient d'abord tracé, distribuant les jours. Au bout de quelques kilomètres, une auberge les arrêtait. Le but de leur expédition était troublé, le mont Blanc ne les intéressait plus. Ils grimpaient dans la montagne, histoire de trouver quelques arbres et une solitude. Un ruisseau. Puis le soir les surprenait, et ils revenaient à la chambre rudimentaire choisie le matin. Un chromo au mur la transfigurait. Le portrait de Victor Hugo une fois.

Ils avaient oublié la guerre russo-japonaise.

A Marignier, où ils déjeunèrent, franchi le Giffre qui est un affluent de l'Arve, ils descendirent le long de sa rive gauche jusqu'à l'Arve, quittant la route. Le soleil était devenu si brûlant que Catherine s'en trouva presque mal. Jean lui baigna le front avec l'eau fraîche de l'Arve. Bien qu'on leur ait cent fois dit de ne pas en boire, ils ne purent résister à l'attrait de cette eau de neige fondue, qui a la réputation de donner la mort. C'est qu'ils étaient à cette minute si sûrs de la vie, si peu hantés de spectres funèbres, jeunes, et n'ayant qu'à se regarder pour frémir. Leurs mains se retrouvaient comme leurs rires. Ils ne se demandaient pas quand se refermerait cette parenthèse champêtre : que préféraient-ils de la nuit ou du jour? Ils riaient pour un rien. Ils couraient dans l'herbe. Ils s'enfonçaient dans la Savoie. Tout s'était anéanti de ce qui avait été leur vie et leurs préoccupations. A peine retrouvaient-ils, dans le soir, pour de longues causeries, où se mêlaient les longs cheveux de Catherine et les souvenirs transfigurés de son enfance, les éléments épars dans leur mémoire d'une douce légende alternant à deux voix, où lui comme elle puisait une autre eau fraîche, et peut-être comme l'Arve mortelle, pour désaltérer leur soif de poésie et leur désir de jeter chacun sur l'existence de l'autre l'ombre de son existence à soi.

Ils mirent un temps infini à faire les cinq kilomètres, au plus, qui séparent le confluent de l'Arve et du Giffre du village de Cluses. Chaque pierre du torrent avait ses raisons de les arrêter. Chaque goutte d'eau était une merveille, et ils découvrirent en chemin dix manières de se tenir l'un contre l'autre qui était à la fois la meilleure pour la marche, et une raison de ne pas faire un pas de plus.

Cluses, où ils arrivèrent autour de quatre heures, est déjà une forte localité qui va tirer dans les deux mille habitants avec son industrie horlogère. On leur avait dit que cela valait la peine de visiter l'école d'horlogerie, et Catherine se souvenait, enfant, des artisans de la Forêt Noire, et des coucous qu'ils fabriquent.

A toute leur vie des derniers jours, ramenée à des éléments puissants et primordiaux, où la révélation même du plaisir, la virginité quittée comme un vêtement, se mariait au calme extraordinaire de ce juillet dans la montagne, à toute leur vie nouvelle d'amoureux promeneurs, il semblait que le voisinage idyllique d'une industrie elle-même d'exception, minutieuse, propre, et d'une certaine manière archaïque, venait ajouter quelque chose d'imprécis, accrochant au décor de la vallée et de l'amour cette âme flottante de Jean-Jacques Rousseau, qu'ils s'étaient avoué l'un et l'autre avoir aimé vers quinze ans, au-delà de tous les autres écrivains du passé. Toutes sortes d'idées s'éveillaient pour eux du tic-tac des horloges. Qu'il y eût des hommes pour fabriquer les petits cœurs battants qu'on met dans la poche des gilets, paraissait la preuve même que l'homme est naturellement bon. Les deux amants se complaisaient sur ce thème.

Jean, lui, à Besançon avait pénétré tous les mystères de cette industrie-là. Il était déjà lancé dans un discours technique, quand, atteignant les premières maisons de Cluses, ils virent s'approcher un cortège singulier.

X

Une foule s'avançait, peut-être trois cents personnes, dans une espèce d'ordre désordonné. Il y avait des femmes et des enfants mêlés aux hommes, et cependant ce n'était pas une fête, et il y avait des chants et des rires, bien que la marche de cette masse humaine eût quelque chose de déterminé et comme l'ébauche de rangs par quatre.

Aux premiers rangs s'avançaient ceux qui étaient évidemment et la raison du cortège et le centre de l'attention. Ainsi dans une noce les nouveaux conjoints. C'étaient apparemment des ouvriers horlogers de Cluses : pour une bonne part d'origine paysanne, ils avaient cette robustesse qu'on rencontre par toute la campagne de Savoie, mais affinée par une ou deux générations occupées au patient ajustage des roues et des ressorts. Les jeunes, dans le grand soleil de juillet, en bras de chemise, hâlés, les cheveux noirs, se tenant par les bras, les uns avec leurs compagnes, et des coquelicots aux boutonnières du gilet ; les vieux avec le tablier de cuir et la casquette, certains la visière de travail. Quelques-uns avaient des bâtons pour la marche. Et autour de ce noyau, joint par une connivence primordiale, toute une population s'agglomérait, un peu au hasard, ouvriers des autres fabriques, amis, gens qui avaient emboîté le pas de la troupe, des filles rieuses et sérieuses, des petits-bourgeois de la bourgade, des paysans.

Catherine et Jean pressèrent le pas au-devant de cette cohorte, las peut-être un peu de leur solitude, poussiéreux malgré l'eau de l'Arve, avec leurs deux paquets que Thiébault portait sur une épaule, tandis que Catherine, nu-tête, son chapeau à la main, tenait par le bras son amant, en regardant droit devant elle les filles aussi pendues à leurs garçons.

Il y avait un chat qui ronronnait sur une barrique, devant un hangar où l'on entendait les coups d'un marteau. Un petit chien jaune, absolument ridicule, jappait devant le cortège, et le devançait en courant de côté. La foule approchait d'une maison flanquée d'un pavillon de briques, avec une grande cour, fermée par un mur sur lequel on lisait : *Fabrique d'Horlogerie.*

A ce moment quelqu'un dut paraître à l'une des fenêtres du pavillon, que ni Jean ni Catherine n'aperçurent, car des têtes dans la foule se tournèrent dans cette direction, et il y eut un remous parmi les marcheurs, des questions, et quelques voix s'élevèrent, qui huaient, quelques poings s'agitèrent vers les bâtiments, mais la foule poursuivait son chemin.

Le petit chien jaune venait d'apercevoir Catherine et

Jean et, bondissant, traversa les dix mètres qui les séparaient de la foule pour venir leur aboyer dans les pieds. Ils étaient tous les deux, avec cette douceur des gens heureux, à se pencher vers lui, s'essayant à le caresser, qui fuyait leurs mains, avec une coquetterie méfiante, quand la première salve éclata. Ils levèrent les yeux sans comprendre.

La foule qui était bien encore à douze mètres de l'usine s'était figée, après un recul, comme ouverte, et il y avait deux hommes à terre devant elle, que tous regardaient avec horreur. Là-dessus, de nouveaux coups de feu partirent d'une des fenêtres du pavillon, au deuxième étage, on apercevait le canon des fusils pesant sur l'appui, et sortant comme à la recherche des victimes. Une espèce de clameur, où montaient le cri des blessés et l'affolement des femmes, souleva la foule, et il y eut quelqu'un dont la voix se fit entendre et qui disait : « *Ne tirez pas!* » Mais c'était comme une folie, les tireurs, combien étaient-ils ? devaient avoir des armes de rechange, ou quelqu'un pour eux rechargeait leurs fusils. C'était une fusillade démente, qui ne se connut plus quand le cortège démantelé, où l'on voyait une vieille femme avec un bonnet noir soutenir sous les épaules son grand rouquin de fils, encore debout, mais frappé à la tête, aveuglé de sang, et qui tomba soudain, comme une montagne, affaissant avec lui la vieille sur les genoux... quand le cortège démantelé, avec des robes noires de femmes couchées dans la poussière sur les morts ou les blessés, sans souci des balles qui ricochaient contre les murs... quand le cortège défait et ramassé en meute de haine et de fureur, sans ordre, après une volée de pierres contre les murs, s'élança sur la grille, l'arracha et déferla dans la cour. Il s'était trouvé des haches, les portes sautaient en éclats.

Du hangar où il réparait une roue, un grand garçon dégingandé, qui n'avait pas vingt ans, était surgi voir ce qui se passait, et ses yeux ronds se refermèrent sur la mort quand une balle venue de la fenêtre, avant qu'il ait rien pu comprendre, l'atteignit en pleine poitrine. Et il tomba en avant. Il tenait encore son marteau.

Le petit chien jaune aboyait d'une façon tout à fait hystérique, caché derrière le pantalon de Jean. Jean tout d'un coup eut peur pour Catherine, il la tira vers le côté de la route où on était à l'abri des balles ; mais elle, blanche, les lèvres entrebâillées, refusait de le suivre. C'est alors que Jean comprit soudain à quoi la foule, sous les balles, travaillait. Le feu! L'idée avait surgi on ne sait d'où et le matériel incendiaire, du foin, un entassement de brouettes, s'échafaudait dans la cour. Le feu! La rage populaire, dont les clameurs s'étaient calmées, semblait toute tendue vers cet objectif, vers cette justice, cette purification. Les morts et les blessés étaient là sur la route, les tirailleurs poursuivaient de la fenêtre leur besogne meurtrière, mais ce qui enflammait toutes ces respirations haletantes, ce qui groupait les forces et les gestes de ces hommes en qui un monstrueux et rapide travail de décision venait de se faire, c'était l'idée du feu, du brasier dont personne ne contestait la nécessité immédiate, comme si un long débat, un vote avait lié ces exécuteurs résolus.

« Ils veulent brûler la maison! Il faut les arrêter! »

C'était Jean qui avait dit cela en prenant son élan vers la foule. Quelque chose de primitif dans le jeune homme le poussait en avant. La main de Catherine le serra au poignet comme de l'acier. Il voulait se dégager, étonné. Leurs yeux se croisèrent. Il ne comprit plus le langage de ses yeux. Mais tout de même il vit l'abîme ouvert.

Il pressentit confusément qu'il venait de la perdre. Il répéta : « Ils veulent brûler la maison! — Ils ont raison », dit-elle, et lâcha son poignet.

A travers la foule, la troupe était arrivée. Des gendarmes. Un détachement du 30e de ligne. L'officier à sa tête. « Quelle folie! » disait-il comme dans un rêve. Thiébault l'avait rejoint, se présentant. L'autre s'était lancé vers le pavillon d'où partaient les coups de feu, la porte enfoncée, par un étroit escalier atteignait déjà la pièce d'où on tirait. Avec ses soldats, il désarma quatre hommes, que Jean vit sortir sur le palier. Quatre grands gaillards, qui avaient des airs de jeunes hobereaux. Habillés comme pour la chasse. Des guêtres, des cravates. Ils étaient pâles et tremblants. L'aîné pouvait avoir trente ans. Avec eux, il y avait un homme plus âgé, grisonnant, qui semblait n'avoir pas pris part à la fusillade.

Le lieutenant donnait des ordres brefs à ses hommes. Il ne fallait pas que la foule entrât. Il se tourna vers Jean, il avait dû entendre ses explications au milieu de tout cela : « Comment allons-nous sauver la vie de ces assassins ? »

L'un des jeunes gens essaya de protester. « Imbécile, coupa le lieutenant, s'ils vous voient, vous êtes morts! » Ils se turent et tremblèrent. L'homme plus âgé, dont les dents claquaient, dit seulement : « La cave! » Il y avait là une espèce de policier en civil, le commissaire spécial d'Annemasse.

« Oui, c'est une idée, dit-il. Mon capitaine, voulez-vous explorer la route, sans vous commander ? »

Jean descendit le premier. En contre-bas de l'escalier il y avait une porte, elle n'était pas fermée. Ils s'enfoncèrent dans le petit couloir où un escalier de pierre tournait. Les allumettes s'éteignaient trop vite, ou brûlaient les doigts. Les lignards poussaient leurs prisonniers en les traitant de salauds. Au-dehors, on entendait crier : « *A mort!* »

Le capitaine laissa quelques hommes pour garder les prisonniers, que la peur, mieux que n'importe quels geôliers, retenait de fuir. Aux soupiraux, ils voyaient courir les pieds des incendiaires. On entendait déjà grésiller le feu. Le lieutenant et Jean avaient regagné la cour. Le bâtiment central était déjà la proie des flammes. Une fureur de dévastation s'était emparée de tous, et tout ce qui pouvait servir à hâter la ruine s'était transformé en béliers aux mains des assaillants, qui trouvaient les flammes trop lentes à écrouler les murs.

Cependant l'incendie allait vite, par ce jour sec de juillet, avec la charpente en bois qui prenait que c'était un plaisir. Une fumée âcre sortait par une des fenêtres de la fabrique. La maison d'habitation, isolée, n'avait pas été touchée. Y avait-il des gens là-dedans ? On n'en savait rien. Une quarantaine d'ouvriers, furieux, s'y portaient. Le gros des soldats, une centaine, et une trentaine de gendarmes les arrêtèrent. Ils s'étaient massés là, abandonnant l'usine pour préserver la demeure des patrons. « Mais qu'est-ce que ça veut dire que tout cela ? demanda Jean au lieutenant.

— Je vous raconterai cela plus tard. Une grève. »

Ah, une grève! Jean ne comprenait pas très bien l'espèce d'indulgence apparente de l'officier pour les ouvriers.

« Il ne restera pas pierre sur pierre.

— Que voulez-vous que j'y fasse ? Le temps d'amener une pompe et de l'eau, ce sera fait : l'essentiel, c'est la vie de ces canailles dans la cave! »

La troupe s'essayait à disperser la foule. Il était certain que les sympathies des soldats étaient avec elle.

Les lignards regardaient avec indignation les brutalités des gendarmes. A vrai dire, assez vite, l'élan s'était calmé. Il était facile de voir que rien ne sauverait plus la fabrique. Ce qui aurait brûlé, aurait brûlé. Et maintenant la foule se repliait sur elle-même, elle retrouvait sa douleur, ses blessés, des cadavres. Il y avait des gémissements et de l'horreur. La haine était tombée.

Une toiture s'effondra avec un bruit de branchages.

Jean cherchait Catherine. Où était-elle passée?

Tout le reste de la population de Cluses était accouru. Les rues avoisinantes étaient bondées. Les gendarmes criaient, bousculaient les gens. Les va-et-vient de la troupe ouvraient des sillons vite refermés. Où donc Catherine avait-elle disparu?

Il la retrouva près d'un mort.

XI

Il y avait plus de deux mois que la grève durait. Grève politique. Avant les élections municipales, le patron de la fabrique avait signifié à ses ouvriers l'interdiction de former une liste ouvrière. L'un des candidats, face au renvoi, avait flanché. Le soir, à une réunion, il s'était expliqué. Ce n'était pas un homme jeune, il avait une femme et des gosses. Mais les autres avaient tenu bon. Et après les élections, le triomphe de la liste où figurait l'un des fils du patron, celui-ci avait licencié les réfractaires : sept ouvriers.

Alors on s'était mis en grève, demandant leur réintégration, et par là non pas la reconnaissance des droits politiques qu'on avait, mais le respect élémentaire de ces droits. Le 10 mai, la grève s'étendait à toutes les usines de Cluses.

Le patron, un homme sanguin, autoritaire, avec des colères par bouffées, un vrai tyran même sur les siens, n'avait pas voulu céder, ni même transiger. Il entendait que les grévistes rentrassent chez lui en vaincus. Il avait demandé la troupe. Il l'avait obtenue. Elle s'était montrée molle à son gré. Il avait réclamé. On avait envoyé du renfort. Deux cent cinquante hommes de ligne et un escadron de dragons.

Cependant les officiers n'avaient pas su empêcher les défilés dans Cluses, les manifestations, les meetings. De Bonneville, de Scionzier, d'autres ouvriers horlogers venaient se joindre à ceux de Cluses. Une caisse de solidarité avait été constituée. Ces ouvriers, toujours à se plaindre de leurs salaires, et qui maintenant trouvaient des économies pour entretenir une centaine d'entre eux à ne rien faire pendant des mois! Tout ça, c'était le travail du syndicat.

Le patron se savait les reins solides. Premièrement, sa fabrique fermée, il avait de quoi vivre, de l'argent placé. Mais même, les affaires ne périclitaient pas : il avait du stock assez pour tenir jusqu'à octobre. Il soupçonnait derrière cette résistance ouvrière la main de ses concurrents. Cela l'inquiétait. Il fit appel à la police, d'une façon confidentielle. Des gens lui furent envoyés qui s'établirent discrètement dans la ville et aux environs, qui se mêlèrent aux réunions, qui se lièrent avec des grévistes. A vrai dire ils ne découvrirent pas grand'chose, à part la liste noire qu'ils dressèrent.

Le député radical, un ancien ministre, était intervenu. Il avait fait au patron une visite extrêmement polie, il avait parlé avec les ouvriers, il trouvait toute cette affaire déplorable, est-ce qu'il n'y avait pas moyen de trouver un compromis ? Reçu d'une façon ironique, il avait battu en retraite, il avait expliqué aux ouvriers qu'on n'y pouvait rien : charbonnier est maître chez lui, et si le patron préférait fermer la boîte, qu'est-ce que ça serait pour eux ? Le chômage, la faim, la misère. Il les exhortait au calme, à la reprise du travail. Naturellement s'ils ne voulaient pas encore... La grève continua. Le syndicat la dirigeait. On ne baisserait pas pavillon. A vrai dire, cela commençait à devenir dur, malgré la saison, la sympathie dans les villages voisins, les petits travaux des champs qu'on pouvait entreprendre. Et puis il y avait derrière pas mal de grévistes des petits paysans de leurs familles qui leur apportaient des légumes.

Le patron avait un locataire qui était ancien chef de section principal pour la construction des chemins de fer du P.-L.-M. actuellement en retraite ; il lui avait loué un logement pour lui et sa femme. Cet homme détestait les ouvriers. Sa femme, qui des salons des sous-préfectures où elle était reçue avait gardé un vernis mondain, soupirait en regardant par les jalousies les défilés de protestataires. Le soir, on jouait au whist chez le patron. Le fils aîné, celui qui était conseiller municipal, son père, et le locataire. Sa petite fille de douze ans une fois couchée, la mère venait bavarder avec la femme du locataire. Il régnait autour de ces assemblées l'atmosphère des derniers jours de Versailles. Des récits sanglants, les souvenirs de la Terreur, de la Commune, faisaient les frais de la conversation, bien qu'aucune violence jusqu'alors ne se fût produite à Cluses. La peur grandissait.

Les quatre grands fils du patron auraient été assez facilement enclins à composer avec les ouvriers. Eux n'aimaient guère cette suspension d'affaires : ils ne pouvaient se contenter des rentes du père, qui leur coupait leur argent de poche. Et puis il y avait l'avenir, l'héritage, partagé en cinq, avec la mioche, et la mère pardessus le marché, qui, elle, n'avait pas de ces accès cardiaques auxquels son mari était sujet. Les jours qui passaient sans qu'on pût apercevoir la fin du conflit accroissaient l'énervement de ces quatre hommes jeunes, confinés avec ce père autoritaire, dans une atmosphère de guerre civile. A la nuit, de mystérieux personnages, par la porte de derrière, venaient rendre des comptes, rapporter d'insignifiants incidents.

La troupe campait au-dehors, inactive.

Les officiers étaient formels : on ne pouvait forcer les ouvriers au travail. Pour intervenir, il aurait fallu un fait tombant sous le coup des lois.

On avait failli l'avoir quand un jour, le 18 mai, la foule avait manifesté devant leur maison, et que des pierres avaient été jetées, cassant des carreaux. Mais un de ces imbéciles qu'on avait dépêchés d'Annecy s'était laissé voir lançant des pierres. On s'était refusé à en tenir les grévistes pour responsables.

Et les brutalités des gendarmes avaient révolté les officiers de ligne.

C'était vraiment un peu fort. Un échange de lettres avec le préfet n'amena rien de bon. Les pourparlers repris échouèrent parce que les grévistes eurent l'incroyable audace de refuser de payer les carreaux brisés. Ce n'était pas seulement la somme à quoi le patron tenait : mais à leur faire reconnaître ainsi les violences. Eux, pas si bêtes, le voyaient venir.

Tout de même, est-ce que cela allait durer toute la vie ? Les soirées se faisaient plus sinistres dans la maison patronale. Le whist était abandonné : cela rendait Eugénie nerveuse quand on parlait du mort. Les rapports avec les autres industriels de Cluses étaient assez réservés. Des rancunes, la concurrence. Et puis ils trouvaient assez intolérable que ce vieil imbécile, pour une histoire de chez lui entraînât chez eux une grève interminable. L'un d'eux même proposa de payer les carreaux cassés. Mais l'autre s'obstina : il voulait que ce fussent les ouvriers qui les payassent, sur leur fonds de solidarité. Pourtant les autres patrons n'auraient pas mal vu une intervention gouvernementale, une manifestation de force. Naturellement pacifique. Mais pour montrer aux ouvriers ce qu'on pouvait faire. Les effrayer un peu.

Ce petit mouvement de grève restait local, assez tranquille. Aucune tendance à l'élargissement, rien de menaçant. Pourquoi les autorités se seraient-elles mises dans de mauvais draps ? Le patron rétif était un homme de la droite, sa femme était toujours fourrée chez le curé. On retira les dragons et un des détachements d'infanterie. Des manœuvres du 14e corps d'armée en fournirent le prétexte.

Ceux des soldats qui restèrent le 10 juillet, une centaine de lignards, connaissaient maintenant tout le monde dans la population : même si leurs officiers avaient été plus énergiques, on ne pouvait guère attendre grand'chose de ces gamins, qu'on voyait à la brune se balader avec les filles du pays.

La pétoiche grandissait dans la famille du patron. Les fils avaient des altercations avec leur père. Ils ne se sentaient plus en sûreté quand ils descendaient dans la rue, et on ne pouvait se confiner sans fin! L'un d'eux, le plus jeune, avait une liaison avec une paysanne, du côté de Marignier. Un mauvais coup est vite arrivé. « Vous êtes assez grands pour vous défendre! » hurlait le père, exaspéré. Et si les grévistes avaient des couteaux? « Armez-vous, et foutez-moi la paix! »

Cette idée fit son chemin pendant trois longs jours. Puis c'est le père lui-même qui donna à ses fils une adresse à Saint-Étienne où le conseiller municipal écrivit pour commander quatre fusils de chasse. Il devait y avoir un peu de confusion dans la tête paternelle, parce que cette fabrique ne faisait pas de fusils. Mais on reçut une lettre très polie, avec l'adresse et le catalogue d'une maison qui aurait sûrement l'affaire de ces Messieurs.

Ces Messieurs tout un soir discutèrent avec fièvre le modèle d'armes qu'ils allaient faire venir. Le whist était interrompu. Et le maire de Cluses, qui était ce soir-là en visite, fut consulté. C'était un grand chasseur. Il indiqua un modèle excellent pour le gros gibier. On chassait le sanglier en Savoie.

La sous-préfecture de Bonneville fermait les yeux, c'était on ne peut plus clair. M. le Curé qui se plaignait de la désaffection croissante de ses paroissiens disait que le gouvernement était complice du syndicat. L'ombre noire du petit père Combes dans les conversations ajoutait encore à la panique. La prochaine fois, ce ne serait plus des pierres qu'ils lanceraient, les émeutiers. Et, maintenant que la troupe est réduite, nos vies mêmes sont exposées.

Le 12 juillet, la mère d'un des grévistes rencontra M. le Maire près de l'école d'horlogerie. Il faisait très chaud. M. le Maire s'arrêta pour souffler, il était midi, et puis la bonne femme avait fait plusieurs fois la lessive chez lui, quand il avait ses cousins de Lyon pour les vacances.

« Alors, la mère, votre garnement fait toujours la mauvaise tête ? » Elle répondait sans répondre : on ne pouvait pas trahir les autres, et M. le Maire savait-il combien c'était dur pour les pauvres gens ? Tout de même à son avis, au maire, c'étaient les femmes qui auraient dû la faire finir, la grève. Les mères, surtout. Parce que les jeunes, de nos jours, elles n'ont pas de cervelle, elles ne pensent qu'à la toilette.

La mère regardait son interlocuteur comme quelqu'un qui ne comprend pas très bien, et puis elle dit : « Mais est-ce qu'ils ne vont pas reprendre leurs ouvriers, ces gens-là ? Il faudra bien. » Alors l'autre éclata de rire, puis très sévère, il raconta que ces Messieurs maintenant n'en pouvaient plus, qu'ils avaient acheté des fusils, et que si on les embêtait, dame! « Je vous dis ça, rapport à votre gars! »

Le 16 au soir, au whist, l'histoire de Mme de Lamballe, sa tête au bout d'une pique, fit à tout le monde une nuit de cauchemar.

Le 17, à 9 heures du soir, il y avait encore eu un rassemblement des grévistes, une réunion, un cortège. Et les gendarmes, comme on chantait un peu, se jetèrent à nouveau sur la foule, frappant, poussant leurs chevaux sur les femmes. De derrière les fenêtres, les patrons suivaient la scène. Il y eut une altercation entre le maire qui disait qu'à la fin il fallait en venir à la manière forte et un capitaine de la ligne, encore tout indigné de ce qu'il avait vu : « Je ne comprends pas, disait cet officier, est-ce qu'on les paye pour ça, ces gendarmes ? »

Ces brutalités incomplètes avaient pour effet, c'était clair, de mieux souder le bloc des grévistes. C'était trop ou pas assez. Il fallait en finir...

Quand, le 18 juillet, un cortège se forma, et qu'on sut qu'il était en marche vers la fabrique, puisqu'il venait de tourner à gauche de l'hôtel de ville, sur la route de Scionzier, la mère, tragique, serrant contre elle sa fillette, dans la salle à manger, se mit à sangloter. Les locataires étaient là : la femme entraîna la petite et sa mère dans une chambre, et leur fit boire de la fleur d'oranger. L'homme, et ses hôtes, tinrent un conseil de guerre, derrière les volets barricadés en hâte. Il fallait faire vite. On entendait le bruit de la foule, les chants.

Alors les quatre fils prirent leurs fusils, et le locataire les suivit dans le petit pavillon qui surplombait la route.

XII

C'était un enfant que ce grand cadavre auprès duquel Catherine était agenouillée, un enfant de son âge, peut-être un an de plus, dix-neuf ans ? La tête petite, avec les cheveux presque rasés, au-dessus de l'immense corps affaissé. Un chapeau de paille, de ces chapeaux que portent les pêcheurs et qui coûtent quelques sous, en était tombé dans sa chute. Les épaules énormes, si larges, semblaient s'être enfoncées dans le sommeil en abandonnant toute leur force. Les bras nus, les manches roulées au-dessus des coudes, s'étaient crispés dans un geste de défense tardif, pliés, les paumes vers les meurtriers, et le visage renversé complétait ce geste par une expression hagarde de protestation contre la mort, la bouche et les yeux ouverts.

Deux balles l'avaient frappé : une dans la poitrine qui avait ensanglanté la chemise, l'autre dans le cou où béait une plaie horrible.

Catherine ne pouvait détacher ses yeux de cette plaie. Elle n'avait vu de morts que de vieilles gens dans les chapelles funéraires organisées par la piété familiale dans une chambre d'appartement bourgeois. Dans le plein soleil, la douleur peinte à jamais sur ce jeune visage, à la peau encore enfantine, ce contraste effrayant de la force et de la mort, tout cela la faisait trembler et la figeait. Il y avait dans sa tête un grand tumulte, qui couvrait les clameurs environnantes, les allées et venues autour d'elle.

Toute son histoire des derniers jours venait tremper ici dans ce sang répandu. Toute la révélation de l'amour, cette espèce d'inconscience heureuse de l'été, Jean. On venait de tuer un homme. Les taches de rousseur près des narines étaient le plus navrant de tout. Elle ne l'avait pourtant jamais vu que mort, ce garçon. Ce n'était pas Jean. Mais c'était pire que Jean, un peu plus que Jean. Et elle s'entendait lui répondre, à Jean : *Ils ont raison!* Quelque chose naissait en elle, qui dépassait la femme à peine née qu'elle était, et qui faisait pressentir la mère : elle regardait ce front dans la poussière, avec un désir infini de le laver doucement, comme pendant la fièvre à un enfant qui délire.

Et c'est alors qu'arriva la vraie mère.

Avait-on été la chercher? Ou était-ce le bruit de la fusillade qui l'avait tirée de chez elle? Elle n'avait pas quarante ans, cette femme maigre, dont la peau était tannée et ridée, sans suc, retirée sur elle-même, de telle sorte que l'œil noir et profond avait l'air enfoncé dans le squelette. Cinq grossesses, le travail, l'avaient efflanquée et dans sa jupe noire, nu-tête, sachant déjà le drame, écartant les assistants, pour avancer tout droit d'une foulée puissante, jusqu'à son petit, mort, ce n'était déjà plus une femme, mais un cri qu'on attendait, et elle arriva devant le corps, et elle le reconnut longuement, et le cri ne sortit pas.

Elle s'agenouilla et ses doigts se posèrent sur le visage

du fils endormi. Soudain, elle les retira avec horreur, ayant senti l'humidité visqueuse du sang. Elle s'appuya tout naturellement sur Catherine, dont elle acceptait la présence contre elle, sans poser de questions.

Le médecin avait déjà regardé le mort, hoché la tête et couru au plus pressé. Il y avait bien une cinquantaine de blessés, plusieurs morts. Deux hommes se penchaient vers la mère et proposaient d'enlever le corps. Des amis de son petit. Elle les reconnaissait. C'était Baptiste, celui-là. Elle releva un visage où comme dans un désert roulait une seule lourde larme. Toute la fatigue de la vie inscrite aux plis de ce visage. Elle remerciait des yeux. Ils prirent le mort l'un par les pieds, l'autre sous les épaules. Les bras restèrent pliés d'effroi.

En se relevant, la mère avait ramassé le chapeau de paille, et Catherine s'était relevée avec elle, et avec elle, le bras de la mère sur ses épaules, elle gagna le logis misérable où on déposa le corps. Les hommes se retirèrent, laissant le mort sur un lit. Catherine hésitait, la mère la retint. Elle avait un air traqué, peut-être redoutait-elle d'être seule.

Une maison pauvre de village, avec des murs en torchis et plus de place pour les bêtes que pour les gens. Où étaient les autres enfants? Pour quelque raison, la mère était seule. Morts, embauchés ailleurs? Le mari, qui était un maçon italien, fixé à Cluses, était tombé d'un échafaudage il y avait de cela cinq ans. Tué sur le coup. Elle, fille de paysan, n'avait jamais cessé de cultiver un lopin de terre âcre, peu fertile, d'où elle tirait de ces pommes de terre de Savoie qui sont roses et aqueuses, et dont les étrangers ont le dégoût.

La pièce nue avec le lit qui était toute la richesse, un bahut pour la vaisselle de terre, l'armoire, et dans un coin un petit établi, où le fils continuait le soir son métier d'horloger, jusqu'à cette grève. Au mur, une image de la Dame de la Salette.

Alors la mère commença à parler.

Elle racontait à Catherine comment c'était dans sa famille quand elle était enfant, dans la montagne. Douze frères et sœurs qui couchaient dans une pièce où l'hiver on rentrait les moutons. Son père les menait paître, sa mère cultivait la terre, comme elle. Elle était la plus jeune. Il ne restait qu'une de ses sœurs qu'elle n'avait pas vue depuis dix ans, qui habitait au-dessus de Servoz. Les autres étaient tous morts. Accidents, phtisie. Ce qu'elle avait travaillé dans sa vie! Faire tous les vêtements et la nourriture d'un homme et de cinq gosses. Les tenir propres. Sarcler les mauvaises herbes dans le champ. Le retourner. Semer. Arracher les pommes de terre. Il y a toujours quelque chose à faire de ses mains, dans une saison comme dans l'autre. Joseph grandissait, un beau gars. Quand il avait été accepté à l'école d'horlogerie, elle avait pensé qu'elle pourrait un jour ne plus rien faire que coudre, et la lessive peut-être. Il était promis à une fille de Bonneville, une ouvrière en horlogerie aussi, elle ne savait pas ce qui se passait, elle était allée à Annecy et ne reviendrait que le lendemain. C'était pour des papiers pour le mariage.

Le récit coulait, coulait, sans cris, sans explosions, comme si raconter avait permis de faire l'économie des larmes. Montagnarde dure à elle-même. Ses mains froissaient un peu le bas de son tablier noir.

Soudain, on frappa à la porte. Les deux femmes se regardèrent. Toutes deux avaient peur que ce ne fût la fiancée, par hasard. Catherine s'éloigna du lit et ouvrit la porte. C'était Jean. Les voisins lui avaient dit où trouver Catherine, il venait la chercher... il n'osa dire pour manger, et se découvrit, voyant pour la première fois le mort. « Je viendrai plus tard », dit doucement Catherine et elle le mit sans cérémonie à la porte.

La mère, maintenant, comme si cet intermède avait enfin permis aux larmes de trouver leur chemin, pleurait en silence, à gros ruisseaux. Son visage était pareil au champ sec et cent fois retourné qu'elle avait cultivé toute sa vie. L'eau y coulant n'entrait pas, n'apaisait rien.

Elle pria Catherine de l'aider, et à elles deux elles entreprirent la cérémonie de la toilette. Aucune voisine ne se proposait : toutes étaient encore sur le lieu de la fusillade, aux alentours de la fabrique en flammes. Les yeux ne voulaient absolument pas se fermer.

Puis vint l'employé de la mairie, avec le médecin. La mère s'était assise près du lit et à voix basse chantait les chansons dont jadis elle avait bercé ses enfants. Catherine était toujours là.

Jean vint la réclamer. Elle sortit une minute avec lui pour lui demander s'il avait pris une chambre à l'hôtel. Deux chambres, il avait retenu deux chambres parce qu'on ne pourrait pas faire autrement que de voir le lieutenant qui était quelqu'un qu'on était appelé à rencontrer un jour dans la vie. Catherine le renvoya et revint à côté de la mère prendre la veille.

Cet étrange devoir qu'elle accomplissait lui donnait surtout, elle se l'avouait, la possibilité de rester loin de Jean, la possibilité de réfléchir, de mettre entre la vie telle qu'elle était ce matin encore et la vie telle qu'elle s'ouvrait maintenant la barrière de cette mort, dont elle éprouvait la présence.

Des fantômes la hantaient. Brigitte Josse... Paris... les soirées du cercle catholique... Régis. C'était cela, le cauchemar, et non pas ceci, malgré l'horreur. La vie. Qu'adviendrait-il d'elle d'ici dix ans? Entre ce jeune ouvrier mort et cette femme vieille avant l'âge, elle supputait son destin. L'appartement de la rue Blaise-Desgoffe qui constituait pour elle, pour sa mère, une sorte de pis-aller, une déchéance, s'opposait naturellement à ce logis de Cluses où retentissaient de petits sanglots mouillés. Elle ne pouvait rien imaginer de sa vie future, rien. Un autre appartement, qui sait? Jean était effacé, mais alors totalement, de cette perspective. Des conversations avec des hommes plus ou moins intelligents. Des concerts. Le vide. Voyons, dans dix ans, nous serons en juillet 1914... Que se sera-t-il passé? Quels bouleversements? Un peu plus, un peu moins d'argent, suivant que M. Simonidzé aurait là-bas, à Bakou, une maîtresse un peu plus ou un peu moins exigeante, suivant que les puits de pétrole seraient généreux ou taris...

Et les gens d'ici qui auraient depuis tant d'années terminé la grève, ils feraient toujours de l'horlogerie pour des patrons, peut-être avec un nouvel outillage, et de nouvelles lois sociales qui n'arrangeraient rien. Est-ce qu'on les tuerait dans dix ans comme aujourd'hui?

On frappa encore une fois à la porte, et ce fut encore Catherine qui ouvrit : elle se trouva en face d'un prêtre, revêtu de ses ornements, et flanqué d'un mioche sournois en surplis qui agitait une sonnette. Elle se retourna vers la chambre, la gorge sèche, révoltée de ce qu'elle allait voir, prête à fuir devant la religion, bien plus que devant la mort : « Le curé! » dit-elle.

Les sanglots s'arrêtèrent de secouer les épaules maigres de la mère. Catherine la vit se dresser, se tourner vers l'image de la Vierge de la Salette, puis virer lentement vers la porte. Le prêtre entrait déjà, et l'enfant de chœur se hissait sur la pointe des pieds pour apercevoir le visage du mort. Des mots latins volèrent dans le calme de la chambre, comme un luxe dû au défunt.

Soudain la mère se saisit d'un balai de branchages qui était appuyé au mur, et noire, la bouche ouverte de fureur, les yeux secs, elle le brandit vers le prêtre qui tenait dans ses mains le ciboire plein d'hosties consacrées, et de l'autre main montrant la porte elle hurla.

Certes, M. le Curé de Cluses était un homme de taille à lutter avec une femme, mais devant un mort la simple décence le lui interdisait. Il battit donc en retraite, avec son gamin, qui dans sa terreur agitait sa sonnette à tout rompre, non sans tenter de se faire une alliée de cette jeune demoiselle, qui avait l'air de bonne société, en balbutiant quelque chose sur les sacrements de l'Église, les derniers secours aux agonisants, etc., et le caractère de son ministère. La porte claqua sur son dos.

Les deux femmes se retrouvèrent face à face. La mère crut nécessaire de s'expliquer :

« Joseph ne croyait pas à leur religion, il n'allait pas à l'église. Sauf parfois le 15 août pour chanter... » Elle se signa. « Moi, j'y crois bien un peu. Mais tout de même, quand on est mort, nous qui nous échinons toute la vie pour eux, ils n'ont qu'à nous foutre la paix, Sainte Vierge! Ça, ils ne peuvent plus rien sur les morts! »

Là-dessus elle retourna vers le lit, et pleura. Elle caressait l'enfant endormi. Il faisait une chaleur suspecte. Le logement mal aéré était conçu pour l'hiver. Des gens commençaient à venir, se glissaient par la porte, des voisins, des amis, des inconnus, des travailleurs. Eux, la mère ne les chassait pas. Elle semblait simplement ne pas les voir. Ils s'approchaient, hochaient la tête. Certains repartaient. D'autres restaient là, gauchement. Catherine se sentait regardée. Une odeur fade, affreuse, commençait à monter du lit.

Un homme entra. C'était un des dirigeants du syndicat. On lui fit place. Il prit les mains de la mère et dit simplement : « Il ne reste rien de la fabrique, leur maison n'a pas été touchée. Quatre des canailles sont en prison. On ne sait pas ce que sont devenus les autres. »

La mère le regardait avec une intensité incroyable. Alors il fit ce qu'il fallait faire, il se pencha sur elle et il l'embrassa comme un fils.

Catherine se glissa au-dehors, en disant tout bas, pour elle-même : « Je reviendrai... »

XIII

Au hasard, dans la nuit, où va-t-elle ? Elle ne connaît pas cette ville, où sauf dans les lieux où veille la mort, finalement tout s'est couché, par une habitude plus forte que les bouleversements mêmes. Elle marche, Catherine, parmi les maisons, et elle ne craint pas de s'égarer, elle ne cherche pas l'hôtel inconnu où Jean l'attend sans doute.

Elle va vers la campagne, vers la solitude où retrouver ce calme qui ne sera jamais plus l'insouciance antérieure.

C'est ainsi qu'elle atteint une voie ferrée, qu'elle suit. Une lueur. La gare. Ici des gens veillent encore. Les cheminots qui parlent avec des soldats. Dans la clarté d'un fanal, l'éclair d'une baïonnette. On attend un train. Près d'un hangar rouge, sur une voie de garage il y a des wagons de marchandises. Encore un groupe de soldats.

« Hep, la petite demoiselle, on ne passe pas! »

Le soldat a reconnu Catherine. Il l'a vue tout à

l'heure devant l'usine pendant la fusillade. Il lui parle. Oui, les patrons sont là. Dans un wagon à chaux. La mère et la fille qui se sont sauvées, comme elles étaient, en peignoir. Madame est en pantoufles, sans chapeau. Et le père ? Tenez.

Un homme de cinquante et quelques années, hagard, nu-tête, surgit près des soldats. Un homme puissant, mais qu'a défait l'épouvante. A la lueur des lampes, le cramoisi de l'apoplexie près des yeux apparaît comme la craquelure d'une faïence. Les soldats ne lui parlent pas. Ils regardent au loin si le train d'Annemasse arrive, oui ou merde. Il fait sommeil.

L'homme jette des regards traqués autour de lui. Les baïonnettes ne le rassurent pas. Il dévisage avec terreur Catherine. Il s'assied sur le bord de la voie, et les mots sortent de sa gorge avec un raclement de faux col : « Je n'en puis plus. Je vais mourir ici. »

Un des soldats se détourne : « Mieux vaut crever comme ça qu'autrement. » Et sa main a un geste de guillotine. L'homme est reparti dans son wagon. On entend sangloter la femme.

Catherine ne peut plus supporter le spectacle de cette lâcheté. Un sifflet d'ailleurs annonce le train qui arrive en crachant son mépris de fumées. Elle a traversé la voie, elle est dans la campagne.

Étrange nuit, étrange nuit. Impossible de rien comprendre à ce splendide paysage sans lune où les sapins font des gestes de sorciers dans la brise chaude encore du jour. Et les idées dans la tête de Catherine sont comme les ramures alpestres, noires, chantantes, et emmêlées.

L'appartement de la rue Blaise-Desgoffe, Jean, l'amour, la solitude. De quoi a-t-elle peur cette Catherine qui riait tout à l'heure de pitié de la mine de ce vieux lâche ? Car elle a peur, quand elle pense à l'avenir, qui a pour elle invinciblement ce soir la teinte sanglante d'une tuerie sans fin. Tout à l'heure, si elle s'est enfuie, ce n'était pas seulement de dégoût. Mais ces jeunes soldats, elle ne pouvait pas les regarder sans horreur, elle les voyait déjà morts, leurs bouches ouvertes à jamais sur l'agonie, leurs yeux révulsés... Il lui semblait qu'elle ne pourrait plus jamais regarder un homme *vivant.*

Elle était morte de fatigue. Dans un champ où il y avait des rocs, elle s'assit, avec ce sentiment extraordinaire de devoir qui ne prend jamais que les êtres que le sommeil va saisir, qui se sentent coupables de s'endormir, luttent et tout aussitôt succombent sous le poids d'une nuit qui monte comme une marée en eux.

Catherine dormait sur la terre. L'appartement de la rue Blaise-Desgoffe. Jean...

... Combien y avait-il de temps qu'elle dormait quand un bruit de voix persistant la tira de ses rêves ? Peut-être un simple instant, peut-être un siècle. Un couple. Un beau garçon, fort, et une fille de dix-huit ans peut-être, brune, longue et effarouchée. Elle avait tout l'amour du monde dans les yeux. Elle portait un tablier, et un chapeau rond de paille noire. Une paysanne riche sans doute. Ses mains couraient le long de son amant. Elle ne disait pas un mot, elle : elle le vérifiait vivant. Lui s'expliquait.

« Oui, quand ils nous ont sortis de la cave, il fallait faire vite à cause de la foule qui nous aurait déchirés. J'ai tout de suite vu le parti à tirer de l'affaire. Dans l'obscurité du bâtiment ils n'avaient même pas trop compté leurs prisonniers. Quatre ou cinq, c'était tout un pour eux. Je me suis jeté dans l'ombre du passage. Et quand ils ont eu passé, tous, j'ai filé.

— Si les ouvriers t'avaient reconnu! » murmura la voix féminine de l'ombre.

Ainsi c'était l'un des assassins, évadé. Catherine, mollissante, mal tirée du sommeil, entendit des soupirs et des baisers. La fille blottie dans les bras du jeune homme maintenant parlait, folle de terreur. « Mais pourquoi avez-vous tiré?

— Ils avaient des bâtons... »

Catherine revoyait la scène.

« ... et ils ont lancé des pierres. J'en ai reçu une, là, dans la joue. »

Mensonge! Mensonge! Mais la femme avait mis son doigt sur la joue lapidée. « Oh, tu es un brave, Marcel, tu es un brave! »

On aurait dit que Marcel répondait à une question de Catherine : « Maintenant qu'est-ce que je vais faire? Je voulais te voir, te parler, mon amour. »

Ce fusilleur disait *mon amour* avec une douceur incroyable.

« Et s'ils me reprennent? Se cacher? Est-ce qu'on peut se cacher longtemps? Ah tous les deux ensemble, par exemple. On se couchera dans un lit pour ne plus penser.

— Chéri...

— Mes trois frères, et le vieil idiot, sont en prison. Tu comprends, il y a quelque chose d'impossible dans cette fuite. C'est contre eux, contre les miens...

— Tu ne vas pas te livrer?

— Pas cette nuit. Mais demain? Le jour d'après? Et puis qu'est-ce que j'aurais à me cacher? Qu'est-ce que j'ai fait de mal? »

Catherine, sur la terre dure, éprouvait comme un vertige : au fait qu'a-t-il fait de mal, Jean? C'est vers lui que s'envole un vaste désespoir. Et il a pris deux chambres, l'imbécile.

Les amoureux ont passé.

Parce qu'on ne sait jamais, le capitaine si on le rencontrait plus tard, dans la vie... ou était-ce le lieutenant?

Catherine regagna la ville, l'hôtel, la chambre retenue qu'une sorte de petit monstre lui indiqua.

La matin la surprit au réveil, honteuse d'avoir oublié cette image de la mort qu'elle ne croyait plus devoir quitter, de ce grand corps jeune et malhabile, avec du sang sur la chemise, du sang qui ne coule plus.

Quand elle descendit, une servante lui dit que Monsieur attendait Madame au café. Et elle s'y rendit, comme si c'était la chose la plus naturelle du monde.

Elle vit tout de suite que Jean n'avait pas dormi. Il y avait tout un tas de gens à sa table, et cela parlait.

« Permettez-moi, Catherine, de vous présenter le lieutenant X... Ma fiancée, Mlle Simonidzé. »

Catherine regarda Jean dans les yeux. Il pâlit. Il tenait à elle de toutes ses forces. Il ressentit comme un soufflet terrible, ce *non* irrémédiable, et dédaigneux, lisible dans les prunelles de son amie. Il y avait là le correspondant d'un journal socialiste. Tout ce qu'on faisait de plus rouge. L'officier du 30e de ligne, donc, que Catherine n'avait qu'aperçu la veille. Et des personnalités de Cluses. L'un des patrons de l'horlogerie clusienne, un homme très avancé pour son monde, un esprit assez large de toute évidence.

Catherine lui demanda ce qu'il advenait de la grève.

« Mais elle est finie! s'exclama-t-il. Il ne s'était élevé de contestations qu'entre ces messieurs et leurs ouvriers. Plus de patrons, plus d'usine! C'est le combat qui cesse faute de combattants. La cinquantaine d'ouvriers qui travaillaient dans la fabrique ne chômeront pas davantage, il faut l'espérer. Je pourrai en effet embaucher le personnel de mon collègue qui avait pour clientèle des marchands de Besançon qu'il fournissait de mouvements de montres. Je peux arriver à une entente avec les marchands et aussitôt que cette entente sera conclue, le travail reprendra. Il n'y a pas de raison pour que je ne les fournisse pas, ces marchands. C'est là une solution éminemment souhaitable! »

L'approbation universelle entourait ce petit discours. Catherine eut envie de boire. « Qu'est-ce que vous prenez ? » Eux, ils buvaient tous de l'absinthe. C'était un peu long, avec tout ce micmac de la cuiller et du morceau de sucre. Enfin, tant pis. « Garçon, une absinthe! » Elle n'aurait pas regretté d'être ivre, un peu.

Elle sentait l'approbation donnée à cet industriel content de soi-même. L'approbation de Jean. Elle aurait pu discuter? Mais à quoi bon? Du moment qu'il ne sentait pas comme elle, d'instinct, l'affreux, l'intolérable de cette histoire. L'absinthe l'envahissait doucement. Et les propos de l'entourage. Un des fusilleurs, le plus jeune, s'était évadé, on ne savait pas trop comment. Les parents avaient fui à Genève ou à Annecy, on n'était pas fixé. Le locataire allait probablement être relâché, malgré le témoignage du secrétaire du syndicat des horlogers, affirmant qu'il l'avait vu recharger les fusils.

« Ça, disait le capitaine, je m'inscris en faux sur ce point. Je ne suis pas suspect de tendresse pour ces gens. Mais enfin il faut être juste... »

L'absinthe colorait toutes les choses. Jean remuait une jambe machinalement, c'était horripilant. Le procureur de Bonneville et un juge d'instruction étaient arrivés à Cluses. Le matin même il y avait eu un petit incendie dans un local où étaient cantonnés des soldats.

Était-ce la malveillance? La femme à qui appartenait la baraque disait que c'était une imprudence, mais pouvait-on la croire? Enfin trois instructions étaient ouvertes : une contre les fusilleurs, deux contre inconnus, pour ce petit incendie, et pour l'incendie et le pillage de l'usine.

Comment? on allait poursuivre les ouvriers?

Une espèce de vertige emportait Catherine, la chaleur de midi montait de la rue. Tous ces hommes autour d'elle, la couleur des joues haussée par l'apéritif. Elle ne distinguait plus Jean des autres... des siens.

Toute la vie de Cluses maintenant passait dans les propos des buveurs. La terreur des habitants aisés pendant les deux derniers mois, le spectre rouge. Le juge de paix avait fait filer son argent en Suisse. Il n'était pas le seul. Il faut dire qu'évidemment les événements de la veille étaient horribles. Mais comme, dans ce qu'on ne peut plus éviter, il faut toujours voir le bon côté, on devait reconnaître que les coups de feu avaient assaini une atmosphère extrêmement chargée. Les coupables en prison, comme la grève, l'émeute n'avait plus de raison d'être. La vie normale revenait à Cluses. Les soldats y resteraient sans doute encore pour la forme... On se moquait du maire, un poltron qui avait aussi quitté Cluses, la veille dans la soirée. Évanoui!

Catherine n'écoutait plus. Et puis il y eut le déjeuner. Le lieutenant resta avec elle et Jean pour le déjeuner. C'était Jean qui avait insisté. Il avait pris deux chambres à l'hôtel...

Quand ils furent seuls vers le soir, quand ils eurent connu les détails de l'autopsie, le protocole arrêté pour les obsèques du lendemain, Catherine, assez lasse, essaya tout de même de dire ce qui la hantait depuis l'apéritif.

Cette histoire de la clientèle reprise par un concurrent... Eh bien? Jean ne voyait pas le point. Enfin, est-ce que ce n'était pas abominable? Abominable? Je ne comprends pas.

Alors, il acceptait que tout, la grève, la lutte, l'héroïsme et finalement ces morts, tout cela aboutît à centraliser la clientèle, que cela profitât à un patron, à...

Jean trouvait Catherine trop exaltée. Et puis, il fallait bien qu'ils reprennent le travail, ces gens, qu'ils mangent. La vie doit continuer. De quelle façon imaginait-elle que les choses pouvaient tourner? Non, décidément il ne voyait pas.

Catherine, plus que tout, souffrait de se sentir absolument incapable, parce que c'était trop évident, d'objectiver sa pensée, ses sentiments. Elle ne trouvait pas les mots.

Et Jean s'éloignait d'elle par là même. Il était bien d'un autre monde, un ennemi.

Quand il lui demanda si elle voulait rester pour les funérailles, elle refusa. Ils prirent dans la soirée le train pour Paris.

XIV

Un socialiste-révolutionnaire ayant tué le ministre du tzar de Plehve le 28 juillet, le 29 il y eut une scène entre Jean et Catherine, dans un petit restaurant où ils avaient cru renouer doucement une liaison qui s'en allait de partout, comme une étoffe.

Reprendre cette vie où l'on était des étrangers l'un

à l'autre n'allait pas sans un déchirement qui jetait sur toute chose une lumière de vide et d'inutilité. Catherine n'aimait pas Jean, certes, mais n'était-il pas son premier amant? Elle ne pouvait se décider encore à en choisir un second. Elle avait un peu peur aussi que Jean prenne cela très mal, bien qu'il n'eût aucun droit sur elle, elle le lui répétait sans cesse.

Il y eut des rechutes. Elle détesta ces chambres d'hôtel, la bêtise de ces garnis parisiens, où viennent des dames en voilette. Elle détesta Jean avec eux. Il le sentait, il en souffrait. Il ne disait rien. Ils restèrent quinze jours sans se voir. Puis il lui demanda d'être sa femme. Elle en aurait pleuré.

Cela prit des mois. Jusqu'à l'hiver. Quand elle lui raconta un jour que la veille elle avait couché avec quelqu'un, il devint assez pâle, mais dit : « Vous ne voulez pas m'épouser, Catherine? »

Après cela, il fut entendu qu'ils étaient de grands amis. Jamais il ne se dédit de sa proposition de mariage. Elle le vit moins. Mais certains jours de tristesse, elle se souvenait de lui et il accourait.

Hélène était à Nice. Elle avait de la fièvre chaque soir, on craignait la phtisie. Mme Simonidzé l'avait expédiée sur la Côte d'Azur et chaque sou qui pouvait s'envoyer était pour elle. A Paris, on était très pauvre, partant. Mercurot s'était déclaré. Dès qu'Hélène serait remise, le mariage aurait lieu. La famille Mercurot était hors d'elle. Cette intrigante! Une étrangère, pensez donc, épouser un officier français!

Ce fut dans cette année 1905 où l'écrasement des Russes en Extrême-Orient et les nouvelles contradictoires des journées révolutionnaires firent à Catherine un horizon dont elle était hantée, que la jeune fille se sentit devenir femme. Liaisons ébauchées, à trois ou quatre reprises, liaisons abandonnées, toujours parce que le plaisir qu'elle avait d'un homme ne pouvait lui en cacher la vie, les idées, l'asservissement social. Une espèce d'explorateur, qu'elle avait connu par Brigitte. Devèze qui se faisait suppliant, avec lequel elle ne coucha qu'une fois et à qui elle dut fermer sa porte, parce qu'il pleurait et parlait de mourir. D'autres. Un étudiant, pris dans la rue.

Une sorte d'amitié nouvelle s'était nouée entre Catherine et Martha Jonghens. Ces deux femmes, si dissemblables, que pas une idée ne liait, qui avaient, celle-ci de l'effroi, celle-là du mépris, pour les jugements que l'autre prononçait, se sentirent alliées par quelque chose, confusément. Cela devait être un certain goût des hommes ; ou tout au moins, étaient-ce les choses de l'amour qui les rapprochaient. Martha savait, maintenant, sans confidences de la part de Catherine, qu'elle pouvait s'ouvrir à elle de tout ce qui touchait M. de Houten, que cela serait entendu, et elle parlait.

M. de Houten était marié. Il ne vivait point avec sa femme, bien que celle-ci partageât son appartement. Elle voyageait beaucoup, c'était une personne intelligente, mais sa vie était ailleurs. Elle avait un fils de son mari. M. de Houten faisait des affaires. Il jouait un peu à la Bourse, et cela donnait des soucis à Martha qui n'aimait pas le risque. Son frère Blaise, par exemple, qui maintenant menait grand train, il était évident qu'un jour ça tournerait mal.

Bien qu'elle fût de beaucoup la cadette de Martha, Catherine se sentait sur elle une supériorité de grande sœur : sans doute de ce qu'elle avait en une année pris plus d'expérience des hommes que Martha en six ans de liaison avec M. de Houten, sa seule passion. Comme elle parlait de lui! Des soirées qu'ils avaient eues à

Montmartre, des dîners en cabinet particulier, le champagne, sa moustache. Et il y avait au fond de tout cela le panorama des voyages que son amant avait faits pour elle, la vie cosmopolite des grandes capitales, tout un monde effrayant et charmeur...

Martha sut-elle jamais que Catherine avait été la maîtresse de son frère Paul? C'est peu probable. Cela se fit un jour, sur une décision bien mûrie de Catherine, qui voulait se débarrasser d'une obsession. Et Paul pour toute sa vie eut, comme d'une défaite, le souvenir de ces quelques jours d'où elle était sortie au moment qu'il lui avait plu, à elle, sans égard pour lui, pour son humilité de chien battu, sa faim d'ogre éconduit, ses rages, ses larmes enfantines.

Martha n'était pas jalouse de M. de Houten, il était sa vie, elle avait en lui une foi aveugle. Elle rapportait ses mots, ses jugements. Elle n'aurait pas ouvert un livre qu'il avait condamné. Cela irritait Catherine, mais en même temps le bonheur de Martha lui allait au cœur.

Les affaires de la pension de famille n'étaient pas mauvaises. Des jeunes filles y venaient de l'Illinois ou de Hongrie, qui séjournaient à Paris à cause de la victoire de Samothrace ou de Mary Garden. Solange Jonghens les conduisait aux cours du Louvre, ou aux conférences des Annales. C'est ainsi qu'elle connut Gaston du Bail.

Gaston venait d'hériter d'un oncle. De quoi se mettre en ménage, ses dettes du Quartier payées, liquidée une petite amie assez bruyante qui l'avait poursuivi une fois avec son revolver jusqu'à la porte même des Jonghens. M. de Houten, consulté, avait mis en rapport le jeune du Bail avec le préfet de police. Lépine avait été charmant : on avait parlé à la demoiselle, et elle avait consenti à quitter la France.

Gaston avait vingt-six ans. Il était terriblement épris de Solange. Une jeune fille ! Cela lui tournait la tête. On hâta les fiançailles et le mariage.

Mais c'est vers ce temps-là que les affaires de Blaise Jonghens, brusquement, tournèrent à la catastrophe. Catherine était chez elle un matin quand Blaise débarqua à l'improviste. Il était dans un grand désordre, il n'avait pas dormi ; où diable avait-il passé la nuit ? Il était venu chez elle sans rentrer à son domicile, dès qu'il avait pu être dix heures.

« Pourquoi chez vous ? Voilà : ma petite Catherine, si vous n'intervenez pas, je suis un homme mort, à moins que je ne préfère le bagne... Vous comprenez, Martha, elle me fiche le trac. Je ne saurais pas lui parler... Alors, vous. Vous êtes sa meilleure amie, et puis pas idiote. Enfin. Mon petit, donnez-moi la main et regardez-moi... »

Au milieu de tout ça, il jouait encore de sa carrure de géant, il l'enveloppait du regard. Maquereau, pensa-t-elle. En fait, chez son patron, il avait joué pour son compte avec l'argent des clients de l'agent de change. Cela avait marché pendant un bon temps. Puis il y avait eu du découvert...

Enfin si Martha le voulait, M. de Houten...

Catherine le regardait avec une espèce d'horreur. Maquereau, mais lâche avec ça. Il tremblait de fièvre à l'idée qu'elle allait lui refuser cette démarche. « Pourquoi ne parleriez-vous pas directement à M. de Houten, Blaise, si vous croyez qu'il peut vous tirer de là ? »

Blaise se décomposait. Elle était toute sa chance, elle n'allait pas se dérober ? N'est-ce pas si M. de Houten savait de quoi il retournait, il ne donnerait rien. Mais si Martha demandait *pour elle-même*. « Vous comprenez, Catherine, le bagne. J'ai fait des folies. Des choses écrites... des chèques... » Il s'embrouillait, il lui prit un poignet. Il essayait encore du charme : « Katioucha... » Il voulait l'embrasser. Paul avait dû lui dire... Elle eut un sursaut de dégoût.

« Pas de bêtises, Blaise, ça suffit comme ça. »

Bon, elle parlerait à Martha. Il pleurait dans les coussins de Mme Simonidzé.

Pour Martha, c'était le ciel qui s'effondrait. Elle disait bien tous les jours que ça tournerait mal avec Blaise, mais cela ne représentait pas grand'chose dans sa tête. Comment allait-elle parler de cela à Joris ? Elle s'en faisait un monde. Et puis avec ça que c'était commode sans avoir interrogé Blaise... un tas de questions se présenteraient auxquelles on ne saurait pas comment répondre... Elle aurait bien vendu sa pension pour tirer son frère d'affaire... plutôt que de rien dire à Joris... mais n'est-ce pas, elle n'était pas à elle seulement — Miss Baxton... Et demander à Joris, de l'argent ! de l'argent ! Au moment où Solange allait se marier ! qu'est-ce que Gaston du Bail dirait ? Catherine ne pouvait pas abandonner son amie, qu'elle reste avec elle pour parler à M. de Houten !

Tremblante Martha ! Elle ressemblait à son frère dans la peur. Elle ne put jamais dire à M. de Houten, à son dieu, qu'une tare si effroyable avait marqué sa famille. Elle éclata en sanglots et murmura : « Parle, toi... » à Catherine.

M. de Houten fut très ennuyé, mais d'une correction parfaite. Diable, on ne trouvait pas comme ça cent mille francs dans le pas d'un cheval... enfin il allait voir. Évidemment il fallait éviter ce scandale, à cause du mariage de Solange. Il n'avait pas l'argent, mais si Blaise était raisonnable, il connaissait quelqu'un qui, peut-être... Il lui parlerait lui-même.

Martha, absolument hystérique, se cramponna à

Catherine après le départ de son amant. Où était Blaise ? Non, elle ne lui parlerait pas. Catherine avait vu quel homme admirable était son Joris. Elle suppliait Catherine de rester dîner.

M. de Houten parla le lendemain avec Blaise. Il vint voir Martha, la rassura. Mais le surlendemain, dans un petit hôtel d'Auteuil, Blaise Jonghens fut trouvé avec une balle dans la tête.

« Ce sont les remords, expliquait M. de Houten, parce que tout était arrangé, fixé... La mort éteint les poursuites. Ma foi, je ne ferai pas pour Blaise mort ce que j'aurais fait pour lui vivant. »

Catherine avait été avec Martha à l'hôtel. Dans le décor banal de la chambre, ce cadavre d'homme jeune l'avait ramenée aux jours de Cluses. Mais ici le désordre des draps, le malheureux renversé sur l'oreiller dans une chemise de jour, et l'affreuse brèche de la balle dans le crâne, les bavures de cervelle sur le linge, la coulée du sang par la joue jusqu'au menton : tout avait un caractère de débâcle, aggravé par la montre, sagement posée sur la table de nuit, la veille au soir sans doute.

Cela ne fit pas grand bruit dans les journaux. Un fait divers, sans nom donné. M. de Houten avait vu le préfet, il lui avait parlé de Mlle Jonghens, de sa pension de famille.

XV

Le mariage de Solange était rompu. Gaston n'avait pas trouvé possible d'entrer dans une famille qui ne reconnaissait pas les dettes d'un des siens, fût-il mort.

Le train-train de la pension se poursuivait : des dames roumaines prenaient des leçons de solfège, et vocalisaient encore le matin, tandis que Miss Baxton comptait les petites cuillers.

Hélène, retour de la Riviera, guérie paraît-il, mais maigre vraiment, passait ses journées en tête à tête avec Mercurot. Il fallait en finir. Le médecin recommandait le mariage. Pas d'enfants tout de suite, par exemple ! Il y eut une messe à Notre-Dame-des-Champs, et une messe à l'église russe de la rue Daru, Hélène y tenait.

Ce mariage avait bien un avantage : la pension que faisait M. Simonidzé à sa femme et ses filles, insuffisante pour trois personnes, devenait presque large pour Catherine et sa mère, restées seules.

Mais Catherine s'en était allée aux environs de Paris pour ne pas voir ça. La petite localité où elle était tombée était toute bouleversée par la campagne électorale de 1906. Sur les panneaux de bois aux portes de la mairie, à chaque morceau de mur que ne mangeait pas une fenêtre, les affiches contradictoires et grotesques surgissaient. Le mépris de Catherine pour la politique lui rendait ces batailles murales tout à fait incompréhensibles, d'autant qu'elle ignorait ce que représentaient les étiquettes des partis : *Républicain progressif*, *Socialiste indépendant*, *Gauche démocratique*, qu'est-ce que tout cela voulait dire ?

Ce qu'il y avait de certain dans cette période où jusqu'à la campagne était empoisonnée, c'étaient la relégation des femmes, l'importance accrue des hommes paradant sur les places, pérorant aux cafés, soûls tous les soirs, fiers de leur bulletin de vote, les imbéciles ! Les titres gras s'écrasaient chaque jour sur de nouvelles affiches. *Je ne répondrai pas* disparaissait sous *Une infamie !* pour faire place à *Deux questions à M. Putois*. Dans les maisons, plus que jamais réduites à leur rôle de ménagères, les femmes allaient et venaient silencieuses.

Pourtant une affiche retint Catherine : *L'Électeur, voilà l'ennemi!* C'était une affiche anarchiste. On y déclarait que le seul moyen logique de supprimer les lois était de n'en pas faire. Il ne fallait pas élire des gens qui feraient des lois. Le député devait être supprimé, mais l'homme qui portait la responsabilité des faits et gestes du député, n'était-ce pas l'électeur? *Le criminel, c'est l'électeur!* Cette formule paradoxale répondait assez aux sentiments de Catherine pour qu'elle voulût connaître le journal *L'Anarchie* dont le nom était au bas de l'affiche.

Elle ne put le trouver qu'à son retour à Paris. C'était une feuille très pauvre que dirigeaient alors Albert Libertad et Anna Mahé. Il y avait bien dans l'extérieur de ce journal des choses qui étaient pour exciter chez Catherine un certain esprit critique. Ainsi les fantaisies orthographiques d'Anna Mahé, qui, sous prétexte d'*ortografe simplifiée*, écrivait *jalouzie, plaizir sexuel, hijiène du cerveau, un être intélijent.* Mais ce baroque, comme un certain disparat des idées, avait pour Mlle Simonidzé l'attrait du gilet rouge des Romantiques. Tout de même, l'antimilitarisme était la dominante de *L'Anarchie*, et ce serait vite dire que de prétendre que Catherine y goûtait surtout une revanche contre le mariage de sa sœur. L'antimilitarisme chez elle était une révolte contre les hommes, contre tous les hommes, et pas seulement Mercurot ou Jean Thiébault. Ce sont les hommes qui sont soldats, ce sont les hommes qui sont électeurs. Catherine ne réclamait pas le droit de vote pour les femmes, comme les suffragettes anglaises.

A vrai dire, *L'Anarchie*, qu'elle lisait maintenant régulièrement, menait contre la guerre une propagande où tout n'était pas sans force. Ainsi Catherine peu à peu s'attacha aux articles de Libertad :

« Il en est qui parlent pour la paix, écrivait-il, moi je parle *pour la guerre*. Pour cette guerre qui ne jette pas les hommes aux frontières — la révolution n'en connaît pas — mais qui les dresse contre l'oppresseur de tous les jours, en tous les pays. »

Si on mêle quelques souvenirs de Cluses à cette agressivité envers les hommes, les maris, qui donnait à la conversation de Catherine le charme d'une bataille, on comprendra peut-être comment Catherine lisait ces mots : l'oppresseur de tous les jours. Elle était loin d'approuver tous les collaborateurs de son nouveau journal. Contre l'oppresseur, les moyens les plus violents lui semblaient bons. Elle se fâcha d'un article de Ferdinand Buisson. Suivant cet excellent homme, la mère de famille devait inculquer de bonne heure à l'enfant cette idée que les armes, qu'un sabre, un fusil, un canon, sont des instruments que nous devons regarder du même œil que nous considérons au château de Chillon des instruments de torture employés il y a quelques siècles. De tout cela, Catherine entendait d'abord les mots *la mère de famille*, et cette formule la mettait hors d'elle. Il y avait des mères de famille pour les anarchistes maintenant! Et puis un revolver n'était pas une arme archaïque, s'il abattait un tyran. Enfin Catherine éprouvait l'envie de connaître ces gens si divers, de voir ce qu'ils avaient dans le ventre. Elle alla à un petit meeting qui se tint à la salle du Commerce, rue du Faubourg-du-Temple ; c'était au lendemain de l'arrestation des vingt-six signataires d'une affiche antimilitariste : *Aux conscrits*.

De cette petite salle enfumée, où se pressait un public mi-ouvrier mi-intellectuel, elle ne retint que le pathétique et la bigarrure de gens. Les longs cheveux de jeunes hommes qu'elle trouva beaux et mal tenus, l'intéressèrent en fait tout autant que la présence d'un certain nombre de femmes, bien qu'elle se fût surtout proposé en venant là d'approcher des femmes qui lui fissent oublier sa sœur, Brigitte et Solange. En fait, elle ne vit guère là, après des orateurs dont le nom ne lui disait rien, — Henri Lagné, Victor Dimitel, Jean Goldsky, — elle ne vit guère là qu'un seul homme, le directeur de *L'Anarchie*, Albert Libertad.

C'était un homme grand, à la tête comme une broussaille, avec toute sa barbe et des cheveux bruns retombant en arrière plus bas que le col. Si ses épaules lui remontaient un peu, sans doute cela tenait-il à ce qu'il ne marchait qu'avec deux béquilles. Avec son front immense et bombé, dégarni par une calvitie commençante, cet homme qui exerçait un grand attrait sur les femmes, par son regard et sa voix chantante de Bordelais, était un infirme. Vers le bas, son corps mourait. Cette volonté, cette rage se terminait par deux jambes molles qui ne pouvaient soutenir Libertad. Toute sa force était dans ses bras habitués à porter le corps. Cet être qui ne touchait pas la terre avait une fureur pathétique. Catherine ne pouvait détacher de lui ses yeux. Il parla.

« Depuis plusieurs semaines, quelques empanachés, disait-il, discutent afin de savoir qui aura le droit, des financiers français ou des capitalistes allemands, de voler les Marocains. Il paraît que si ces bonshommes pour une cause quelconque — maux de dents ou d'estomac, déboires amoureux, etc., — ont des idées maussades, les honnêtes gens de France et de Navarre massacreront les honnêtes gens de Prusse et de Bavière, et réciproquement. Pour nous, au moment où les gouvernements parlent de complications nouvelles, nous tenons à déclarer bien haut que nous ne marchons pas. Quant à ceux qui se contentent de mots ronflants, patrie, honneur, drapeau, pour se faire tuer ou tuer les autres, qu'ils aillent à la boucherie ! Sur la terre débarrassée de ces résignés nous hâterons l'avènement de la société anarchiste où les hommes seront unis par leur amour pour la vie. »

Les mots n'étaient rien : il y avait la voix, la flamme, comme un embrasement de tout ce visage aux yeux clairs. Puis le mélange de la force et de la faiblesse, de la véhémence et de l'infirmité. Catherine regardait cet homme qui portait une longue blouse noire de typographe. Quelle maladie, quel accident avait fait de lui un infirme ? Il sortait de cette blouse deux jambes ballantes, aux pieds nus dans des sandales.

Catherine s'approcha de lui, quand il fut venu s'asseoir dans la salle, et elle lui parla. C'était curieux, comme un vertige, ce besoin qu'elle avait eu de lui parler. Elle ne se l'expliquait pas très bien. Ils n'échangèrent que quelques propos sans intérêt, elle l'abordait avec une certaine timidité. Elle sentait confusément qu'il appartenait à un monde étranger, inconnu d'elle. Non pas, pensait-elle, parce qu'il était ouvrier. Non, non. Mais à cause de toute sa vie, comme un mystère. Elle se demandait comment il passait ses journées, où il dormait, de quoi il avait pu avoir l'air, enfant. Il l'invita à venir aux soirées de *L'Anarchie*.

Martha fut extrêmement inquiète, le lendemain, du récit que lui fit Catherine de cette innocente entrevue.

« Mon Dieu, Katioucha, tu n'es pas folle ? Aller dans des endroits pareils ! Tu finiras par avoir des histoires avec la police, d'abord. Et puis qu'est-ce que cette curiosité pour cet homme ?

— Voyons, Martha, tu ne penses pas que je suis éprise de lui ?

— Ah ça, par exemple, je ne l'imagine pas ! Un infirme! Mais pourquoi me demandes-tu ça? Mon Dieu, tu es amoureuse de cet anarchiste!

— Je t'assure...

— Tu es amoureuse, c'est toi qui l'as dit! Mais songe un peu à ce qui peut arriver! Quelle vie pourrait être la vôtre? Tu ne vas pas l'épouser? »

Romanesque comme toujours, cette Martha! Catherine était prise de fou rire. Il y avait là trop de choses à la fois : d'abord le comique de Martha qui n'imaginait jamais rien hors du mariage, malgré le beau Joris, puis le comique de sa frayeur, cette sortie à propos de rien, tout de suite une histoire d'amour! Cela fait mal quand on rit trop, un peu comme de courir par un grand froid : cela brûle.

Martha parla de l'affaire à M. de Houten. Il savait qui était Libertad. Il savait tout, ce Joris. Martha l'embrassa avec admiration.

« On dit bien des choses sur ce personnage, et vous devriez, chère amie, faire comprendre à Mlle Simonidzé qu'elle se fourvoie. Oh, je ne veux pas dire socialement... ce ne serait pas d'ailleurs pour la retenir. Mais répétez-lui qu'il a couru des bruits très troubles sur ce Libertad. Sans que je sache rien de positif. Vous tâcherez surtout de ne pas m'engager en répétant à votre amie ce que je vous dis là. »

Catherine fut sur le point de mettre son chapeau et de s'en aller au premier mot que lui en toucha Martha. On disait que Libertad était de la police, on avait arrêté des gens après une perquisition chez lui, et il n'était jamais inquiété malgré ses discours incendiaires. Ainsi lors de la visite d'Alphonse XIII à Paris, il avait été bien arrêté sur le pont Alexandre et par Xavier Guichard en personne : eh bien, il n'était jamais arrivé au poste de police.

« Tu comprends, mon petit, ce que je t'en dis, c'est pour ton bien. Joris me l'a raconté. Lui, ça lui est égal, que ce Libertad soit de la police. Au contraire. Il dit qu'il faut des gens comme ça, et que peut-être sans eux, on l'aurait tué, Alphonse XIII. Ce qui serait très ennuyeux. A Paris, tu penses! Pas que ça nous fasse ouf, la mort d'un roi, et d'un roi d'Espagne. Mais enfin qu'il s'arrange pour être tué ailleurs, et pas chez nous. Son père était venu nous rendre visite en habit de uhlan. Tu parles d'un manque de tact! A part ça, celui-ci est jeune, et puis j'aime assez les Espagnols. J'en ai connu un, non, c'était un Argentin. Ou un Brésilien. Je ne sais plus trop... »

XVI

C'était au 22 de la rue de la Barre qu'était le siège de *L'Anarchie*. Dans l'ombre du Sacré-Cœur, Libertad avait installé là une petite imprimerie. Il était typographe dans l'équipe de jour chez l'imprimeur Dangon, rue Montmartre. Des camarades l'aidaient à faire le journal. Il avait deux femmes, des institutrices, paraît-il. Ce n'était pas un de ces anarchistes qui, réprouvant le travail, vivent souvent du travail des autres. Pas un fainéant. Le journal, les soirées, causeries ou meetings, lui prenaient tout son temps, une fois quittée l'imprimerie où il gagnait son pain. Cela rendait assez improbables les imputations de Joris de Houten.

On se réunissait tous les lundis soirs à *L'Anarchie*. Catherine devint une habituée de ces *Causeries popu-*

*laires du XVIII*e, où tout ce que l'anarchie comptait d'étoiles, de Paraf-Javal à Libertad, défilait. C'était pour Mlle Simonidzé ce qu'est le café pour bien des hommes : un lieu où ils oublient leur ménage, les tracas de l'existence, leurs gosses, leur femme. Elle menait une vie double : l'une comme machinale, qui n'était que la poursuite de ce que la vie attendait d'elle, avec Madame sa mère, son beau-frère Mercurot, Hélène ; des jeunes gens du genre de Paul Jonghens. Qu'est-ce que c'était que cette vie-là? La chose la plus vide, la plus inutile. Une façade. Pourquoi se lever chaque jour? à quoi bon? La plupart des femmes vivent d'abord dans l'attente du mariage, puis mariées, elles sont les bonnes de leurs maris. Mais Catherine!

Elle avait donc une seconde vie, où les figurants de la première n'avaient aucune part. Le lundi soir, elle allait rue de la Barre. Cet aliment intellectuel qu'elle y trouvait était comme une drogue pour elle, une drogue à la fois exaltante et déprimante. On l'y avait tout d'abord regardée avec une certaine inquiétude. Puis elle avait été adoptée. Elle avait de longues conversations avec Libertad. Les pressentiments de Martha ne se vérifièrent pas. Il n'y eut pas entre eux de roman. Mais à vrai dire il y avait assurément quelque chose à quoi la personne de Libertad n'était pas étrangère dans la fascination qu'il exerçait sur Catherine. Souvent elle allait le voir chez Dangon. Elle l'attendait au tabac à côté. Il venait prendre un verre avec elle, et des vendeurs de journaux, des typos, se mêlaient à la conversation. Le monde agile et bizarre de la rue du Croissant tournait autour d'eux. A ces heures où la sortie des journaux du soir enfièvre le quartier, où s'arrachent au déballé de l'imprimerie les mensonges crépusculaires de la presse, toute une population surgit là, où foisonnent les chômeurs, les habitués d'une vie hasardeuse, et d'extraordinaires clochards. Avec cela, la chaufferie du jeu, car nulle part comme dans ces cafés qui entourent les imprimeries des journaux, la passion des courses ne sévit davantage. Les bookmakers des milieux ouvriers ne ressemblent pas à ceux des bars de l'Étoile. Pour Catherine, tout cela c'était en gros le peuple.

Il est certain que Catherine éprouvait comme une tare, comme une sorte de péché, cette impossibilité à se déclasser véritablement, qui l'attachait à l'univers borné de la rue Blaise-Desgoffe. C'étaient de drôles de rapports que ceux qu'elle avait avec Libertad. Il lui semblait qu'elle jouait les princesses en excursion dans les faubourgs. Pourtant elle était plus proche de cet homme que de Mercurot. Mais tout entre eux s'arrêtait à un certain point. Et avec d'autres, c'était pis.

Une des grandes choses dont Catherine était reconnaissante à Libertad, qui la mettait à l'aise, c'était qu'il la mît à l'aise sur la question des classes. La conception socialiste qui coupe le monde en deux comme une pomme, avec d'un côté les exploités, de l'autre les exploiteurs, l'avait toujours irritée. Où se situer? Elle n'exploitait personne, mais elle n'était pas une ouvrière.

Libertad disait, lui, que cette distinction était absurde. Il y a deux classes, ceux qui travaillent à la destruction du mécanisme social, ceux qui travaillent à sa construction. Par conséquent, on trouve des ouvriers et des bourgeois dans les deux classes. Catherine, du fait qu'elle venait rue de la Barre, se sentait dans le bon panier. Confort intellectuel.

Elle trouvait aussi un appui dans la violence des diatribes de Libertad contre les socialistes. C'était quand il se fâchait contre eux peut-être qu'il trouvait le plus d'éloquence. On disait à *L'Anarchie* que c'était là la source des accusations dont les socialistes se faisaient les échos, et qui présentaient Libertad comme un policier. On y affirmait que c'était la manœuvre classique du ministère de l'Intérieur envers les vrais révolutionnaires. Les noms de Blanqui et de Bakounine étaient à cet égard invoqués.

Seul Paul Lafargue trouvait quelque grâce auprès de Libertad. Oh, tout est relatif! Il le tenait pour intelligent, alors qu'il disait de Jaurès que c'était une buse. On injuriait Lafargue un peu moins qu'un autre, voilà tout, et même *L'Anarchie* reproduisit parfois ses articles.

Catherine se retrouvait encore avec ses nouveaux camarades sur un point très précis : le mépris des revendications immédiates. On était pour la Révolution, et non pas pour la journée de huit heures.

Pour être juste, Libertad se prononçait pour la journée de huit heures, à la différence de certains de ses amis, qui voulaient qu'on demandât la journée de quatre heures, et de ceux qui voulaient la journée de douze heures pour exaspérer l'ouvrier et le pousser dans la rue. Mais, disait-il, la journée de huit heures n'est intéressante que si on considère qu'en gagnant deux heures sur la journée de dix heures, on entend consacrer ces deux heures à une grève générale. La grève générale quotidienne de deux heures... Cela supposait qu'aucune infraction ne serait tolérée, interdiction de faire des heures supplémentaires gratifiées.

Il n'y avait pas qu'avec les socialistes et les syndicalistes que Libertad et *L'Anarchie* luttaient : l'ennemi c'était, pour Libertad, essentiellement le libertaire. « Je suis anarchiste, criait-il, moi! Les libertaires, ces triples abrutis, considèrent comme une cause la liberté. La liberté en soi. Une liberté posée sur ses pieds de putain comme la République de Dalou. Un principe, une statue. Au commencement était la liberté. Ceci posé, ils se considèrent comme libres, et combattent la société, en tant qu'entrave à ce don du ciel. Nom de Dieu de nom de Dieu! C'est bête à couper au couteau. Moi, je suis anarchiste, et je considère la liberté comme une fin. Je sais très bien que je ne suis pas libre. Et le déterminisme alors! »

En arrivant à ce point scientifique, Libertad agitait ses larges manches noires.

« Non, continuait-il, je ne suis pas libre. Mais je veux être libre. La liberté est une fin. Voilà pourquoi je suis anarchiste. Et non pas libertaire. Le courant libertaire de l'anarchisme est un grave danger, il fait prendre l'ombre pour la proie. Nous ne sommes pas nés libres. Qu'est-ce que c'est ce genre Jean-Jacques Rousseau? Moi, je n'adore pas la liberté, je ne suis pas *libérâtre*. Parce que je veux être libre, moi, je sais que j'aurai à en opprimer d'autres. La Révolution est un acte d'autorité de quelques-uns contre quelques-uns. »

Son sujet de conversation préféré était la question sexuelle. Son cynisme, en fait, intéressait très peu Catherine, et c'était là qu'elle trouvait son grand homme un peu faible. Elle avait eu pas mal d'amants, elle en avait toujours, et traitait assez cavalièrement d'une question qui n'était pas pour elle un problème. Les discours sur les vices, les perversités l'ennuyaient. Elle n'était pas lesbienne, et le reste c'étaient des histoires d'hommes. La polygamie de Libertad ne lui en imposait pas. Elle la désapprouvait, comme une sorte d'aggravation du mariage. Ils se disputèrent à ce sujet, à quatre, eux deux et les deux femmes. « Le plaizir sexuel! » criait Anna Mahé, avec l'aigu de sa voix.

Lors des révoltes des viticulteurs, il y eut de violentes discussions entre les collaborateurs de *L'Anarchie*. Le 17e régiment d'infanterie s'était mutiné, refusant de tirer sur la population civile. Était-ce bien assez ?

« La crosse en l'air! Voilà mon mot d'ordre », disait Sébastien Faure. Libertad répliquait : « Si on donne aux soldats l'ordre de tirer, ils ont trois possibilités. Exécuter l'ordre. Mettre la crosse en l'air. Tirer sur ceux qui ont donné l'ordre. Je suis pour la troisième solution! »

Catherine ici était profondément d'accord. Elle ne voyait pas comment elle aurait pu n'être pas d'accord. Elle fermait les yeux et elle voyait comment Jean Thiébault, dans une grève, le bras levé, avec l'épée, criait : *Feu!* Et c'était lui que les soldats couchaient en joue, *Feu!* lui qui tombait, dans la boue, dans le sang. Elle avait déjà vu mourir un homme. L'idée de Jean n'était jamais très loin d'elle. Elle le détestait.

XVII

Les minotiers de Saint-Jean-d'Angély avaient été pris la main dans le sac. Ils falsifiaient la farine avec du talc. Les cent kilos de cette denrée valaient trois francs dix au lieu de trente à trente-cinq francs la farine, ils avaient consommé cent mille kilos de talc en dix-huit mois. Ou plus exactement, ils les avaient fait consommer au public.

Cela fit quelque bruit et un procès.

Libertad commentait cette histoire en fulminant. « L'opinion s'indigne contre les industriels, disait-il, mais sont-ils les plus coupables? Pendant dix-huit mois le talc leur a été livré par des ouvriers et des ouvriers sur leur ordre l'ont mélangé à la farine. Les plus coupables, ce sont les ouvriers minotiers, les employés des gares et sans doute les mitrons.

— Ils ne faisaient qu'obéir, protestait Catherine.

— Oui, et sans doute était-ce seulement le pain des pauvres qu'ils fabriquaient ainsi. Le pain des riches, sur l'ordre du boulanger, ils le faisaient d'une autre pâte. Voilà le crime, le crime ouvrier, le plus grave. »

Il apparaissait bien à Catherine une exagération en ce point : bon, elle consentait à accuser de complicité le mitron, mais en profiter pour oublier le patron! N'était-ce pas lui le fauteur principal?

D'une façon générale, ce raisonnement complétait la sociologie de Libertad et sa négation des classes.

« Le bourgeois qui consomme sans produire rien, jamais, disait-il, n'est pas un danger plus grand que l'ouvrier consommant sans produire jamais rien d'utile. Le capitaliste, qui amoncelle des actions les unes sur les autres, est à détruire au même titre que l'employé de métro, faisant des trous dans du carton toute une journée. En fin de compte ne faut-il pas que l'ouvrier producteur les nourrisse, les habille, les loge et satisfasse à leurs besoins? Tout homme improductif est à détruire, sans haine et sans colère, comme on détruit les punaises, les parasites... »

Ainsi toute la force, la rage de Libertad, égalant le bourgeois et l'ouvrier, se tournait en réalité contre celui-ci. Il lui en voulait avec une violence imprécatoire de ne pas faire immédiatement la révolution. Les malheureux contrôleurs de métro! A eux, il en avait tout spécialement. Il pouvait parler une heure sur ce sujet. Il refaisait en parlant le geste de la main qui serre la machine perce-tickets. Il préconisait, comme remède à tous les maux sociaux, la grève des gestes inutiles : « Le contrôleur des finances et celui des chemins de fer, le bourreau et le fonctionnaire de la banque, le tisseur de chasubles et de rubans de la Légion d'honneur, le correcteur et l'imprimeur du Code et de l'Évangile, le chercheur d'or et de diamants peuvent disparaître écrasés par le tourbillon du progrès, sans que je fasse un mouvement pour empêcher rien! »

De là sa haine de la C.G.T. Comment, cette association ouvrière organisait, pour vivre au mieux dans la société actuelle, les travailleurs de toutes les professions! Mais elle ne songeait donc pas à détruire les professions nuisibles, les métiers inutiles? Qu'ávait donc besoin l'ouvrier de peindre des réclames, des enseignes, de fabriquer des compteurs à gaz, d'estamper des billets de banque? Il se rendait le complice de la compagnie du gaz, de l'État déprédateur, du commerçant voleur. Et la C.G.T. prétendait défendre les revendications de ces gens-là! Mais il valait mieux qu'ils crèvent de faim, qu'ils meurent, qu'il n'y ait plus un peintre d'enseignes, etc.

Dire qu'il y a des gens qui fabriquent des cartes de visite!

C'était là ce qu'il appelait le travail antisocial, et cette conception l'amenait à lutter tout autant contre les syndicats, le parti socialiste que contre le militarisme, par exemple.

« Ah, parlez-moi des militaires! D'abord nous avons une armée démocratique, tout le monde a été soldat, tout le monde a été complice. Mais si les militaires n'avaient pas d'armes, ils ne feraient pas long feu. Or qui donc leur fournit des armes ? Les ouvriers. Prenez une ville comme Saint-Étienne. Toute la ville vit du travail de la manufacture d'armes. Toute la ville travaille pour la guerre. Si on veut y fermer un atelier, y diminuer la production des armes, la population ouvrière se soulève. Tenez, Briand, député socialiste de Saint-Étienne, est intervenu pour protester contre des licenciements... »

Ici Catherine acquiesçait. On était en 1908, Briand était au pouvoir. Briand issu de la classe ouvrière, porté par elle. Il avait fait usage contre les ouvriers des armes que fabriquaient ses électeurs. Le peuple avait le gouvernement qu'il méritait. Le chômage n'était pas une excuse : « Le vieux cri de 1848 : *du travail !* disait Libertad, on y croit encore et c'est celui des ouvriers qui se proposent pour forger leurs propres chaînes ! Les ouvriers acceptent de faire des gestes de mort : ils fabriquent des canons, des fusils, des sabres, de la poudre, des cuirassés, des torpilles, et quoi encore ?... Des villes entières sont bâties et vivent du chancre militaire, de la pourriture patriotique, de l'élaboration croissante d'un travail de mort. Et l'on rencontre de par les rues des villes, dans tous les pays, des gens gorgés d'alcool ou de patriotisme, qui crient : Vive l'armée, vive la syphilis, vivent les soldats, vivent les morpions, vive la crasse, vive l'honneur ! »

Quand il se lançait dans un développement semblable, Libertad n'avait plus aucun égard du lieu où il se trouvait. Sa voix se faisait oratoire, il se levait sur ses béquilles, il criait. Et cela dans la rue comme au café. Dans une certaine mesure son infirmité le préservait.

Un des désaccords de Catherine avec lui, c'était le machinisme. Sur ce point, ce béquillard lyrique avait des vues qui choquaient en elle ce vieux goût de Rousseau, qui jadis l'avait unie en quelque chose à Jean Thiébault.

« Les hommes, expliquait Libertad, s'en prennent à la machine comme l'enfant qui se coupe s'en prend au couteau. »

Mais toujours, mais ici encore, pour lui le fautif était l'ouvrier même : il devait s'en prendre bien plutôt à sa maladresse, à son ignorance, ou à sa faiblesse. Le wattman du métro, esclave pendant dix heures de sa machine, que ne met-il simplement à sa place pendant cinq heures le contrôleur, qui est là à percer ses tickets... Libertad refaisait le geste du contrôleur avec une expression outrée, dont s'amusait un peu Catherine.

Quel que fût le plaisir qu'elle prît des propos de Libertad, la ferveur et le courage souvent des hommes bizarres qu'elle rencontrait dans son entourage, l'espèce de renouvellement perpétuel de ce milieu, où c'était une règle d'accueillir n'importe qui sans jamais demander d'où il venait, le passage dans ce milieu d'étranges et fugitives figures, des fous, des criminels et des êtres sans nom, sans destin, sans but... rien ne pouvait combler le vide abominable de la vie de Catherine Simonidzé.

Elle avait bien essayé de la musique, la seule chose qui lui fît vraiment oublier le monde et sa vie. Elle s'était payé ces leçons de piano que Mme Simonidzé lui avait refusées, enfant. Elle s'y était jetée avec dérèglement. Elle apprenait aussi le chant. Mais il était trop tard maintenant : elle comprenait que jamais elle n'atteindrait à la maîtrise qu'elle aurait eue si elle avait commencé vers dix ans cette étude. Elle se lassa.

Bon, il y avait des heures qu'elle pouvait passer ici ou là, mais le temps ne coulait pas. C'était comme une fontaine gelée. Tout de même elle avait des paniques devant une soirée, un après-midi. Lire... Encore un livre de plus! Et pour les aventures, c'était la même chanson : un homme de plus. Bon, elle avait essayé de se prendre à ce jeu-là. Elle avait terriblement désiré de jeunes garçons, comme un homme a envie des actrices. Pour leur corps. Pour leur force. Des joueurs de tennis, et pis que cela. Des espèces de maquereaux. Pas un d'entre eux avec qui elle pût parler. C'était comme un divorce de ses désirs. Il n'y avait que des sortes de brutes ou des beaux garçons bêtes qui eussent de l'attrait à ses yeux, et ceux à qui autre chose qu'un lien physique eût pu l'attacher, c'étaient des êtres malingres, des hommes déshérités du charme dont elle ne pouvait faire à des idées l'abandon. Tout de même, elle n'aurait pas pu aimer Libertad.

Même pour faire passer le temps.

L'année 1907, par exemple, il valait mieux ne pas y penser : une horreur, ça avait été une horreur. Quelque chose comme une arête dans le gosier.

XVIII

1908 ne valait guère mieux. Catherine chaque jour sentait peser davantage l'inutilité, l'absurdité de sa vie. Ou de la vie, comme elle disait. Possible que depuis des siècles que les femmes trouvent normal d'être assises à faire de la broderie derrière les brise-bise des fenêtres ou à se balancer d'un réverbère à l'autre à un coin de rue, attendre les hommes, fût la fin dernière de leur existence. Catherine ne pouvait s'y résigner.

Sa part d'illusion avait été bien courte : quelques

jours de juillet en Savoie, avant la fusillade de Cluses. Quand l'espoir, l'insensé, le vague espoir renaissait en elle, c'était l'idée de l'amour qui tout à coup s'emparait de Catherine. Ah si elle eût aimé quelqu'un! Mais soudain, il lui apparaissait dans l'amour toute la tromperie du monde. Aimer! Brusquement se trouver à la merci d'un homme, et ce serait bientôt pour elle comme pour toute autre, l'esclavage, les longues heures, la broderie derrière les brise-bise. Eh bien, non.

En attendant, elle remontait le cours des heures, des jours, des semaines, avec une lassitude épouvantable. Encore une saison d'épuisée! Le plus beau printemps du monde, l'été le plus torride s'éteint après tout un jour, et c'est le raisonnable automne, l'hiver sans hypocrisie. Vous qui vous êtes bien ennuyés les jours fériés, peut-être comprendrez-vous toute la vie de Catherine. On ne sait pas pourquoi, mais on veut profiter d'un jour de liberté, on s'en va avec des gens qu'on connaît, de la famille dans un lieu de pauvres arbres et de poussière. Cela s'appelle la campagne. On marche un peu plus loin parce que ça sera mieux là-bas. On croise d'autres groupes du même genre qui ont fait le même raisonnement en sens inverse. On parle. Les gens ne s'étonnent pas de parler. Conversations. A l'émerveillement près, la conversation est un jeu qui ressemble au kaléidoscope. Vous secouez un homme, et ses mots forment de nouvelles étoiles idiotes. Avec le soir vient lentement la fatigue, et il y a un long chemin pour s'en retourner chez soi. Sous les trains de banlieue qui reviennent à la nuit, comment se fait-il que l'on ne se jette pas davantage avec les stupides bouquets de branchages du désœuvrement?

Catherine avait ce qui s'appelle des amis. Elle allait chez eux, elle s'asseyait dans une bergère. On posait des petits fours près de chacun sur des tables gigognes. Les pensées et les paroles tournoyaient dans une lumière d'abat-jour roses. Il y a au milieu de la pièce un grand désert ou une prairie, un tapis de la Savonnerie avec des fleurs pâles. Des femmes sont accrochées au décor suivant la disposition des chaises, avec des robes intéressantes, laissant tomber de leurs épaules l'étole de martre, ou le renard sitka. Elles tournent leur buste gainé et leur chapeau pareil à un saint-honoré, penchant soudain sous l'édifice sous le poids d'une histoire racontée. Un brouhaha dans l'antichambre annonce de nouvelles visiteuses.

Il y avait aussi les Grands Magasins où pourtant s'épuise si bien le temps des femmes. Il y avait les thés, et la musique. Catherine ne détestait pas les concerts. C'était même à peu près tout ce qui lui donnait la force de continuer cette étrange vie habituelle, qui ressemblait au macramé, alors à la mode. A force d'ennui, Catherine allait même au jour de sa sœur.

Alors tout d'un coup ça la prenait comme une fièvre. Elle se mettait à regarder un homme, le premier qui lui plaisait. Elle était belle, Catherine. Et cela faisait quelques jours de romance tzigane. Tout de même, en fermant ses bras nus sur un nouvel amant, elle n'oubliait jamais tout à fait l'entresol du rendez-vous, la garçonnière, la chambre d'hôtel, tout le cadre social grotesque, comme un pantalon retiré sur une chaise, quand on le regarde du lit, après l'amour.

L'intérêt des *Causeries populaires du XVIII*e s'était beaucoup épuisé pour Mlle Simonidzé. Elle avait espacé ses visites à Libertad. Une impression de stérilité et de mort la saisissait aussi bien parmi les anarchistes que chez Martha Jonghens. Tout de même, le bizarre, le baroque, la lassaient. Le soin que la plupart de ces révoltés apportaient à leur propre personnage, dans le vêtement ou le port du poil, à la fin l'irritait comme les chapeaux des dames ou les statuettes sur les cheminées des salons. L'orthographe d'Anna Mahé, on pouvait en pleurer, à ses heures. Il y avait du bavard chez Libertad, et puis Catherine ne partageait pas sa haine des contrôleurs de métro. Des hommes comme les autres, après tout.

Pourtant vers le milieu de novembre, après une aventure écœurante avec un petit imbécile qu'elle avait rencontré au Palais de Glace, Catherine eut le désir de revoir Libertad, de l'entendre encore parler. Du culte des morts, par exemple, un de ses thèmes favoris. Comme il secouait la tête, furieux, parlant des enterrements, des statues, des cimetières! Elle prit le Nord-Sud et descendit à la station Abbesses, vers le soir.

Quand elle arriva rue du Chevalier-de-la-Barre, il y régnait une animation extraordinaire. Des cris montaient. Catherine tombait dans une bagarre. La police dispersait un rassemblement. Les flics comme une nuée s'étaient abattus sur ce coin de Montmartre, dans les escaliers idylliques, chers aux chansons du *Chat noir*. Ces brutes râblées, bien nourries, avec la nuque rougeaude, qui sort du col réglementaire, étaient en pleine action, les gens fuyaient sous les coups de matraque, et au centre, quatre ou cinq vaches s'acharnaient sur un homme à terre.

C'était Libertad.

L'infirme, couché sur le dos, se défendait avec ses béquilles, on les voyait tournoyer en l'air. Leur pèlerine roulée sur le bras, les flics essayaient de lui arracher ces armes improvisées, et de toutes leurs forces ils envoyaient des coups de pieds sur l'homme tombé. Catherine voyait les jambes brisées de Libertad, avec les pieds nus et sans force dans les sandales, comme une sorte de pitoyable chiffon. Elle n'apercevait pas son visage. Elle entendit sa voix. Elle se précipita vers lui.

A ce moment elle reçut un coup de poing au menton, et elle perdit connaissance. Elle revint à elle au commissariat des Grandes-Carrières, un des plus ignobles de tout Paris. On l'y interrogea sur son nom, son adresse. Pourtant on ne fit pas de difficulté pour admettre qu'elle s'était trouvée là par hasard. Il semblait que quelque chose gênât le commissaire. Il était pressé, il avait peut-être du monde chez lui ce soir-là. Enfin il ne semblait pas tenir à avoir de grands détails sur la scène à laquelle avait assisté Mlle Simonidzé. On la renvoya chez elle.

Elle ne put pas le lendemain remonter rue de la Barre pour prendre des nouvelles de Libertad, elle avait promis sa soirée à Martha. Ce fut là au moins l'excuse qu'elle donna à sa négligence. Le surlendemain, elle passa à l'imprimerie, rue Montmartre. Libertad n'y était pas. Un de ses camarades de travail apprit à Mlle Simonidzé que le directeur de *L'Anarchie* était mort.

Il avait succombé à la suite des coups reçus rue du Chevalier-de-la-Barre. Une hémorragie intestinale l'avait emporté.

L'Anarchie du 19 novembre mentionna ce fait en passant, dans une petite note pour annoncer le changement de direction. Aucun détail sur la mort, pas d'article nécrologique. N'est-ce pas, Libertad détestait cela, il appelait cela *le culte de la charogne*. Un homme tombe, le monde continue à tourner.

Le même jour, Catherine et sa mère dînaient chez les Mercurot. Martha Jonghens et Joris de Houten vinrent après le dîner, et Catherine se souvint de ce que

Martha lui avait rapporté des propos de Joris sur Libertad. Assurée qu'il avait été trompé, elle voulut lui en infliger la démonstration, et le prenant à part elle le mit au courant de ce qui s'était passé. Joris, frisant sa moustache, eut surtout l'air d'entendre ce qui touchait Mlle Simonidzé. Pourquoi Mlle Simonidzé allait-elle s'exposer ainsi ? Que voulait-on, la police n'est pas un jeu. Catherine s'en était tirée à bon compte cette fois.

Mais Libertad, Libertad, dont Joris avait dit qu'il était de la police! M. de Houten secouait sa tête, et regardait Martha à la dérobée. Ravissante, un peu bavarde, pourtant. Il lui avait bien dit d'avertir Mlle Simonidzé, mais pas de sa part. Il soupira, enfin! « Que voulez-vous, chère mademoiselle, la police parfois peut être amenée à frapper les siens... »

Phrase horrible, qui révolta Catherine au point qu'elle ne se demanda pas quel intérêt M. de Houten avait à s'acharner ainsi sur le malheureux infirme, tombé sous les bottes policières. Elle ne se demanda pas pourquoi il fallait absolument à Joris de Houten, l'élégant ami de Martha, que la mémoire même du typographe Albert Libertad fût salie, et qu'au sang du martyr se mêlât la boue immonde de la Préfecture.

XIX

Un soir d'août au Bois de Boulogne. Le jour se traîne dans le commencement de la nuit. La chaleur insupportable de l'après-midi ne s'est pas tout à fait éteinte, et des airs tziganes tournent sur les mangeurs de glaces, à Armenonville, au Pavillon Royal, et au Pavillon

Chinois. Ce sont les Parisiens qui n'ont pas quitté la capitale malgré la saison, hommes que leurs affaires retiennent, et qui le soir, alors que leurs femmes villégiaturent à Sainte-Adresse ou à Houlgate, s'en viennent ici seuls, ou avec des amies rieuses, dont les chapeaux immenses donnent à la nuit près du lac, disent-ils, un fantastique de conte de fées.

Catherine, dans les contre-allées, est comme une épave que les bancs se rejettent. Triste et fatiguée. Fébrile. Elle se sent au bout de cette journée d'été, comme au soir d'une vie, comme la foule de Saint-Cloud qui s'attarde en pensant aux tramways empilés par quoi se termine immanquablement la débauche d'un dimanche au soleil.

Elle a fui ses pensées, ses amis. Elle a attendu l'ombre. Toute sa lassitude s'abat dans l'artificiel étrange de cette forêt sur mesure où se prolonge Paris. Des couples passent, d'autres stationnent. Il y a des racolages au détour des sentiers. Elle n'a pas le cœur à suivre ces manèges, Catherine. Elle écoute en elle-même une terreur grandir. Et un point dans le dos lui rappelle avec une précision épouvantable ce qui l'écarte des lumières naissantes, cette réalité dont il faudra prendre l'habitude. Sa main sur son front sent une petite sueur. Ah mieux vaudrait en finir, que cet avenir de châles... Catherine se lève parce qu'un monsieur avec un canotier et des moustaches avantageuses s'est assis, très près d'elle, sur le banc.

Elle a lu des livres de médecine tout le long du jour. Elle sait ce qui l'attend. Des mots nouveaux ont pris une importance dans sa vie. Le mot *géode* par exemple.

Elle pense à sa sœur, à la vie prudente de sa sœur. Elle s'est soignée, Hélène, encore maintenant son mari prend garde qu'elle ne se surmène pas. Mercurot... La vie qu'elle aurait pu avoir avec Jean, Catherine s'en fait le tableau dans le ménage de sa sœur. Sans doute Jean est-il d'une espèce autre que son beau-frère. Mais, après tout, un Mercurot supérieur. A quoi bon? Tout doit passer maintenant si vite. Quand on est enfant, six mois semblent une vie. Comme on dit adieu à l'été par exemple, chaque année! Maintenant... deux ans! Vrai, cela ne vaut pas la peine d'en parler. Deux ans. Le temps de ne rien voir, de ne rien faire. Deux ans. C'est trop ou ce n'est pas assez. En deux ans, qu'y aura-t-il de changé dans le monde? Rien. Partir sans avoir rien vu de ce qui doit venir.

On jouait une valse au Pavillon Chinois. Des ombres s'agitaient, suspectes, sous les arbres du voisinage. Il y avait eu un crime juste à cet endroit le mois précédent. Catherine se rappelait très bien les détails de l'affaire, à quoi les journaux s'étaient complu. La victime portait un chapeau champagne avec des plumes bleu pastel. Une fille sans doute. On lui avait arraché son sac. La musique empêchait qu'on l'entendît crier. Catherine songeait à la drôle de tête qu'on ferait dans l'entourage de Mercurot si elle était tuée ainsi ce soir.

Un type vint lui parler. Elle eut une espèce de griserie. Elle le jaugeait. Quelque souteneur. Vingt-trois, vingt-quatre ans, des dents éclatantes. Un panama, la cravate énorme, à raies. Très beau, somme toute. Exactement ce que d'autres veulent. Ce n'est pas l'obscénité des propos hachés, précis, de la demande qu'il lui faisait, qui avait l'air d'un ordre, qui l'effaroucha. Si elle bondit soudain vers le réverbère, en pleine lumière, c'est simplement parce qu'il l'avait touchée, et non pas prise dans ses bras.

Il la suivit. Il y avait un va-et-vient d'ombres. Une très vieille putain se balançait dans la lumière. Un couple s'approchait, bizarre, dont Catherine regarda la femme, très fardée. Le souteneur la rejoignait. Catherine n'avait pas peur. Mais elle n'avait pas l'envie d'une scène. Elle redoutait le bruit.

Soudain des sifflets déchirèrent la nuit. Des gens se mirent à courir, il y avait des femmes qui fuyaient dans l'allée, venant des Acacias vers la Porte Dauphine. L'homme, à côté de Catherine, sembla s'évanouir. En un clin d'œil, il y eut une trentaine de personnes rassemblées sur le bord de la chaussée, entre deux barrages d'agents. La rafle.

La première pensée de Catherine fut pour les Mercurot. Un joli scandale en perspective. Le troupeau des femmes apeurées et jactantes se pressait autour d'elle. Inspecteurs en civil et police habillée bousculaient tout ce bétail traqué. Certaines, des habituées, avec des voix traînantes, protestaient pour la forme : « Tu ne vas pas encore m'embarquer, non ? » Et des jurons, des claques sur les fesses. Au milieu de tout cela des hommes hagards, avec toute la honte du lendemain sur le visage, un couple de pédérastes surpris, bégayant.

Un brigadier s'approcha de Catherine : « Allons, oust! Qu'est-ce que c'est que celle-là ? Une nouvelle ? » Il la prenait par le poignet, avantageux. « Vous me faites mal, vous vous trompez... » Elle sentait l'inutilité de toute protestation. D'autant que le type qui lui avait parlé sous les arbres était reparu là, un indicateur sans doute, et renseignait : « Elle m'a accosté tout à l'heure, je la reconnais, je parie qu'elle n'a pas sa carte. »

L'ordure! Catherine ne put s'empêcher de crier : « Menteur! » Déjà, ça se gâtait. Les flics l'entouraient. Quand une voix s'éleva, très tranquille, par-derrière elle : « C'est une méprise, messieurs, mademoiselle était avec moi... » Le grand type au panama ricanait. Le brigadier lui imposa silence. L'homme qui avait parlé, Catherine le reconnut. C'était celui dont elle avait remarqué la femme, tout à l'heure, si fardée. Un homme tout rasé, avec quelque chose d'étrange dans le visage, très pâle, et la bouche mince, mis avec une certaine recherche, et s'appuyant sur une canne pour marcher.

Le brigadier, et tous les agents, devaient le connaître. Il avait, néanmoins, pris sa carte de visite dans sa poche. Comme pour quelque mondanité. Catherine le vit s'avancer jusqu'à elle. Sa compagne à son bras. Une femme brune à l'expression tragique. Très belle. La main de l'homme, gantée, petite pour un homme, se posa sur le bras de Catherine. Et la femme entraîna la jeune fille, en disant d'une voix chantante : « Venez donc, chérie, n'ayez pas peur, ils ne vous toucheront pas. N'est-ce-pas, messieurs? » La police s'écartait devant eux; ils s'éloignèrent avec Catherine, tandis que du groupe des femmes quelques injures partaient.

Ils marchèrent d'abord en silence. Puis, comme on approchait de la Porte Dauphine, Catherine murmura des remerciements embarrassés. « Ne nous quittons pas encore, dit la femme, tant que nous sommes dans le Bois. » Ils en sortirent. Devant la gare de Ceinture, Catherine s'arrêta. « Vous m'excuserez, monsieur, c'était si aimable à vous... sans rien savoir. Mais je suis dans un de ces soirs où on ne sait guère ce qu'on dit. Je ne sais comment vous exprimer... » La femme avança son visage aux yeux immenses, où le cerne du fard contrastait avec les dents.

« En montant prendre un peu de porto avec nous. Nous habitons tout près. »

Catherine eut comme une confusion qui s'éleva en elle. Un peu fâchée d'avoir pris cette intervention pour de la philanthropie. Fâchée contre elle-même. Elle regarda l'homme et la femme. Des gens riches assurément. Sous son feutre clair, l'homme avait une absence étrange de jeunesse. La pâleur du teint était faite de poudre, à vrai dire. Il y avait dans la femme quelque chose d'avide, et comme un air de désespoir. Ils semblaient tous deux, se tenant par le bras, attendre sa réponse à elle, et leur silence insistant avait une nuance de prière. La nuit était chaude, et à travers les arbres arrivaient les accords assourdis de l'orchestre du Pavillon Chinois.

Catherine eut une espèce de dégoût d'elle-même. Quoi donc? Voilà qu'elle avait d'absurdes idées de petite fille bien élevée maintenant? Pourquoi ces gens l'auraient-ils tirée des mains de la police si ce n'était qu'elle leur avait plu? Et elle allait s'étonner d'une demande... Qu'est-ce que je suis de plus qu'une putain? Les yeux démesurés de la femme ne la quittaient pas.

« Vous nous feriez très plaisir en acceptant de rester avec nous quelques instants. Il y a des soirs, mademoiselle, où l'on se sent soudain lié à des inconnus plus qu'à des amis de toujours. Il y a des soirs où l'on ne peut parler qu'à des inconnus... Voulez-vous rester avec nous quelques instants? Il y a peut-être là, dans cette prière, quelque chose d'incorrect, à quoi je vous supplie de ne pas vous arrêter... »

La voix de l'homme n'était ni belle ni persuasive. Mais Catherine n'en retint qu'un accent singulier sur les mots : *Il y a des soirs*. « Volontiers », s'entendit-elle répondre, avec un peu d'étonnement.

Ils marchèrent dans l'avenue sur le côté cavalier. Les pieds s'enfonçaient dans le sable meuble. Presque pas une parole n'était possible entre eux. Les plus indifférents des mots semblaient scabreux. Que savaient-ils les uns des autres? Catherine avait un vague sentiment de connaître le visage de l'homme, ce quelque chose de mongol dans les yeux. Le chemin de la gare au coin de l'avenue Malakoff, à petits pas, comme si de l'empressement eût été de l'indélicatesse, dura toute une éternité. Les voix des promeneurs montaient dans le silence avec une blancheur fausse, qui trahissait au-delà des mots d'autres pensées.

Ils passèrent sur le bas-côté de l'avenue. « C'est ici », dit la femme. Ils franchirent le petit jardin devant un immeuble de rapport. Puis la porte. Le jeu de la minuterie. Quelques marches. L'ascenseur. Quand le manteau noir de la femme s'ouvrit, Catherine aperçut qu'elle portait un collier d'opales. L'homme surprit son regard, sourit, et, à la porte de l'appartement, il dit montrant sa compagne : « Elle est le Malheur! »

Catherine entra dans l'antichambre.

XX

C'est à la rue du Chevalier-de-la-Barre, et à la mort de Libertad, qu'invinciblement pense Catherine dans cet appartement où le luxe se teinte d'un arrière-goût de l'art, au-delà du confort. Il y a dans ce cadre d'une vie dont Catherine a le sentiment d'avoir surpris quelque chose au Bois de Boulogne, tout à l'heure, avant la rafle, comme un débat d'éléments disparates. Dans le premier moment, ce n'est qu'une idée confuse en elle, et c'est plus tard en y resongeant que Catherine se précisera cette lutte mêlée au décor, dont l'homme et la femme que voici ne sont pas les seuls acteurs.

La richesse. Depuis le cristal de Lalique jusqu'à la Perse soyeuse des tapis. L'âme lourde des lamés de

Liberty sur le sofa jonché de coussins. Dans tout cela, déjà les yeux de Catherine ont aperçu le piano ouvert, une merveille. Un étrange mélange de l'art, du goût pour l'art, avec la sensualité. Tout n'est-il pas ici comme si cette sensualité avait fui cet homme maigre dont le grand front dénudé ne s'anime qu'aux tempes d'un battement d'artères prophétique d'une mort singulière, pour s'incarner dans la femme, debout au milieu du salon, son chapeau à la main, le manteau pendant, qui regarde Catherine avec une intensité incroyable ; et ses regards se portent ensuite sur l'homme, dont les doigts fins s'emmêlent déjà à des flûtes de verre.

« Il y a de la glace, n'est-ce pas, mon amie ? Par un soir pareil, on ne peut prendre que du champagne. » Catherine a ressenti le même obscur frisson quand il a dit *par un soir pareil* que tantôt pour *il y a des soirs.* Cet homme a une manière à lui de charger de sens des mots d'une banalité gênante.

Il y avait de la glace.

Au mur, et sur un chevalet, des peintures médiocres. Des portraits. Des fleurs. Il y en a d'inachevées. Apparemment, Catherine se trouve chez un peintre. Un peintre dont les moyens assez pauvres contrastent avec le somptueux de l'appartement. Tout cela se noie assez, avec la curiosité de la jeune fille, dans la pénombre des lampes basses à trois ou quatre endroits allumées.

La fenêtre est ouverte sur l'avenue du Bois, et maintenant une espèce de brise en vient ; avec le dernier époumonement d'une odeur de seringas. Il y a dans les yeux de Berthe (c'est ainsi que *lui* l'appelle) une interrogation qui pèse sur Catherine. Ce n'est pas la jalousie, c'est l'inquiétude. Celle-ci encore... mais sera-t-elle celle qui ne s'en ira pas ?

« Vous ne ressemblez pas, jeune fille, dit l'homme,

aux femmes qu'on rencontre solitaires dans notre forêt. Et puis il y a dans votre gorge le chant d'un pigeon qui n'est pas de nos pays... Géorgienne? J'ai connu une princesse de là-bas qui est morte pour avoir trop aimé... peut-être l'avez-vous rencontrée...

— Je ne rencontre pas de princesses. »

La femme eut un rire clair : « Animal farouche! » Le champagne froid lui mettait dans les yeux des pointes d'or. Catherine, sentant autour d'elle une conspiration de pensées, voulut l'écarter en parlant. Elle était lasse d'un secret porté depuis le matin. Elle se répétait les paroles de tantôt : *Il y a des soirs*... Ses yeux tombèrent sur une statuette terrible : c'était un être dont les jambes vivaient encore, mais dont le corps nu se dépouillait en montant de ses chairs, de ses muscles tombant en lambeaux, pour n'être plus qu'un squelette émergeant du cadavre, et qui tenait dans ses mains décharnées un cœur. « Petite fille trop fière pour fréquenter les princesses, ceci est une copie maladroite d'une merveille qui est à Bar, sur la tombe d'un duc de Lorraine. L'âme qui se dégage de la matière...

— Je ne fréquente pas non plus les âmes », dit-elle...

Ils en vinrent tout de suite à parler de la mort. Lui, n'était-ce pas sa marotte? Ce qu'il cherchait en toute créature n'était-ce pas le son cristallin de la mort, cette hantise du sépulcre, dont il y avait dans son physique même comme une légitimation?

Berthe versait le champagne.

Et Catherine parla de *sa* mort.

Une histoire très simple, mais où il y avait tout le mystère de la jeunesse et de la tombe. Cette inconscience de la vie jusque-là, comme d'une chose due. Cette quête d'autre chose que soi-même qui l'avait poussée à des hommes plus différents que les jours de l'hiver de ceux de l'été. L'impossibilité de se borner à celui-ci ou celui-là. Le monde comme une cage qui est autour de chaque homme. La féminité qui se révolte. L'attrait au-delà de ces vies bornées d'un univers qu'elles ignorent. L'immense pays ouvrier qui dépasse toutes les frontières, et au-dessus duquel se jouent les comédies mondaines. La vraie force à laquelle, femme, elle croyait. La certitude un jour de voir sauter ce monde. Et puis...

Et puis une petite toux sèche, qui dure. Une fatigue jusqu'alors inconnue. Un point dans la poitrine. Un jour une saveur étrange dans la bouche. Le sang. Inutile de dramatiser. Un matin, elle s'était mise aussi simplement que possible, sachant que la vérité n'est que pour les pauvres. Elle avait été à Laënnec, à la consultation. Ce n'était pas très loin de chez elle, et à Necker elle aurait craint de rencontrer un ami, interne. Elle avait su. On ne lui avait pas mâché les mots. Des cavernes des deux côtés. Rien à faire. Avec des soins, évidemment ça se prolonge. On lui en avait donné pour deux ans ; trois avec de la chance. Voilà. Elle avait passé le jour à lire des dictionnaires de médecine à la Sainte-Geneviève. Le soir, sentant la fièvre, elle n'avait pas voulu rentrer chez elle, parler avec sa mère, et Dieu sait qui! Elle avait dîné dans un petit restaurant près de la Seine. Puis le métro, et elle était venue au Bois.

« Vous m'avez prise pour une grue, n'est-ce pas? Vous savez, il n'y a pas là pour moi d'injure... »

Berthe lui caressait les mains. L'homme accoudé, la tête renversée jouait de ses lèvres minces : « J'ai été condamné par les médecins, dit-il. Vous voyez, je n'en suis pas mort. Mais aussi sais-je ce que cela veut dire, un beau jour, de ne plus regarder le temps devant soi comme une longue plaine... Qu'est-ce que vous avez décidé ? »

Question stupide! Mais Catherine se surprit à y répondre. En quoi quelqu'un qui croyait jusque-là à la survie, s'il cesse d'y croire, modifie-t-il l'emploi de ses jours ? Catherine, en parlant, pensait à Libertad, infirme. Si on sait qu'on en a pour peu de temps, n'y a-t-il pas des manières de mourir qui valent mieux que l'agonie ? Anarchiste ? Oui, elle était anarchiste, parce que toute autorité, tout gouvernement, tout droit, tout état, c'était toujours le pouvoir de l'homme sur la femme. Deux ans devant elle! Deux ans qu'elle occuperait à dominer les hommes, à infliger un démenti de chaque instant à la loi masculine... Elle aurait des amants tant et plus. Ce n'était pas la mort qui pouvait la dégoûter de la vie. Et chaque minute de ces deux ans-là serait un défi à l'ordre qu'ont inventé les hommes. Pour ce qu'il y aurait au bout, elle ne pouvait pas garantir de ne pas rater sa sortie, mais ce n'était pas là le principal.

Tout à coup Catherine reconnut son hôte. Ou plutôt un portrait de lui au mur qu'elle avait vu dans un salon l'année précédente. Henry Bataille. L'écrivain commentait ses dernières paroles, elle l'interrompit. « Je vous demande pardon, mais il faut que vous sachiez que je connais votre nom. »

Cette franchise fit tourner la conversation sur elle-même comme une porte grinçante. La glace fondait dans le champagne.

Bataille maintenant parlait de lui-même.

« Oui, j'ai vécu longtemps dans l'idée de ma mort. J'ai considéré ce monde qui m'entoure comme un feu brillant qui va s'éteindre. Cette certitude n'est point disparue avec la certitude revenue de vivre encore, quand on m'a tenu pour guéri d'un mal qui avait été si longtemps l'ossature même de ma vie. Je sais que tout ceci doit périr, qui m'entoure. Le mal n'est pas dans moi, mais dans ce monde auquel j'appartiens, qui tourne et qui m'entraîne. Et c'est ce monde qui va disparaître. Et c'est ce drame que j'exprime, et c'est ce drame qui est mon théâtre et ma vie. »

Il y avait dans toute l'atmosphère d'été de la chambre un parfum d'inquiétude où rôdaient les yeux de la femme, de cette Berthe Bady qui était à la fois l'interprète de ses pièces et la femme de sa vie. Désir d'opérer la synthèse de sa vie et de son art, cet homme à qui il semblait que tout fût à la fois donné et refusé, dont les succès étaient si grands dans ce Paris insensible, mais n'étaient jamais ceux sans doute qu'*artiste* jusqu'au ridicule de ce mot, cet homme riche et malade enviait.

« Nous sommes au bout d'une époque, au seuil d'un monde. Nous autres, fils de Byzance, qu'y pouvons-nous ? Nous maudissons ce monde pourri qui est notre chair même. J'appelle de toute ma force cet avenir dont le visage sérieux parfois m'apparaît. Vous parliez, jeune fille, du monde ouvrier. Je salue de tout ce que j'ai jamais écrit l'aube du socialisme. Mais la malédiction est sur nous, est sur moi. Je suis partie intégrante de cet univers qui meurt. Comme le patricien de Rome qui lit dans les yeux des esclaves la condamnation de la société païenne, j'use ce qu'il me reste de jours aux fêtes sanglantes de Néron... Non, vous ne savez pas à quel degré de conscience on peut arriver dans cet appartement de l'avenue du Bois, au début du xxe siècle. Un jour viendra où des hommes nouveaux liront mes œuvres avec des yeux dessillés. Ils verront combien j'ai haï le navire qui m'emporte, et comme dans la voilure j'appelais le naufrage, et comme les feux des diamants ne m'ont jamais distrait des étoiles! »

Catherine était-elle ivre? Le champagne tiédi faisait à ces paroles l'accompagnement d'un orchestre en sourdine. Les préoccupations de la jeune fille se mêlaient au décor. Le souvenir de Cluses hantait étrangement cette nuit, aussi chaude qu'alors, qu'alors dans la petite chambre pauvre, où une mère parlait auprès d'un grand enfant mort. Cet homme riche, ce produit, cet aboutissant d'une civilisation tout entière, au milieu des témoignages du luxe et du raffinement, qu'il montrait autour de lui, comme les vivants symptômes de la mort, trouvait les mots prophétiques qui retentissaient jusque dans le cœur de Catherine.

Est-il bien sûr qu'il pensât, qu'il vît ainsi chaque jour toute chose? Peut-être y avait-il surtout en lui une espèce de féminité, qui lui faisait dire ce qu'attendait de lui cet être ramené dans les ténèbres, et qu'il s'agissait de ne pas décevoir, qui devait emporter de cette nuit une image, sur laquelle à ses propres yeux, Bataille, poète, jouait une fois de plus son va-tout.

Elle voyait en lui pour l'heure une manière de meneur de mascarade, le violoneux de mauvais goût qui conduit une danse de mort. Il lui semblait comprendre ce qu'il allait chercher sous les arbres transplantés du bois de Boulogne. L'écrivain parlait de cette soirée où ils s'étaient rencontrés. N'avait-il pas les mœurs et les folies de l'univers où il s'était développé? Jusqu'à la bague qu'il portait à son doigt, tout en lui n'était-il pas l'aveu de ces folies et du même coup une gifle à l'hypocrisie sociale, qui détourne les yeux de ce qu'elle produit? Le salut tout à l'heure très bas de la police, qui ne se risque pas à le traîner dans un scandale, à cause de son nom, de sa fortune, une horreur, n'est-ce pas ? Mais aussi une victoire. « Je suis, dit-il, un scandale vivant. » Catherine n'avait sans doute jamais été au poste avec des prostituées ? Il aurait pu lui dire comment cela se passait. Et le panier à salade. Il n'y a rien de triste comme les petites putains que ça n'ennuie même plus d'être embarquées.

L'ombre rouge des Révolutions s'évanouissait : Bataille parlait de l'amour, et des ruptures. Le navire sans doute insensiblement le remportait.

Catherine s'était simplement endormie.

XXI

S'il ne vous reste plus à vivre qu'un temps que chaque jour mesure, à quoi le donnerez-vous ? Catherine, à cette lueur nouvelle, se découvrait plus semblable à sa mère qu'elle n'aurait cru.

Plaire ! C'était presque son seul désir maintenant que la vie s'enfuyait d'elle. Plaire, et à n'importe qui, à tous. Le désir des hommes lui semblait une espèce de victoire sur la mort. Elle n'était ni une prude ni une vierge. Elle ne se suffisait pas de le susciter. Elle eut tous les amants qu'il lui chanta.

Elle ne se soignait pas, elle avait l'horreur de la prudence. Il lui fallait s'étourdir. Ce furent des mois de musiques et de fleurs. Elle prenait cette habitude naturelle aux femmes qu'elle avait méprisées, de considérer sa présence comme un payement : elle se laissait emmener dans les restaurants, dans les boîtes de nuit, par des hommes qui soudain lui prenaient la main sous la table. Elle riait. Elle se sentait devenir une fille, mais puisqu'elle allait mourir!

Qu'est-ce que c'était que cet homme près d'elle chez Maxim's ou ailleurs? Il ne pouvait aucunement durer, elle ne risquait pas d'y tenir. Alors qu'importait qu'il fût un ennemi? Pourvu qu'il fût beau ce jour-là. Au fond, elle les préférait même bêtes. Revanche de la femme. Et les chasser, dès qu'ils sont fiers qu'on leur ait cédé, les brutes. Elle haïssait les hommes, et elle aimait *leur* amour.

Quand Brigitte se maria, il y eut comme une rupture entre elle et Catherine. Brigitte avait épousé un jeune magistrat qui avait sa carrière à faire. Les dames Simonidzé ne plurent pas au nouveau marié.

Le commandant Mercurot était impuissant à faire des remontrances à sa belle-sœur. Et puis, il eut sa nomination au fond d'une province tranquille où il se contenta de ne pas l'inviter. D'ailleurs, Hélène n'y tenait guère.

Catherine voyageait. Elle retrouva à Genève des amis de sa mère, vieux émigrés russes, qui se scandalisèrent de son aspect, de son maintien. Les uns, parce qu'ils étaient des républicains qui souhaitaient voir s'établir chez eux une démocratie à l'image française, et elle les tint pour des bourgeois. Les autres, des socialistes, parce qu'ils avaient en médiocre estime le monde avec lequel elle s'affichait, et l'un d'eux lui dit tout crûment que le mouvement ouvrier n'a que faire des prostituées.

Des ennuis qu'elle eut dans une ville de province, quelque chose comme Nancy, à propos d'une femme qui était venue frapper à la porte de l'hôtel où elle était avec le mari de la dame, un jeune industriel de l'Est, et la police s'était mêlée de l'histoire, et voulait savoir de quoi elle vivait, la forcèrent de télégraphier à Jean Thiébault. Il remua ciel et terre, au ministère, et parla même à ce sujet à M. de Houten qui en toucha discrètement un mot au préfet, et tout fut arrangé.

Mais quand Catherine rentra à Paris, Jean lui demanda une fois de plus de l'épouser, et cela la fit presque rire. S'il voulait coucher avec elle, il n'avait pas besoin de cela. Maintenant cela n'aurait plus d'importance pour elle...

Il éprouva vraiment qu'elle voulait le payer et rougit terriblement. Il se sentait triste à mourir.

Là-dessus le général Dorsch le fit venir chez lui, parce qu'il avait été un camarade de son père : « Assieds-toi là, Jean. Ce que j'ai à te dire, tu le prendras comme tu voudras... comme tu voudras... Remarque que tu es libre. Absolument libre. Tu m'entends bien? Libre. »

Le capitaine Thiébault se demandait où le général voulait en venir. Le général racontait ses campagnes. En Annam, il avait eu une petite amie, hum! Enfin gentillette. Il faut que jeunesse se passe. Jeter sa gourme, c'est l'expression que je cherchais. Bien entendu aucune analogie, aucune analogie. A Madagascar, c'était une créole... mais enfin tout n'a qu'un temps, nous sommes les serviteurs de la France. Un jour appelés ici, le lendemain là. Jean avait devant lui une carrière hors ligne. Il serait un niais de la gâcher.

Tout ça avec du café et un petit verre d'armagnac.

Si Thiébault voulait se marier, rien de plus facile. Les partis ne manqueraient pas. Si, si. Cette idée, un beau garçon comme toi! Ah mon gaillard.

Naturellement, il était libre de choisir. Mais comme vieil ami de son père, le général Dorsch se permettait de lui conseiller de ne pas faire de bêtises. La demoiselle Simonidzé...

Thiébault s'était levé, et mis au garde-à-vous. Il coupa court avec beaucoup de netteté à ce discours paternel. Sa vie privée était sa vie privée. Si sa carrière devait souffrir de... « Allons, ne dis pas de bêtises! s'écria le général. C'est donc vrai qu'elle veut se faire épouser, cette... personne? »

Thiébault eut toutes les peines du monde à rétablir la vérité. Et bien entendu ce n'est pas au général Dorsch qu'on pouvait faire croire que des filles de ce genre refusent le mariage. Enfin, il avait donc eu raison de parler à cet écervelé, qui disait qu'il épouserait Mlle Simonidzé, le jour qu'elle le voudrait, au premier signe.

Le général essaya de lui expliquer que c'était le préfet de police lui-même qui s'était ému qu'un officier français se fourvoyât ainsi avec une... étrangère. Il avait parlé de l'affaire au cabinet du ministre. Mlle Simonidzé fréquentait les milieux anarchistes. On savait l'attachement de Thiébault envers elle. Bref, on avait pensé que Dorsch, comme supérieur, mais aussi comme ami...

Thiébault prit très cérémonieusement congé et s'en fut. Plus jamais de toute sa vie il n'eut avec le général Dorsch autre chose que des rapports de service.

Mais un jour, rue Blaise-Desgoffe, Mme Simonidzé étant sortie, on sonna. Catherine vint ouvrir. C'était un monsieur fort évidemment mal à l'aise dans ses vêtements civils, avec des gants de peau qui s'arrêtaient très court sur le dos de la main épaisse, un peu rougeaud, avec une brosse blonde sur la lèvre. Il enleva son chapeau melon avec une certaine affectation, comme si l'on avait dû s'attendre à ce qu'il ne l'enlevât pas, et il entra, tout de suite fureteur.

Enfin c'était bien un policier, mais un policier militaire, et il faut distinguer. Il venait expliquer à Mlle Simonidzé qu'elle constituerait dans la vie du capitaine Thiébault un véritable handicap. Le mot lui plaisait sans doute, car il le répéta plusieurs fois : un handicap. Le plus bel avenir s'ouvrait devant cet officier d'élite. On savait qu'il se considérait comme engagé avec Mlle Simonidzé. Naturellement la galanterie l'empêcherait de revenir là-dessus. Et bien entendu, jamais, au ministère où on avait dans le capitaine une confiance aveugle, aveugle, on ne pourrait confier au mari de Mlle Simonidzé les postes qui attendaient le capitaine Thiébault. Mlle Simonidzé comprendrait certainement. Les nécessités de la défense nationale... Une étrangère restait tout de même une étrangère, et puis les opinions politiques de Mlle Simonidzé... Évidemment le capitaine Thiébault ne connaissait peut-être pas tous les détails de la vie de Mlle Simonidzé. Il serait si bien, si élégant, de la part de Mlle Simonidzé de comprendre, de prendre les devants, de dire au capitaine...

Catherine laissait parler son visiteur. Elle était partagée entre la rage et le dégoût. Soudain elle le mit à la porte ; sur le palier il avait repris de l'insolence, il lui disait de *bien* réfléchir.

Elle fit venir Jean chez elle, et elle lui raconta la scène. Il devint extrêmement pâle. Que pouvait-il faire ? A qui s'en prendre ? « Croyez-vous, dit Catherine, que je vais avoir des ennuis à cause de vous ? Pour le plaisir de vous voir ? » Et le chassa tout comme le policier.

Jean ignora toujours qu'à cette minute il avait manqué sa chance : s'il avait alors dit, seulement *dit*, qu'il quitterait l'armée, peut-être l'aurait-elle aimé. Mais voilà, il y avait la Patrie, n'est-ce pas ? Le devoir.

XXII

Solange, à nouveau, se mariait. Avec un garçon assez riche, un industriel du Nord, trente ans, déjà maître de la fortune paternelle ; fils d'un ami de jadis des Jonghens. Enfin un mariage assorti. On s'était retrouvé par M. de Houten. Un hasard.

Pierre Lefrançois-Heuzé avait eu à Paris une jeunesse orageuse, ainsi du moins s'exprimait Martha. Maintenant il s'agissait de retourner près de Lille, dans le château de briques d'où il pouvait diriger son usine. Il garderait un pied-à-terre à Paris, pas loin de la pension de Martha. Il avait deux autos. Il connaissait les femmes. Solange serait heureuse.

Ça ne traîna pas. En deux mois l'affaire fut bâclée. Catherine qui n'avait rien à faire ce jour-là, assez lasse d'ailleurs, elle ne savait pas ce que c'était, un genou qui faisait mal, vint au Champ de Mars pour la réception qui suivit la cérémonie à l'église.

Joris de Houten ne put assister à la réception parce qu'il avait dû aller quelque part pour affaires ; il téléphona pendant qu'on mangeait des petits fours au buffet dressé dans le salon, par les soins de la maison Gagé (avenue Victor-Hugo), et Martha fut extrêmement contrariée, extrêmement.

Le vol de la Joconde formait le fond de la conversation.

Catherine examinait avec curiosité le *marié* qu'elle voyait pour la première fois. C'était un homme un peu bouffi, mais pas mal, rompu à tous les sports. Une petite cicatrice dans une joue à cause d'un accident de chasse, un plomb perdu... Il riait en l'expliquant. Les mains belles, quoique molles. Catherine en le regardant pensait invinciblement à la façon dont se tiennent les ouvriers qui ont une épaule ployée par l'habitude de fléchir sous le sac à outils.

Elle le détaillait, M. Pierre Lefrançois-Heuzé. Un parfait spécimen d'homme sans tare. L'oisif que rien n'a marqué... sauf le petit plomb de chasse. Ce qu'une mère de famille qui n'a pas été très contente de son mari peut souhaiter à sa fille. Exactement. Avec les représentations maternelles que cela suppose. Catherine le détaillait d'une façon qui déshabille. Et M. Pierre Lefrançois-Heuzé en oubliait un peu que, le jour de son mariage, on n'est galant qu'avec sa femme. Catherine en éprouvait une espèce de lassitude. Elle savait si bien comment sont les hommes, leurs gestes au bout du compte.

Martha lui avait demandé de ne pas fumer, parce qu'il y avait des gens de la famille de son nouveau beau-frère, qui étaient un peu province, et qui n'auraient pas *compris*.

Au milieu de tout cela, Brigitte et son mari. Celui-là, ce qu'il devait être drôle au lit! Il portait la barbe, les cheveux en brosse. Ses cols n'étaient pas tout à fait comme ceux de tout le monde. Il avait les façons furtives des hommes qui ont toujours eu peur que les femmes ne leur coûtent de l'argent.

Les amis des Jonghens et ceux des Lefrançois-Heuzé se valaient. Familles. Hommes déjà éteints, jeunes gens gauches. L'ennui. Tous des candidats à on ne sait quelle sinécure. Des hommes qui feront semblant de mériter leurs moyens d'existence, des femmes qui trembleront toute leur vie de perdre ces hommes, et avec eux deux ou trois domestiques, un appartement, des robes. Un sous-lieutenant, avec un nom double, il était à Saumur, fit la cour à Catherine avec une timidité curieuse pour un cavalier. Au milieu de tout cela une figure très pâle, une jeune fille, habillée en noir. Ce qui ne se fait pas. Une vague cousine du marié, Mlle Judith Romanet ; elle *faisait* de la sculpture.

Cela suffisait pour intéresser un peu Catherine. Une jeune fille qui avait au moins la velléité d'une vie indépendante. Elle essaya de lui parler. Ce n'était pas très facile. Judith Romanet se défendait. Répondait par monosyllabes. Absente. Vraiment pâle. Il y avait quelque chose qui la possédait.

Une espèce de lueur éclaira des yeux bruns, et petits, quand Catherine se permit d'ironiser légèrement sur la vie qui attendait les nouveaux mariés dans le Nord, et d'une façon générale la vie des gens mariés. Elle n'aimait pas Solange, c'était visible. Peut-être aimait-elle son cousin.

La petite fille que nous avons connue cinq ans plus tôt à Morneville est devenue une femme, sinon une beauté. Personne ne prend grande attention à elle. Son père qui vient de se remarier a quitté le ministère : il est entré dans le conseil d'administration d'une grosse affaire d'armes et de cycles. Sa compagnie est une des plus fortes sur le marché français. Les relations de M. Romanet dans les divers services du ministère de la Guerre lui sont fort utiles maintenant. La nouvelle Mme Romanet est très mondaine. Elle aime la chasse, elle monte à cheval, et elle a eu le premier prix à Trouville pour son maillot de bain.

Judith tendait une coupe de champagne à Catherine, et Paul Jonghens avec des sandwiches sur un plat les plaisantait de fuir les hommes, quand la coupe chavira et Judith se trouva mal. Cela fit un petit remous. Les gens s'empressaient. « Laissez-moi! » Judith écartait le monde. Elle avait encore l'air étonné des gens qui ont senti leur mort. Elle n'était pas tombée tout à fait, à cause de la table, du buffet et de Paul.

Dans la chambre de Martha, où elle resta seule avec Catherine, dans les coussins du lit, soudain elle leva vers l'étrangère des yeux qui se décidaient à l'aveu. Catherine le reçut comme un choc dans le cœur.

« Je suis enceinte », dit Judith.

Elle avait deviné Catherine. L'alliée. Oui, naturellement, c'était Pierre Lefrançois. Stupide. Simplement elle était si seule, et il embrassait bien. Un homme tout à fait idiot. Non, elle n'avait pas voulu *faire sa vie* avec lui. L'horreur. Et puis tout d'un coup cette chose en elle.

Pierre... Tout de même, à l'idée de le perdre, elle avait froid par tout le corps. Elle le méprisait, mais elle avait de lui un besoin d'intoxiquée. Et puis cet enfant. Elle se moquait de ce que les gens allaient dire. Mais son père ne lui donnait rien. Elle travaillait, ne gagnait pas grand'-chose... Elle ne voulait pas de cet enfant. Elle avait vingt-deux ans ; c'était comme la fin de sa vie. Cela faisait trois mois, si elle ne se trompait pas.

Une complicité s'établit entre Catherine et Judith. Catherine donna à sa nouvelle amie *L'Unique et sa propriété* de Stirner, et un livre intitulé : *Malthusianisme et Maternité.* Elles se rencontraient à Montparnasse où Judith fréquentait des peintres. Le genou de Catherine n'allait pas mieux.

Catherine se souvenait d'un étudiant en médecine qu'elle avait connu chez Libertad, et qui avait débarrassé d'un gosse qui tombait mal la compagne d'un camarade. Elle eut quelque peine à retrouver celui-ci. A Romainville les anciens amis du typographe avaient maintenant des locaux, où on se réunissait comme jadis rue du Chevalier-de-la-Barre, et où se faisait maintenant *L'Anarchie.*

Elle y trouva des nouveaux qui la soupçonnèrent un peu de n'importe quoi. On ne savait pas ce qu'était devenu le carabin. Embourgeoisé. Mais on avait une adresse. Dans le jardin, il faisait beau, on était à la fin du printemps. Catherine retrouvait avec une espèce d'émotion étrange ces braves types, qui avaient comme elle leurs difficultés avec la vie et les idées, des gens si différents de tous ces hommes avec lesquels elle passait maintenant ce qu'il lui restait d'une vie limitée. Elle en éprouvait une certaine honte. Typographes, anciens ouvriers, tailleurs, ajusteurs, mécaniciens, menuisiers, des intellectuels.

Tout ce qu'il y avait en eux qui l'écartait, là au milieu des arbustes de banlieue, tandis qu'au fond l'amie d'un des camarades faisait des cartons à la carabine sur une cible, était comme un remords pour Catherine. Ils continuaient, ces hommes, leur bizarre combat. Dans la maison on entendait le bruit de la presse. Une odeur d'encre et de papier humide se mêlait à un timide parfum de lilas. Il y en avait un, garçon épicier ou quelque chose comme ça, mais depuis longtemps on avait oublié son métier, qui regardait Catherine avec de grands yeux. C'était un malingre, avec la raie au milieu des cheveux un peu longs sur l'oreille, faisant une mèche sur le front. Celui-là, elle ne le connaissait pas, c'était un nouveau venu, un petit. C'était drôle, Catherine avait l'impression qu'il suivait en elle les progrès d'un malaise contre lequel elle se débattait depuis un moment sans savoir bien ce que c'était. Les yeux du jeune homme avaient l'air de comprendre, eux.

Elle parlait à voix basse avec un des anciens lieutenants de Libertad. On n'avait pas gardé mauvais souvenir d'elle, ici, faut croire. Elle était un peu en dehors du monde qui était le leur, mais n'est-ce pas ? Des anarchistes n'ont pas le préjugé des classes. Catherine pensait cela avec une certaine amertume à l'égard des milieux socialistes qu'elle avait plus ou moins connus. On lui donnait l'adresse demandée, quelque part rue Lepic. Catherine avait toujours mal au genou.

Tout d'un coup, voilà que tout se brouille. Elle a une espèce de chaleur. Un brouillard. Une toux qui la secoue, qui la casse, et dans la bouche une eau qui monte, une marée. Inconsciemment ses doigts tâtonnent dans son sac si difficile à ouvrir, vers un mouchoir. Sa bouche est pleine. On la regarde. Le petit avec la raie au milieu s'est précipité vers elle. C'est vrai qu'elle vacille. Elle veut parler. Qu'est-ce qui coule comme ça des lèvres ? Sa main devine le sang. Elle se sent partir.

Elle se retrouve dans la maison, dans une petite chambre sur le lit ; une femme jeune est près d'elle, et hoche la tête. Le corsage de Catherine est gâché, du sang est tombé dessus. Le petit nouveau est là. Il la regarde toujours : « C'est la première fois ? Répondez pas. Seulement avec les mirettes. Parce que je sais, moi, j'ai ça. Faut pas parler pendant quelque temps, pour pas se secouer. Déjà d'autres ? Aussi fort ? Non ? non. Vous avez vu les médecins ? »

Il y a quelque chose d'extraordinairement doux et fraternel dans la voix de ce petit. Elle se sent très faible. Tout tourne. Ça a dû être énorme... énorme. Maintenant elle a les yeux humides, des larmes. Le petit reprend : « Allons, faut pas pleurer ! J'ai eu ça, trois, quatre fois, je sais plus. Moi, ça a commencé là-bas, à Fresnes. Alors, c'est moins drôle. Ils ne voulaient pas me porter malade. Quand je suis sorti, j'avais une de ces binettes.

A Saint-Maurice, qu'ils m'ont mis. Ça ne valait pas mieux que la prison. »

Il parlait très vite, comme s'il voulait l'empêcher de placer un mot. Elle comprit qu'il avait peur que ça lui reprît, et qu'il ne voulait pas qu'elle bouge, même la langue. Il était laid ; mais il était bien gentil.

Après deux heures de repos, on la laissa partir. Le retour ne fut pas très drôle. Par bonheur, Mme Simonidzé était sortie. Catherine avait craint les questions sur les taches de son corsage. Elle eut le temps de se changer.

Le médecin de la rue Lepic habitait dans trois petites pièces sombres, dont l'une faisait cabinet gynécologique. Ça n'avait pas l'air très propre. Un *David vainqueur de Goliath* en bronze sur une cheminée à dessus de peluche avait perdu le sabre qu'il faisait mine de remettre dans son fourreau. Mais un petit paquet de coton à ses pieds rappelait le caractère médical du lieu.

La femme qui ouvrait la porte, habillée en infirmière, très familière avec le docteur, introduisit Catherine et Judith. Le Dr Planté était un petit gros, blême, avec les mains agitées, et une barbiche sale. Les références de Catherine lui firent instantanément quitter ses manières de praticien protocolaire. Il tutoya ses visiteuses. Il n'y avait pas de doute, la gosse était enceinte, et même assez avancée. Fallait la débarrasser tout de suite parce que sans ça, cela ferait du vilain. Catherine toussait : la gêne sans doute.

Cela n'alla pas tout seul d'arranger où Judith irait en sortant de chez le Dr Planté, le jour de l'opération. On ne pouvait se fier à personne. Il y a des gens, ce n'est pas manque de confiance, mais on ne peut pas leur demander de prendre ça sur eux. Tout se passerait très simplement, le médecin l'avait dit. On ne pouvait demander à Martha d'héberger Judith, à cause de Solange. Et puis ça l'aurait gênée, pour ses pensionnaires. Finalement, on se décida de prendre une chambre dans un hôtel derrière le cimetière Montparnasse. On arriverait en taxi, avec des bagages, comme si Judith venait de Suisse. Elle avait une cousine qui s'occuperait d'elle. Une petite provinciale, éperdue et romanesque, qui était à Paris pour faire des études de droit.

Tandis que dans l'appartement du médecin, on préparait tout pour l'opération, Catherine brusquement, malgré l'inquiète Judith, et l'infirmière fardée qui mettait des petites housses blanches sur les meubles, sous le prétexte invraisemblable de l'asepsie, se tourna vers le Dr Planté et demanda : « Docteur, est-ce que vous ne voudriez pas m'ausculter. »

Le moment était mal choisi, mais le docteur ne voyait aucun inconvénient à donner un coup d'oreille. Toussez, là... respirez maintenant. Il tripotait un peu les seins de la malade, en écoutant. Pure habitude, sans signification aucune.

Il faisait une espèce de moue sérieuse en se relevant, et fourrageait sa barbiche. Il tournait autour du pot. Quand il vit que Catherine connaissait son mal, il n'y alla plus par quatre chemins : « Une de ces petites cavernes, je ne vous dis que ça. Je vais vous donner un mot pour Cadiou. C'est une canaille. Mais le meilleur spécialiste pour la tuberculose des os... j'ai été dans son service comme stagiaire... »

L'opération, comme on s'y attendait, réussit pleinement. Judith avait bien la bouche pincée, et le regard vague, mais dites donc! Catherine emportait la carte du Dr Planté dans son sac.

Était-ce l'atmosphère de l'avortement qui avait donné à Catherine comme une idée de la mort ? Elle se précipita chez Cadiou. Il habitait un petit hôtel particulier place

Malesherbes. Il y avait un Renoir pendu dans le hall, et des chinoiseries partout. Le cabinet florentin avec des tentures était tout ce qu'on fait de mieux comme confessionnal moderne.

L'examen ne prit pas longtemps. Le diagnostic non plus.

Il fallait changer d'air. Chaise longue tous les jours. Régime sérieux. Si Mlle Simonidzé ne voulait pas avoir des saletés... parce que claquer, ma petite, ça passe encore... mais avoir un mal de Pott, des abcès, enfin tout le tableau... et ça vous guette. Le mieux serait de vous faire au genou un petit plâtre léger, dès maintenant. Immobiliser ça. Ce qu'il faut au bacille de Koch c'est l'immobilité. Évidemment, le poumon droit. Mais avec de la chaise-longue. Au bon air. Tenez, à Berck.

Le professeur Cadiou croyait tellement à la salubrité de l'air de Berck qu'il y avait placé tout son argent. Il avait là-bas une clinique, et il était actionnaire d'un hôtel et du Casino. Il envoyait tout le monde à Berck, les tuberculeux, et préventivement les autres.

Judith se remettait très bien. Elle avait un peu de fièvre, ça traînait. Elle était de mauvaise humeur et, au fond, elle regrettait maintenant le gosse. Catherine était révoltée.

Elle arrangeait son départ. Non, elle voulait bien mourir, mais pas ces horreurs. Passe pour Berck. Par une agence elle engagea une petite villa de trois pièces. Elle ne voulait pas de l'hôtel. Elle voulait être chez elle. Mme Simonidzé qu'il avait bien fallu mettre au courant, s'était mise brusquement dans le rôle de la bonne mère : insupportable. Catherine brusqua le départ. Elle alla prendre congé de Judith, elle ne la trouva pas bien. Il y avait là dans un coin la petite cousine, l'étudiante en droit, qui lisait *Claudine à l'école*. Catherine, soudain inquiète, lui donna son adresse à Berck et lui dit à mi-voix : « Si vous avez besoin de moi, télégraphiez... je reviens. »

XXIII

Catherine n'eut pas à revenir. Le télégramme qu'elle reçut deux jours après s'être installée ne lui en laissait aucune raison : Judith, transportée d'urgence dans une maison de santé, n'avait pas supporté l'opération qu'on avait dû pratiquer. Elle était morte. Il vint après le télégramme une longue lettre de la petite cousine, mêlée d'horribles détails directs, et de toutes les phrases que cette enfant avait toujours vues dans sa famille, pour les décès, qu'il fallait mettre dans une lettre pareille : « *Je ne peux pas y croire... je me réveille la nuit et je me demande si je n'ai pas rêvé...* »

La villa Baisedieu qu'avait louée Catherine était en réalité formée de deux parties indépendantes, dont la seconde restait l'habitation de M. Firmin Baisedieu, le propriétaire. M. Baisedieu était un ancien croupier du Kursaal d'Ostende. Belge de cœur comme de naissance, il avait projeté de s'établir à cinquante ans quelque part sur la côte vers Blankenberghe. Car il lui fallait l'air marin. Mais il avait trouvé par hasard à Berck-Plage cet espèce de double chalet pour une bouchée de pain. Les affaires sont les affaires. M. Baisedieu avait donc passé la frontière et s'était établi là avec Mme Baisedieu. Il louait la moitié du local et la moitié du jardin. Une haie de buis coupait la propriété en deux, et il avait fait ouvrir dans la grille au bout du jardin une seconde porte peinte en blanc. Comme ça chacun avait son entrée. C'était aussi sa femme de ménage qui faisait le ménage des locataires, et avec Catherine la tradition fut observée. Mme Baisedieu ne trouvait pas cette demoiselle à son goût. Elle s'habillait en velours à Berck, je vous demande un peu.

M. Baisedieu en gardant ses plates-bandes regardait à travers le buis les visiteurs de Mlle Simonidzé, et il hochait la tête, et pinçait les lèvres.

Malgré sa jambe raide, à cause du plâtre au genou, s'appuyant sur une canne, Catherine s'était vite liée à des gens sur les sables des dunes. Connaissances de hasard qui faisaient fureur huit jours, puis qu'elle distançait. Mais bientôt elle eut des relations différentes : une affiche de meeting l'avait amenée à une réunion anarchiste. Cinquante personnes peut-être dans la salle, des gens venus de Lille, des employés, des ouvriers de Berck-Ville. Le thème de la soirée avait peu d'importance pour Catherine. (Pourtant il était de taille, il s'agissait du droit de grève, on débattait de la liberté de l'individu en face d'une grève syndicale : a-t-il le droit ou non de continuer à travailler ?) Catherine était venue là plutôt à la recherche d'êtres humains que d'idées. De gens dont elle ne se sentît pas isolée par tout le monde des idées.

C'était une étrange chose que ce besoin, tout en niant l'existence même des classes, qu'avait Catherine de parler avec les ouvriers, et en même temps c'était une étrange chose aussi qu'elle ne pût le faire qu'avec des ouvriers anarchistes. Il y avait entre eux et elle comme une culture commune, un langage ; de Proudhon à Nietzsche, quelques propositions sur lesquelles on s'entendait.

Cet été-là fut tout bouleversé par l'envoi du croiseur

Panther à Agadir. Les Allemands, affirmait le croupier Baisedieu, cherchaient la guerre. Il applaudit à la fière attitude du président Fallières qui avait déclaré à Toulon, dans un banquet : « Il y a des héritages auxquels on ne renonce pas sous peine de déchoir. » Les Allemands d'ailleurs avaient dû avoir sacrément peur : au début de septembre, près de Berlin, ils avaient été plus de cent mille à manifester contre la guerre et la politique de Guillaume au Maroc. La guerre était évitée : Vive la France! Mais, dans une époque aussi troublée, c'était, fichtre, désagréable d'héberger chez soi, même pas gratis, une donzelle comme cette Simonidzé, une étrangère acoquinée à ce que Berck avait de plus antimilitariste, à de sales éléments en un mot. Et on était à peine tranquille du côté du Maroc, que ça se mettait à brûler du côté des Balkans. Qu'allaient devenir *nos intérêts* en Orient? Au café, les amis de M. Baisedieu hochaient la tête.

A la fin de 1911, la villa Baisedieu était donc le siège d'allées et venues qui ne plurent ni au couple des propriétaires ni à la police. On s'inquiéta, à Berck, de cette étrangère qui se liait avec tout ce qu'il y avait de plus instable dans la population. Un rapport fut envoyé à la préfecture d'Arras. D'Arras, on écrivit à Paris, et les renseignements qui en vinrent sur Mlle Simonidzé firent hocher la tête au préfet. Mais on n'avait pas de faits précis pour intervenir : ce n'est pas un crime que de recevoir des ouvriers chez soi. La demoiselle payait régulièrement la location de sa villa. Il ne semblait pas qu'elle s'adonnât à la prostitution. Ce n'était pas assez non plus qu'elle eût pris part au meeting qui avait suivi les journées Ferrer à Paris.

Fin octobre, un inspecteur pourtant, là-dessus, passa chez M. Baisedieu et l'entretint longuement de sa locataire. Mlle Simonidzé n'était-elle pas mêlée à l'agitation contre la guerre turco-bulgare, qui avait éclaté soudain ? Évidemment on ne pouvait rien dire à ce sujet, c'était son droit d'avoir son point de vue sur la politique des Balkans. Ce n'était pas comme s'il se fût agi d'un conflit franco-allemand. M. Baisedieu en conçut une haine très vive pour Catherine. Il n'y a pas de feu sans fumée. Un de ces jours si sa maison sautait ? On ne sait jamais, une bombe.

Mais Catherine avait loué pour un an.

Elle se soignait. On lui enlèverait bientôt son plâtre. Elle commençait à douter, avec des crises de panique parfois, du pronostic à brève échéance fait il y avait déjà dix-huit mois, un matin à Laënnec. Elle ne répondait pas aux lettres de Jean Thiébault, qui venait de passer commandant.

Les journées d'automne étaient froides. On se chauffait avec du coke, villa Baisedieu. Catherine traînait longuement au lit, fumant des cigarettes, lisant. A vingt-cinq ans, sa vie commençait à ressembler à celle de sa mère à quarante ans passés. Mélanie, la femme de ménage, trouvait mademoiselle très belle, et tout le mal qu'elle en entendait dire chez son patron la lui rendait plus mystérieuse et plus aimable. Elle venait pour le plaisir chez Catherine, et elle ne comptait pas les heures qu'elle y faisait.

Elle se donnait un mal du diable pour économiser l'argent de la demoiselle. La vie était très chère, cette année-là : au marché il y avait eu des bagarres, les ménagères entendaient contrôler les prix. Elles avaient formé un comité. Mélanie y était entrée. Elle racontait longuement ses histoires à Catherine, comment on avait refusé d'acheter ci et ça la veille, et comment les marchands avaient capitulé le lendemain.

Elle rapporta à la jeune femme tout ce qu'on disait d'elle chez les Baisedieu. Elle lui demanda si c'était vrai que Mademoiselle fabriquait des bombes. Elle était une fille de pêcheurs, sept enfants : deux de ses sœurs qui avaient mal tourné. On ne savait pas où elles étaient. Peut-être bien dans des maisons. Sa cadette était mariée à un mineur d'Anzin. Elle, elle était trop laide. Alors elle avait de la religion. Oh, pas beaucoup. Elle riait. Si elle avait été belle comme Mademoiselle, elle aurait eu tous les hommes après elle, et ils auraient su ce que ça leur aurait coûté. Comment allait le genou de Mademoiselle ? Ça devait lui sembler tout drôle, maintenant sans plâtre. Et quand on la massait ? Mélanie frottait. Il n'y avait qu'une chose qu'elle désapprouvait en Catherine. C'était cette façon de jeter les bouts de cigarettes n'importe où.

Le 25 novembre, Mélanie apporta le lait et les journaux comme à l'habitude. Mademoiselle était au lit, et elle se mit à lire. Mademoiselle avait encore fait des saletés partout, avec ses crédieu de mégots, que c'était pis qu'une bique. Mélanie maugréait. Soudain elle vit Catherine se dresser dans sa longue chemise de soie, et sauter à bas du lit, et jeter à terre le contenu des tiroirs, remplir une valise.

Cela ne prit pas plus d'une heure et demie pour que Catherine fût dans le train. Elle relisait le journal : un jeune couple, M. et Mme Lefrançois-Heuzé, avait été trouvé sans vie à son domicile parisien, dans des circonstances mystérieuses. Catherine ne songeait qu'à Martha.

TROISIÈME PARTIE

Victor

I

Solange et son mari avaient été trouvés chez eux dans un état qui faisait hésiter entre l'hypothèse du suicide et celle de l'accident. Des éclaircissements bizarres que donnaient les journaux, il ressortait que la mort était due à une drogue qu'on ne précisait point. Les journalistes étaient plus prodigues de détails en ce qui concernait les familles des défunts, présentées avec quelque exagération comme la fine fleur de l'aristocratie industrielle des Flandres. On parlait à mots faussement couverts de la pension de Martha, du rôle qu'y jouait Solange avant son mariage, présenté comme une idylle du xxe siècle, avec sa fin tragique, qui donnait l'occasion de citer Baudelaire, une audace.

Martha était sortie, et ce fut Miss Baxton qui reçut Catherine débarquant de la gare. L'Anglaise, avec ses cinquante ans, son col droit et un jabot mi-empesé, se montra fort circonspecte dans ses propos. Il y perçait pourtant, plus que de la pitié pour les défunts, de l'inquiétude pour la renommée de l'établissement que dirigeait cette demoiselle. Il y avait une feuille qui racontait que lorsque Solange était censée accompagner les jeunes étrangères de la maison aux cours du Louvre ou aux *Annales*, en réalité elle allait retrouver des messieurs, et même pis. Des allusions à des maisons de rendez-vous où la morte aurait été parfois avec les pensionnaires de Martha et de Miss Baxton mettaient celle-ci tout à fait hors d'elle. La découverte de ce passé aurait déterminé le jeune marié à l'acte de désespoir dans lequel il avait entraîné sa femme. Et ainsi de suite.

Catherine s'inquiétait surtout de Martha. Est-ce que M. de Houten n'aurait pas pu, comme il l'avait fait pour la mort de Blaise Jonghens, arrêter tous ces propos en disant un mot au préfet, avec lequel il était si lié. Comme elle disait cela, Catherine pour la première fois établit un rapport entre la démarche qu'avait faite le Hollandais pour elle, lors de l'affaire de Nancy, et la visite du policier rue Blaise-Desgoffe.

M. de Houten! Miss Baxton pinçait les lèvres. C'était bien là le plus ennuyeux. Il était peu probable que M. Lépine fît quelque chose pour lui dans ces conditions. Quelles conditions? Mlle Simonidzé ne savait pas, au fait. Oui, ce matin même, *à l'improviste*, on avait perquisitionné chez M. de Houten. Miss Baxton mettait sur cet improviste une emphase à croire que dans la bonne société on prévient avant d'aller perquisitionner chez les gens.

Mais quel rapport? Ah, cela, Miss Baxton l'ignorait totalement. Il semblait pourtant que la mort du jeune couple ne fût pas étrangère à cette perquisition. La police avait trouvé un paquet, que M. Lefrançois-Heuzé avait confié à M. de Houten, qui en ignorait naturellement le contenu. De cette chose bestiale. Des stupéfiants, enfin. Mais Martha allait rentrer, elle dirait elle-même à Mlle Simonidzé. Elle avait été à la Morgue.

Martha n'était pas reconnaissable. Une vieille femme. Sans couleur, le visage raviné par les larmes. Dans un état d'agitation extrême, et d'abattement alterné. Elle se promenait à travers les chambres. Elle évitait ses pensionnaires. Miss Baxton évidemment assurait le train-train quotidien. Martha parlait comme si c'était elle-même qui fût morte. Toutes ses phrases au passé. Dans son bouleversement, elle associait Blaise et Solange, comme s'il se fût agi d'une seule mort, comme s'il n'y eût pas eu des années d'un désastre à l'autre. Elle parlait de Solange comme d'une toute petite fille qui a encore fait une sottise. Mais par-dessus tout elle avait un souci, une terreur : Joris. Allaient-ils arrêter Joris ? Enfin, c'était insensé! que lui voulait-on, à Joris ? C'était une machination. Est-ce qu'on ne savait pas qu'il avait rendu de grands services à la France ? Le 14 juillet précédent, on l'avait fait chevalier de la Légion d'honneur. A titre étranger, bien entendu, mais enfin. Et alors, parce qu'il avait eu l'imprudence de prendre chez lui un dépôt, confié par son beau-frère, à elle, un homme du monde, un homme bien, un filateur!... Est-ce qu'il pouvait s'imaginer, Joris ? Même si cela n'avait pas de suites (il était convoqué pour le surlendemain, lundi, chez le juge d'instruction), cela serait tout de même du joli pour ses affaires! Martha se sentait responsable.

Catherine n'avait jamais approfondi ce qu'étaient les affaires de M. de Houten. Elle posa la question, plutôt pour entraîner l'esprit de Martha loin des deux cadavres qu'on lui avait montrés avant l'autopsie, et auxquels elle s'était remise à songer avec de petits sanglots.

Joris servait d'intermédiaire entre des banques étrangères et des particuliers qui cherchaient des capitaux pour des entreprises. C'était ainsi qu'il avait obligé le gouvernement français lors d'un emprunt. Et puis il faisait toutes sortes d'affaires : exportation, importation. De quoi ? De n'importe quoi. Il avait un véritable don. Tout lui réussissait. Aussi Martha avait-elle toujours pensé qu'un mariage arrangé par Joris, comme celui de Solange, ne pouvait qu'être parfaitement heureux. Et maintenant que croire ? Elle tournait vers Catherine des yeux implorateurs : « Dites-moi que tout ce qu'on dit de cette enfant est faux, faux ! Solange ! »

Elle enfouissait sa tête dans les coussins : car l'horreur n'était pas que Solange fût morte, mais qu'elle l'ait trompée pendant des années, qu'elle ait été une créature... Catherine pouvait-elle y croire ? Ce qui laissait Martha stupide, ce qui la confondait au-delà de tout, c'était la drogue. La drogue dont l'irruption soudaine, irréfutable, puisque deux êtres en étaient morts, restait quelque chose d'impossible à expliquer. Si Solange avait eu cette habitude, on s'en serait aperçu. Alors c'était Pierre... mais Joris qui le connaissait de longue date affirmait n'en avoir jamais rien su. Joris ! Mon Dieu, pourvu qu'on ne lui fasse rien ! Un inspecteur de police était venu chez Martha et l'avait interrogée sur Joris. Quelle honte !

Martha pleurait doucement contre l'épaule de Catherine. Sa vie avec Joris était une espèce de zone merveilleuse et réservée où elle n'avait jamais laissé entrer personne. Brusquement, brutalement, le policier lui posait des questions, des questions ! Cet ignoble individu !. Ne lui avait-il pas dit tout à coup : « Est-ce que vous allez prétendre que vous ignoriez qu Houten est un trafiquant de stupéfiants ? »

Rue Blaise-Desgoffe, quelle chance ! Mme Simonidzé était partie chez Hélène, l'aider à son déménagement, Mercurot étant envoyé à Paris. Catherine était revenue en hâte pour Martha. Mais il y avait dans toute cette affaire quelque chose d'horrible qui lui faisait désirer passer la soirée toute seule.

Cette insignifiante Solange, et son mari, à cause de qui la petite Judith était si bêtement morte, elle ne pouvait pas se faire à l'idée qu'ils fussent les héros d'un drame. Qu'est-ce que ça pouvait bien lui faire, à ce bellâtre, que sa femme ait eu des amants avant lui? Était-ce bien pour cela qu'il l'avait tuée? La figure de Joris de Houten flottait au milieu de tout cela, ses relations policières, et l'accusation de l'inspecteur.

Catherine avait bien souvent songé à se tuer depuis qu'elle était malade. Naturellement, elle avait une très haute estime des gens qui se tuent ; et la réprobation *bourgeoise* qui entoure les suicides la révoltait. Mais il y avait cette fois, autour de cette double mort, trop de trouble, et aucune grandeur.

Le dimanche 26 novembre, qu'elle passa chez Martha, au milieu des souvenirs, des anecdotes puériles, des traits déjà idéalisés de la morte, dont, elle, Catherine, ne pouvait oublier les yeux sournois, et l'extrême, l'absurde futilité, le dimanche 26 novembre s'éteignit dans cette atmosphère de gâchage et d'inexplicable désastre, où le qu'en-dira-t-on tenait une place piteuse et primordiale. Vers le soir, une débâcle aussi, celle de la liberté du dimanche, elle revint à pied chercher le métro à La Motte-Picquet-Grenelle. Il y avait dans les rues une épouvantable et triste traînerie de gens, avec une petite pluie qui ne se décidait pas. Sous le métro aérien, des couples échouaient sur les bancs dans l'ombre, parce que les chambres sont trop chères, dans les ignobles petits hôtels à deux étages du boulevard. Au pied de la station, un violon et un accordéon et un chanteur attroupaient une cohue frileuse autour d'un tango, qui parlait de pampas.

Catherine s'attarda comme les filles, les marins, les soldats qui se traînaient vers la caserne Dupleix, les petits boutiquiers. Puis soudain cela devint intolérable, atroce : les musiciens jouaient une chanson gaie, le dernier succès de Fragson. Catherine monta les escaliers du métro.

Elle avait acheté un journal du soir en passant à la marchande, pour ne pas faire la queue au guichet des tickets. Dans le métro, vers Cambronne, elle le déplia. Par les fenêtres, les lumières clignotantes des sinistres petits bordels et des bals dansaient au milieu des masses noires des maisons.

Voilà comment Catherine apprit que ce matin-là, 26 novembre 1911, Paul et Laura Lafargue avaient mis volontairement fin à leur vie.

II

Catherine ne connaissait guère de Lafargue que *Le Droit à la Paresse.* Elle l'avait aperçu, lui, un jour, à un meeting. Mais, parmi ses amis anarchistes, il était l'un des très rares chefs du mouvement ouvrier qui ne fût pas l'objet de la haine et de l'acharnement de tous. Aussi la persistance à ses côtés de cette Laura, fille du vieux Marx, et sa collaboratrice de toute une vie, avait pour Catherine un charme et un attrait comme un symbole du rôle des femmes dans la société de l'avenir. Et voici qu'ils avaient voulu mourir ensemble.

Ils se l'étaient promis depuis de longues années. Ils avaient vécu avec cette assurance mutuelle contre la décrépitude, la déchéance des vieux jours. Ils s'étaient fixé le soixante-dixième anniversaire de Lafargue comme terme de leur vie. Quelles que fussent alors leurs santés à tous deux. Au milieu des combats, depuis les jours lointains de la Commune, quand Lafargue venait à Londres, jeune créole dont les écarts de langage fatiguaient parfois Karl Marx, et qu'il se lia pour la vie avec la paisible et ferme Laura, dont le père ne pensait pas sans humour qu'elle saurait mettre au pas ce que son gendre avait de méridional ; poursuivis, pourchassés ensemble ; et Paul transcrivait dans un langage, romantique peut-être, mais plein d'ardeur, cette pensée que Laura patiente traduisait des œuvres paternelles par grands et fidèles lambeaux ; à travers les années, ils avaient vécu avec cette certitude entre eux, cette conspiration contre la vieillesse.

Donc, au jour depuis longtemps assigné, ils étaient partis. Dans une petite maison de campagne, laissant au jardinier le texte par avance écrit et signé de son nom du télégramme qui annoncerait leur mort.

Tout le monde que Catherine portait en elle trouvait dans cette histoire immense et simple une résonance étrange et profonde. C'était comme au matin d'une nuit d'insomnie le chant terrible et perlé des oiseaux. Il s'opposait, ce suicide réfléchi, raisonnable, à la fin sinistre des deux jeunes bourgeois, où le hasard semblait avoir joué avec les préjugés et la drogue sa partie d'orchestre narquois.

Catherine, qui sentait en elle depuis bientôt les deux ans prédits cette mort qui n'est rien, si elle ne vient encore avec un long cortège de purulences et de pharmacie, éprouvait directement comme une leçon la fin des époux Lafargue. Elle y puisait une espèce de certitude amère et rien ne pouvait l'en défendre, parce que tout en elle était respect du suicide, et sans armes contre son prestige noir.

Elle ne pouvait être frappée de la contradiction qu'il y avait eu en réalité entre cette mort volontaire et la vie et les idées des continuateurs de Marx. Car, bizarrement, elle était atteinte par ces idées, par cette vie justement en fonction de cette mort qui était le lieu commun lyrique où elle se retrouvait avec eux. Une espèce de plaque tournante aux confins de l'anarchie et du socialisme. Qu'ils se fussent tués les rendait humains pour Catherine. A vrai dire des gens de sa classe. Catherine passa toute la soirée à lire ce qu'elle avait pu trouver d'eux chez elle, une traduction du *Manifeste communiste* par Laura, un discours sur Victor Hugo par Paul.

Elle s'endormit tout habillée sur le sofa, avec la tête pleine de ces phrases qui ont appelé depuis 1848 les prolétaires à l'organisation et à l'insurrection armée. Elle avait oublié le suicide et la mort.

Mais au réveil, dans le petit matin froid, il n'y avait pas de chauffage central rue Blaise-Desgoffe, et la salamandre s'était doucement éteinte ; ce fut à Solange et à Pierre, tout défaits de leurs espoirs, de leurs plaisirs, dans l'agonie blême de la drogue, que Catherine pensa tout d'abord. On entendait dans la rue, sous les porches, vider les boîtes à ordures sonores, et les laitiers faisaient un tonnerre de fer-blanc sur le pavé.

Impossible de ranimer le feu. Une longue journée commençait.

Il n'y a rien de plus interminable que ces heures du matin, quand on s'est réveillé prématurément et que le sommeil est chassé d'une façon irrémédiable. Il faut attendre que le paresseux univers à son tour revienne à la vie. Catherine, glacée par l'hostilité de sa propre demeure où traînait le désordre de sa mère absente, préféra sortir. Elle n'avait pas de baignoire chez elle, elle prit un petit sac avec le nécessaire pour sa toilette dans un établissement de bains. Mais il était trop tôt, il fallait patienter jusqu'à l'ouverture.

Par les rues, elle se mêla d'abord à cette première agitation pressée des gens qui se rendent au travail. Rue de Rennes, elle s'attarda devant une boulangerie. Ouvriers, employés, passaient près d'elle avec cette indifférence de la hâte. Les pains frais et dorés retenaient comme des mouches les yeux de Catherine. Toute cette vie de chaque jour, cette pièce de théâtre donnée chaque matin, et à laquelle jamais elle ne participait... Catherine toussait. Elle ne pouvait détacher ses regards des longs pains entassés dans une corbeille qu'une femme au tablier bleu sombre allait pousser par les rues.

Puis il y eut moins de monde au-dehors. On était entre deux heures de rentrées. Dans les cafés, les chaises se désempilaient, tandis qu'au comptoir, à petites gorgées, des hommes et des femmes buvaient un liquide trop chaud. Catherine tournait autour de Saint-Sulpice. Dans les magasins de bondieuseries, le peuple des statues de plâtre l'irrita : encore un commerce qui marchait bien. Des concierges balayaient à leurs portes. Patiemment, dans les chaînes de la place, des gens pauvrement mais méticuleusement vêtus attendaient le tramway. Chacun son tour. Comme des rats, de vieilles femmes entraient dans l'église.

Catherine, avec son sac où dormaient le savon, le gant de crin et un paquet de sels, s'assit un instant à l'intérieur d'un tabac près de Saint-Germain-des-Prés. On lui servit un café et des croissants tandis que le garçon poussait presque dans ses pieds la serpillière au bout d'un balai. Elle suivait machinalement le mouvement de va-et-vient du laveur. Sa tête bourdonnait des phrases retenues, de cette traduction de Laura Lafargue, sur laquelle elle avait rêvé cette nuit. Allons! elle crèverait sans avoir vu la fin de ce monde où la femme n'a d'autre rôle *que celui de simple instrument de production.* Ils étaient morts, Paul et Laura Lafargue, et les employés du Bon Marché se hâtaient toujours vers le square Boucicaut. Des cloches sonnaient. Huit heures. Catherine allait pouvoir prendre son bain rue du Four.

Elle y resta longuement, mais même en repassant par chez elle, où elle s'attarda, elle se retrouva dans la rue à neuf heures et demie. Il fallait espérer que Martha dormait encore. Au fait qu'est-ce qui l'attachait à Martha ? Dans la vie de celle-ci, il n'y avait de place que pour M. de Houten, même la morte ne préoccupait au fond cette amante inquiète que dans la mesure où sa mort pouvait bouleverser la vie de son Joris. Catherine, qui venait de passer des mois de solitude à Berck, s'épouvantait pour la première fois devant le désert d'une matinée. Sa vie! Bien la peine d'y tenir. Elle qui avait toujours accepté sans y songer la mensualité irrégulière que M. Simonidzé envoyait de Bakou, voici brusquement qu'elle en avait honte, peut-être à cause de tout ce monde qu'elle avait vu se hâter dans l'aube. Elle retrouvait des pensées qui s'étaient formées en elle dans cette nuit de Cluses, il y avait déjà huit ans de cela, après la fusillade, et qui s'étaient endormies, on ne sait comment. Avec qui était-elle ? Avec Martha, et ce louche Joris qui avait l'oreille de la police, et qui sans doute trafiquait de l'argent, si ce n'est des drogues ? Avec Solange et Pierre ? Fantômes médiocres, acteurs d'un drame stupide. Avec ces anarchistes qu'elle avait fréquentés comme une étrangère, à Paris comme à Berck ? Un visage s'éclairait au fond de sa mémoire, celui de la mère dont on vient d'assassiner l'enfant, dans la petite chambre savoyarde... Elle pensait à Bakou, d'où chaque mois venait une petite formule chargée de signes, et où il y avait des ouvriers, qui ont aussi des mères ; et à toutes les mystérieuses opérations, qui de là-bas jusqu'à Paris, permettent à travers des bureaux, des surveillances, grâce à des contrats, des louages, que la feuille débarque un beau jour par la poste, par le facteur qui s'est levé très tôt, jusqu'à cet appartement où Mme Simonidzé fume et songe, et songe et fume depuis des années on se demande pourquoi.

A travers ce brouillard de pensées, les geignements de Martha et les journaux bavardant sur *l'affaire*, et l'interrogatoire de M. de Houten, et les heures de l'après-midi passèrent. Catherine se retrouva seule vers le dîner. Elle avait un peu songé à aller voir Jean Thiébault. Puis une espèce de rage profonde l'avait saisie. Assez de celui-là. Elle dîna dans une crémerie chaude près de l'École Militaire.

III

Catherine ne pouvait se décider à rentrer chez elle, malgré un point qu'elle sentait dans son dos et qui lui rappelait cette maladie dont à l'arrière-plan de ses pensées revenait le refrain menaçant. Il n'était pas très loin de neuf heures, les soldats rentraient à la caserne des Invalides. Des chansons éraillées de phonographes sortaient des bistros, où les derniers retardataires s'arrachaient au billard, ou à la compagnie des filles.

L'esplanade s'ouvrait toute vide sous un vent froid. Catherine gagna les quais. Elle les descendit vers l'Alma. Cette partie de Paris est déserte, comme une zone du luxe. En face, au Cours-la-Reine, il y a un va-et-vient équivoque, une prostitution qui tient encore de la vie. Mais sur la rive gauche, on dirait simplement ici que la ville a gelé, et l'eau de la Seine est plus noire qu'ailleurs.

Le parc d'attractions de Magic-City rendait un son triste de plaisirs promis. Lundi soir. Cela devait être vide. Des musiques, la bouffée des parades, le bruit des carabines dans les tirs, sûr que c'étaient les employés qui usaient les balles... Catherine passa tout cela, et le bruit en rafale du scenic-railway. Au-delà du pont de l'Alma, la nuit était plus claire. C'est ainsi qu'on arrive au pied de la Tour Eiffel. La Seine coulait, indifférente, pleine de noyés.

Qu'est-ce que Catherine suivait ainsi à la traîne du fleuve? Il bruinait. Deux métros, comme pour une cérémonie de lumières, se croisèrent au-dessus de l'île des Cygnes où une République courte sur pattes figure la démocratie des chalutiers. Plus loin, plus loin. Elle avait enlevé son chapeau, Catherine, et se souciait très peu de l'humidité glaciale. Ses cheveux humides étaient aussi sombres que les eaux de la Seine à la lueur rare des réverbères.

Au pont Mirabeau, elle abandonna le quai comme si elle voulait gagner la rive droite. Mais sans doute qu'elle voulait surtout voir couler la nuit fluviale, car elle s'accouda au parapet vers le milieu du pont, du côté de l'aval. De sous elle, les eaux tourbillonnantes se précipitaient. On connaît en rêve cette sensation du plancher qui fuit. Les pensées de Catherine descendaient le courant, en épousant les méandres. Remous obscurs, venus d'en-arrière, des jours de son enfance, jusqu'à ce jour même, ce long, cet interminable jour...

Tout à coup, sans précisément avoir prémédité ce

geste, elle avait lancé son chapeau dans le vide. Il tournoya, s'enfonça dans le cœur des eaux. Elle ne le vit pas disparaître vers la mer hypothétique et lointaine. Elle restait ainsi décoiffée dans la nuit. Son imagination à la dérive suivait le chapeau léger dans les tourbillons. Elle était toute, entièrement au souvenir de Cluses, de cet avortement de sa destinée ; il lui semblait que c'était alors que quelque chose en elle s'était irrémédiablement brisé, là dans la foule agitée en tous sens, tandis que les blessés étaient dans la poussière, que les soldats se portaient vers la maison en flammes avec leurs fusils et que le soleil dansait sur un petit chien jaune.

Oui, à ce moment-là, elle s'était trouvée à une croisée de routes. Elle avait été retranchée des siens, elle pensait même fortement, elle *voulait* penser de sa classe. Mais elle n'avait pas su prendre son parti de cette rupture, elle ne s'était pas attachée ailleurs. Elle avait eu des curiosités de voyageuse, et rien de plus. Jamais elle n'avait pu se lier avec les autres, avec *l'ennemi* des siens, de ceux qu'elle avait l'horreur aujourd'hui encore de reconnaître comme les siens. C'est qu'elle avait gardé de sa vie passée les commodités, même dérisoires. Il lui avait répugné comme à une fille de ne pas avoir de quoi acheter une robe. Sa liberté, le grand mot dans la vie qui l'avait menée à la remorque, cela avait toujours été ce misérable pouvoir de ne pas travailler, de flâner, et c'était cela même, le petit mandat de Bakou, qui l'avait maintenue (qu'elle le voulût ou non) dans les rangs dont elle croyait sortir.

Les eaux noires roulaient toujours et le chapeau devait avoir fait un chemin fou. La tache de lumière, que les yeux de Catherine avaient sans doute empruntée aux réverbères, dansait devant eux, au-dessus du fleuve, pareille au petit chien jaune... Il avait eu très peur des coups de feu, le petit chien jaune, il s'était caché derrière Jean... La pensée de Jean était ce qu'il y avait de pire. Il serait général, Jean, un jour, à moins que d'autres coups de feu... Mais c'était un ouvrier mort, avec du sang sur la chemise, et de la terre dans les cheveux, qui hantait la mémoire de la jeune femme, et non pas Jean.

Comme tantôt, pour le chapeau, le geste fut tout naturel, et sans débat préalable. Elle monta sur le parapet et passa une dernière fois ses deux mains sur ses cheveux.

Mais voilà qu'elle se sentit prise à bras-le-corps et ramenée à terre. Un homme solide la tenait, un chauffeur, à en juger par la vareuse et la casquette.

« Pas de ça, Lisette, dit-il, d'une voix profonde et vulgaire qui ne s'accordait pas très bien avec un air de grande jeunesse. Je voyais bien que Mademoiselle allait faire des bêtises. D'abord le chapeau. Une pitié. Vous plaisait pas, peut-être ? J'étais là au coin du quai. J'ai quitté ma voiture. Allons, qu'est-ce que c'est ? On chiale, maintenant. Allons, allons. Ça se passera. Non, je ne vous lâche pas. Faudrait qu'une fois... Non ? c'est fini ? Promis ? »

Il ne la laissait pas tout à fait libre. Elle toussa.

« On prend froid ? Ça fait du temps qu'on est là, et ça mouille. Faut venir se réchauffer quelque part. » Il se méprit au geste de dénégation de Catherine : « Ah ! ça, un verre ne se refuse pas, ma petite ! C'est vrai qu'on ne se connaît pas. Enfin, je m'appelle Victor... »

Elle essuyait son visage. Peut-être remarqua-t-il alors qu'elle était jolie. « En tout cas, je ne vous lâche pas, l'enfant. L'envie pourrait vous reprendre. On s'éloigne d'ici. J'ai une voiture au bout du quai. On fait un saut jusqu'à l'Alma où il y a un bistro tranquille. Un grog n'est pas de refus, ou du vin chaud. Vous êtes toute blanche. »

Et c'est ainsi que Catherine connut Victor.

IV

Jeanne Dehaynin était enceinte quand en 1886 éclatèrent à Decazeville les graves incidents à la suite desquels Dehaynin décida de quitter le pays où le Comité des Houillères refusait tout travail à ceux qui avaient pris une part active à la grève, ou qu'on supposait avoir trempé dans le meurtre de l'ingénieur Watrin.

Il la mena à Paris où elle avait une cousine blanchisseuse, et l'y laissa le temps de ses couches, pour chercher du travail et la faire venir. Elle ne devait plus le revoir. Aux mines de la Loire, il fut tué dans les premiers jours. Il avait vingt-trois ans.

Le petit Victor Dehaynin se trouva donc parisien par raccroc.

Il poussa tout simplement dans le bas de la rue de la Roquette, près de la Bastille, où sa mère travaillait chez la cousine Adèle. Jeanne vers 1890 s'était mise avec un cheminot, chauffeur sur les express, qui ne faisait pas de mauvaises journées. Mais il revenait à la maison mort de fatigue. On habitait dans le bout de la rue des Boulets, presque au faubourg Saint-Antoine. Quand Victor eut dix ans, on se disputa ferme à la maison parce que Jeanne l'aurait bien envoyé au catéchisme, histoire de lui faire faire sa communion, comme aux autres, mais le chauffeur criait que c'était une honte et qu'il la quitterait si elle faisait ça à son gosse. Joseph l'aimait bien, Victor. Une fois, celui-ci l'avait emmené en cachette sur la locomotive. En 1897, il fut tué dans un accident. Paraît que c'était la faute du mécanicien, et peut-être bien aussi celle de Joseph. En tout cas, comme Jeanne n'était pas mariée avec lui, elle n'eut droit à aucune pension, pas plus que pour Dehaynin, d'ailleurs, qui était, lui, son légitime. Elle retourna à la blanchisserie, et Victor fut mis en apprentissage chez un charron de la rue des Pannoyaux.

En fait d'apprentissage, il eut surtout à laver le plancher et les voitures, à faire les courses, donner un coup de main au ménage du patron, vider les ordures, porter l'eau. Il faisait douze, treize heures, mais aussi il était nourri. Il ne regrettait pas l'école, d'ailleurs, où il avait été jusqu'à onze ans.

A treize ans, il était grand et fort pour son âge et, par la cousine Adèle qui lavait le linge d'un gros camionneur des Halles, il trouva une place chez celui-ci. Il nettoyait toujours des voitures, mais aussi il apprit à soigner les chevaux, et même à conduire. En 1901, on lui confia une bagnole. Il allait dans la nuit chercher des légumes dans les épandages d'Argenteuil ou dans la banlieue sud, et il revenait, au petit pas exténué des deux bêtes, ramenant son butin aux Halles, où il le déchargeait sur le carreau. Il dormait ensuite jusqu'à midi, mais l'après-midi il devait être à la boutique ; il travaillait quinze à seize heures. A son âge, ça ne lui faisait pas de mal, pas vrai ? N'empêche qu'à dix-huit ans on le flanqua sur le pavé, parce qu'il s'était battu avec le fils du patron, un baveux, qui voulait le faire trimer des heures de supplément à l'œil. N'était que de se trouver comme ça n'avait rien de drôle, Victor était assez fier de sa force essayée : le mec avait fait plutôt piteux devant sa boutique, descendu d'un coup, d'un seul. Et le monde s'était attroupé.

En attendant mieux, il fit le débardeur aux Halles. On l'embaucha chez un équarrisseur. Foutu dehors pour une réponse. C'est dans ces occasions-là qu'on regrette de ne pas avoir un métier, ce qui s'appelle un métier. Victor en avait marre des chevaux : ceux qu'on conduit, ceux qu'on abat. Et puis il croyait aux destinées de l'automobile. Le dimanche, il allait voir les courses. Il se lia avec des mécanos. On l'embaucha dans un garage à Saint-Cloud pour faire le gros ouvrage. Il avait son idée de derrière la tête. Il lavait les voitures, mais il se les faisait expliquer. Il apprit même à conduire. Il eut son permis juste avant de partir au régiment.

Il aurait dû être dans la cavalerie ou l'artillerie. Mais les chevaux, il ne pouvait plus les blairer. Il ne mentionna pas ses capacités de ce côté-là : à tout hasard, on le flanqua dans la ligne et il se trouva du faible contingent parisien d'un régiment du Midi.

Il était au 17e d'infanterie à Béziers quand celui-ci se mutina et fit cause commune avec les vignerons. Victor Dehaynin qui avait poussé n'importe comment, qui ne s'était jamais même syndiqué, dans ces journées extraordinaires où dans le régiment même on se demanda si le gouvernement ne ferait pas fusiller les soldats en masse pour leur rébellion, découvrit cette solidarité des travailleurs qui transforma pour lui totalement le sens même du travail. La légende de son père et des batailles des mineurs prit soudain à ses yeux un sens qu'elle n'avait jamais eu quand on la lui contait dans son enfance. Il s'instruisit de l'histoire du mouvement ouvrier. A la caserne, on lisait en cachette les journaux socialistes. Quand, par une trahison bien digne de

Clemenceau, le 17e après les journées de Béziers, contre toutes les promesses fut parqué dans des locaux pénitentiaires, Victor devint, à la faveur des liaisons qu'il y noua, un véritable militant de sa classe. De retour dans la vie civile, il fut accepté comme chauffeur à la Compagnie Générale à Paris et prit aussitôt sa carte du syndicat. En 1909, il était entré au parti socialiste.

Dans sa petite Wisner rouge et cahotante, il avait emmené Catherine, ce soir de novembre 1911, parce qu'il ne pouvait pas la laisser comme ça près de la Seine, avec la tentation de l'eau. Avec ça, il était en retard, il allait à un meeting à la Bourse du Travail et l'affaire était sérieuse. Mais quand ils se furent attablés avec la petite, elle était vraiment jolie, et puis une femme comme il n'en avait pas l'habitude, il la laissa doucement parler d'elle-même, de sa vie. Ça l'intéressait. Ils buvaient du vin chaud, et elle parlait de son enfance, et du Luxembourg à quinze ans, et de sa mère, et de ce monde étrange où les gens ne travaillent pas, comme si le bifteck tombait du ciel, avec des mandats postaux tous les mois, et les puits de pétrole à la cantonade.

Ce qu'il voulait savoir, lui, c'est pourquoi elle avait voulu comme ça sauter dans la Seine. C'était lui demander toute sa vie. De Cluses à Berck, de la mort d'un jeune ouvrier horloger à celle des Lefrançois-Heuzé, au suicide de Paul et Laura Lafargue. Qu'est-ce donc qui rendait possible cette confession ? Un regard peut-être, l'espèce de robustesse de Victor, plus que tout sans doute les brèves réflexions qui coupaient le récit de Catherine, et lui faisaient sentir à quel point cet homme, cet inconnu si totalement étranger à tout ce qu'elle avait voulu fuir, comprenait d'une façon directe, immédiate tout ce dont elle n'aurait jamais pu souffler mot à Martha, par exemple. Ou à sa mère : le grand événement de la vie de Mme Simonidzé n'avait-il pas été le percement du boulevard Raspail ?

Ce n'était pas ce qu'on appelle un joli garçon, Victor. Un grand type carré avec les traits marqués, qui auraient été réguliers, sans la bouche qui gâtait tout, trop mince, et très large. Blond comme les Jonghens, un Flamand aussi. Mais quelle distance d'eux à lui! Celle de deux classes. Ni le regard du financier ni celui du catholique. Habitué à regarder la vie en face, un regard de boxeur. Déjà, à vingt-six ans, le cou se marquait, tanné, rougi vers la nuque. Il y avait dans le fond du teint ce coup de feu du grand air qui vient du travail et qui ne se confond pas avec le hâlage raisonné des sports.

Il regardait de temps en temps la pendule. Le meeting! Mais ça ne fait rien, quand elle parla du suicide des Lafargue, il ne put s'empêcher de discuter le coup, parce que là-dessus il avait des données. Il avait lu *L'Humanité* le matin. Et il trouvait que son journal n'avait pas une position bien nette dans cette affaire.

« Qu'est-ce que vous voulez, ça me chiffonne, moi, cette histoire-là. Et, tenez, quand je vois l'effet que ça a sur vous. Bien entendu, ça vous a fait cet effet-là parce que vous y étiez toute prête. Enfin, on peut, on doit critiquer un chef de la classe ouvrière qui déserte son poste. Naturellement, vous protesterez, vous. Vous trouvez ça très beau, très grand, et patati et patata. Moi, pas. Je trouve ça simplement lamentable : pourquoi faut-il que la fille de Karl Marx ait fait cela ? Pour vous, je ne sais pas trop ce que ça dit, Karl Marx. Mais pour nous, vous comprenez, pour nous autres prolétaires... *Prolétaires de tous les pays*... Eh bien, non, nom de Dieu, des phrases comme ça ne permettent pas qu'on se tue un beau jour, ni vu ni connu, je t'embrouille! J'ai tout le respect qu'on voudra pour Paul Lafargue :

ça a été un militant du mouvement ouvrier, qui a donné toute sa vie à notre classe, et qui ne l'a jamais trahie. Mais il ne nous a pas donné sa mort. Sa mort n'a rien à voir avec la lutte des ouvriers. Sa mort n'a rien à voir avec sa vie, avec ce qui fait que je lui tire tout de même ma casquette. C'est ça qu'elle n'a pas dit, *L'Humanité*, et c'est un tort. Un fichu tort. »

Il frappait la table du poing. Catherine, avec cette voix douce et surprenante pour les Français, essaya de défendre non pas seulement Paul et Laura, mais le suicide. Que c'était un préjugé chrétien... Victor l'interrompit avec violence : « Qu'est-ce que vous me chantez là ? Enlever à la Révolution des forces, parce qu'on craint la maladie, ou l'âge, ou n'importe quoi, un préjugé que j'ai contre ? Un préjugé de classe, oui, et de ma classe, de celle qui va à la bagarre, et qui ne veut pas laisser distraire des combattants. Le suicide, c'est renâcler devant l'obstacle. Qu'est-ce que craint tant un prolétaire qui sait qu'il est un prolétaire, c'est-à-dire un militant de sa classe, pour qu'il veuille contre lui-même, c'est-à-dire contre un morceau de sa classe, donner raison à l'adversaire, à la bourgeoisie, en se supprimant ? Ce sont les bourgeois qui se tuent.

— Il y a, murmura Catherine, des chômeurs qui se tuent.

— Tout d'abord, ceux-là, on les pousse à se tuer, ça ressemble autant à l'assassinat qu'au suicide. Et puis, s'ils se tuent, ces copains-là, c'est parce qu'ils ne savent pas comment lutter contre la misère, qu'ils croient qu'on ne peut rien changer au monde, alors ils foutent le camp. C'est vous qui leur avez mis dans la tête à force de résignation, chrétienne ou pas, cette idée-là, et ils en crèvent. Mais s'ils ont conscience... »

Catherine l'écoutait parler. Elle ne protesta pas

contre le *vous* qui l'englobait dans la bourgeoisie, elle songeait aux mandats de Bakou. Elle subissait cette violence faite à ses idées, par cet homme qui ne lui devait rien. Elle avalait en silence de longues gorgées de vin chaud.

« Onze heures ! Et je bavarde, je bavarde. Il faut que je sois à la réunion avant le vote. Tenez, si vous étiez dans la bataille, vous ne penseriez pas à faire le plongeon. Croyez-moi, si Lafargue s'est tué, c'est d'une façon ou d'une autre qu'il s'était éloigné de la classe ouvrière. »

Quelle emphase il mettait, chaque fois, à prononcer ces mots, la classe ouvrière ! Catherine, à l'idée de rester seule, eut une sorte de pincement au cœur. Elle allait lui demander de l'emmener avec lui quand il dit : « Avec tout ça, ça m'embête de vous laisser comme ça, par-derrière, la tête bourrée d'idées noires. Je vous ai pas empêchée de faire la bête, pour que vous recommenciez quand j'aurai le dos tourné. Et puis je me dis que, qui sait ? si vous venez avec moi, ça vous donnera honte, et ça vous les changera, les idées ? »

V

Que savait Catherine des ouvriers ? Rien. Ce n'était pas d'avoir fréquenté quelques anarchistes, pour la plupart recrutés parmi les typographes, c'est-à-dire dans une catégorie qui a ses particularités, où s'est développée déjà une culture bien spéciale, et avec elle des traits idéologiques de la petite-bourgeoisie, ce n'était pas d'avoir connu Libertad et quelques autres qui l'eût familiarisée vraiment avec les ouvriers.

Ils lui étaient au fond aussi lointains qu'à Mme Simonidzé, aussi parfaitement étrangers. Est-ce qu'elle se faisait une idée quelconque de leur vie ? Non. Elle ne savait rien de l'enfance ouvrière, différente de celle qu'elle avait eue, comme le cauchemar d'un sommeil calme ; dans son monde, l'être humain rarement avant vingt ans acquérait ce sentiment de responsabilité qui fait l'adulte ; tandis que, garçons ou filles, dans le monde ouvrier la vie, à proprement parler l'enfer, commence bien avant l'achèvement de la croissance, avant même la puberté. Cela creusait encore entre Catherine et *eux* un fossé de différences. Il y avait aussi *les problèmes*, les importants problèmes qui se posaient pour elle, et qu'elle avait l'impression toujours, parlant avec un ouvrier, que celui-ci ne comprenait pas : non pas tant qu'il n'en trouvât pas la solution, mais comme s'il ne fût même pas arrivé à se les poser.

Cela, se masquant derrière des difficultés de langage, de vocabulaire, en imposait à Catherine pour une infériorité de leur part. Elle ne voyait pas que, bien souvent, tout était à l'inverse : c'était elle qui avait encore à discuter ce qui n'était en réalité que vestiges d'un autre siècle, et c'est peu dire, d'un autre monde. Et ils n'avaient pas des heures non plus à donner aux arguties, ils avaient leurs problèmes à eux, autrement pressants et immédiats.

Catherine ne se faisait aucune idée de ce qu'est la journée de travail. C'est peut-être ce qui sépare avec la plus grande netteté la bourgeoisie du prolétariat. Les bourgeois parlent avec abondance de ceux d'entre eux qui travaillent. Mais le travail au bout duquel la subsistance n'est pas seule assurée, le travail dont on ne sort pas avec juste le temps nécessaire pour récupérer les forces de la journée de travail du lendemain, le travail de celui qui possède, en un mot, de celui qui amasse ne peut être comparé au travail ouvrier que par l'effet d'un abominable jeu de mots.

Il y a particulièrement ce travail de l'usine, où l'homme, de la sirène de l'entrée à la sirène de la sortie, est possédé par le minutage, et les longues heures ainsi débitées à un geste près... Il y a le retour à la maison, mot ironique, et le dénuement, les difficultés de chaque chose, le long désir de chaque objet nécessaire ; il y a enfin la non-garantie du lendemain, l'orage toujours possible, la boîte qui ferme, le chômage. Cette chose incompréhensible et soudaine.

Catherine, qui trouvait abominable qu'il y eût des exploités et des exploiteurs, ne savait pas à quel point elle avait raison de trouver ça abominable. Sa vie, à elle, constituait le plus grave obstacle à la connaissance d'hommes dont la vie était si différente. Il y avait entre elle et eux le petit mandat de Bakou.

Rien d'extraordinaire donc à ce qu'elle ignorât aussi profondément le mouvement ouvrier que la vie ouvrière. Elle n'avait jamais pu, dans ses accès de curiosité passagère, s'attacher aux questions vitales d'une classe dont elle ne connaissait pas les réelles conditions de vie. Les débats autour desquels se jouait l'histoire, les luttes par exemple des réformistes, des anarcho-syndicalistes et des guesdistes en France, lui étaient lettre close. Le mot syndicat n'évoquait pour elle qu'un monstre d'ennui, et de préoccupations bureaucratiques qu'elle dédaignait. Tout pâlissait, dans ces combats de l'organisation quotidienne, devant les feux de la Révolution auxquels elle ne manquait jamais de les comparer. Les attentats politiques, l'éclat d'une bombe dans un lieu public, avaient à ses yeux toute la force lyrique, le prestige, qu'elle reprochait avec une moue à tout « ce socialisme » d'ignorer.

Victor était pour elle un type humain absolument nouveau. Sa façon de parler, si choquantes que fussent ses idées, elle y voyait quelque chose d'exceptionnel; n'ayant jamais rencontré ces militants qui sont l'avant-garde de la classe ouvrière, rompus dès la jeunesse à la parole et à l'action.

Enfin, c'était peut-être un homme que Catherine suivait ce soir-là, dans sa Wisner, vers la Bourse du Travail. Ils eurent de la peine à la ranger pas trop loin de la rue du Château-d'Eau, il y avait partout des taxis abandonnés le long des trottoirs. Dans les petits cafés du voisinage, on discutait ferme : des chauffeurs sortis un instant se restaurer. Victor serra des mains en passant. La grande salle de la Bourse était pleine à craquer. Un bain de vapeur. Les gens y fumaient depuis près de trois heures. Un orateur parlait au milieu du tumulte. Une foule de chauffeurs debout, dans ce costume de travail qui tient de l'uniforme et de la livrée, mais que le goût individuel fait varier avec d'infinies ressources. Des vieux, qui avaient été longtemps cochers de l'Urbaine, et qui appelaient à la sagesse. Derrière la tribune, des hommes fatigués, à la voix cassée, les yeux vifs. Catherine tombait en pleine bataille.

Elle craignait, suivant Victor, à travers les travées, au milieu des chauffeurs debout parmi lesquels quelques femmes dont l'aspect contrastait singulièrement avec le sien, d'exciter la curiosité, et peut-être davantage. Mais on n'avait guère le temps de prêter attention à elle. Quelques regards des plus voisins. Un léger étonnement sur un visage. Victor, arrivé avec elle au pied de la tribune, dit rapidement à quelqu'un : « Une camarade », puis ils se mirent très vite l'un l'autre au courant.

Catherine ne pouvait pas suivre la conversation. Un chiffre y revenait, qui sonnait aussi à la tribune. 33 %... 33 %... Quelque revendication sans doute.

Il y avait dans le pourtour de la grande salle de perpétuels va-et-vient. Sur le plateau, derrière la tribune, surgissaient des émissaires, mystérieux pour Catherine. Il ne semblait pas que l'orateur, qui était certainement le centre de la colère des spectateurs, fût celui de leur intérêt. Catherine en route n'avait même pas demandé à son conducteur le sujet du meeting. Elle arrivait à peine à Paris. Le mot de grève, qui volait de bouche en bouche, ne la toucha point d'une façon directe. Elle s'intéressait bien plus à l'aspect des gens, à la colère subite d'un chauffeur qui, de sa place, désignait à trois rangs plus loin, un grand diable aux épaules carrées : « Je vous dis que je le connais! C'est pas un chauffeur, nom de Dieu! On n'a pas besoin de flics ici! » Sous les huées, l'orateur venait de disparaître. On applaudissait celui qui lui succédait, un des dirigeants du syndicat. Victor cria : « Vive Fiancette! » et reprit avec un petit chauffeur rougeaud une conversation où il était sans cesse question du garage de la rue de Charonne et de la Métropole, la grande inconnue dans toute l'affaire. A la Française, ça marchera.

Il était près d'une heure du matin quand le président du meeting, au milieu d'un bruit fantastique, se leva pour lire un petit papier. Dans l'étrange silence tombé tout à coup sur plus de deux mille chauffeurs, la décision de grève pour le matin même fut votée d'enthousiasme, et la salle, debout, chanta l'*Internationale*.

A la sortie, Catherine, que le spectacle avait distraite d'elle-même, se sentit brusquement dans cette foule ballottée, étrangère. Elle allait retomber à la nuit. Une détresse la prenait de se séparer de Victor. Elle lui dit :

« Où allez-vous, maintenant ? — Pardi, au pieu ! Il n'y a pas grand temps pour dormir pour être à six heures aux piquets de grève. »

Quelque chose se brisait en Catherine. Elle avait honte aussi un peu de ses pensées. Qu'est-ce qu'elle était allée s'imaginer ? Maintenant c'était la bataille, Victor avait ses tâches de gréviste, et elle... « Dites-moi, camarade, est-ce que je ne puis pas être bonne à quelque chose ? Dans la grève ? Il n'y a pas pour une femme qui donnerait son temps... » Victor hésitait, ne voyant pas. Catherine insistait. Elle se mettait à la disposition des grévistes. Il y avait dans sa voix une supplication. Cela, Victor le sentit bien, et c'est peut-être pourquoi il dit : « Eh bien, venez ce matin vers neuf heures rue Cavé, à Levallois, à la maison des syndicats. Peut-être bien... » Lui, il devait garer sa bagnole avant de rentrer. Pourtant il lui proposa de la déposer chez elle. Sans conviction, à vrai dire. Elle eut tout juste le sens de refuser.

Quand la petite Wisner rouge partit, Catherine resta sur le trottoir à la regarder s'éloigner vers Barbès. D'autres taxis démarraient dans toutes les directions, la foule du meeting se dispersait. Un agent la fit circuler avec des mots obscènes. Elle le dévisagea, surprise. Elle se souvint soudain qu'elle était sans chapeau, à une heure du matin, devant la Bourse de Travail.

VI

Le baron Débauche avait reçu son titre de l'Empereur en 1866, dans le même marché passé par la Ville de Paris, qui lui rachetait le monopole de fait qu'elle lui avait consenti quelques années plus tôt.

Les attelages cahotants dans lesquels de petits propriétaires trimbalaient à Paris étrangers et gens de la capitale ne convenaient plus guère à la grandeur du règne : on avait bien accueilli d'abord ce monsieur dont le nom était si drôle, et qui avait su intéresser plusieurs conseillers municipaux à son affaire, quand il avait proposé de racheter tous les attelages, et de les remplacer par des voitures de louage qui convinssent au faste de l'Empire. C'était au moment de l'Exposition internationale de 1855. Les petits propriétaires, les cochers possédant leur fiacre ou leur victoria avaient bien vite dû se laisser racheter au prix imposé par la Société Débauche. Trois cents attelages ainsi payés lui donnaient la maîtrise du pavé parisien. Mais, à la veille de la grande Exposition de 1867, de nombreux groupes financiers, la circulation dans Paris étant devenue bien plus intense et profitable, pressaient le Conseil municipal de liquider ce trust, pour leur permettre la création de compagnies nouvelles qui se partageraient la clientèle des fiacres.

Il fallut pour cela racheter le privilège accordé, et payer les attelages de la Société Débauche, qui n'étaient pas moins de trois mille cinq cents alors. La somme exigée était considérable. La Ville s'endetta du coup pour cinquante années. Et par-dessus le marché on se fendit d'une baronnie, qui ne coûtait rien.

Le nouveau baron, ayant vendu son trust, fonda une nouvelle compagnie, la *Compagnie générale des Fiacres de louage*, et continua d'exploiter le trafic de Paris comme s'il n'avait rien vendu. Il est vrai qu'il partageait sa clientèle avec trois ou quatre compagnies, dans lesquelles d'ailleurs, en personne ou par intermédiaire, il replaça fort avantageusement l'argent de la Ville de Paris.

La *Compagnie générale* était la plus prospère, la plus solide des maisons de voitures de louage à Paris. Elle avait un capital qui s'enfla successivement jusqu'à atteindre 53 millions en 1896, date à laquelle ce capital était représenté pour la plus grande partie en terrains et en immeubles. A vrai dire ce chiffre de 53 millions correspondait à l'appréciation nominative des biens de la Compagnie, d'après des experts dont la sagesse était sans égale, et qui s'en seraient voulu d'estimer trop haut une fortune, solide certes, mais dont les possesseurs appréciaient sans doute les impôts bas et les revenus discrets.

Le vieux baron était mort, et le nom de Débauche n'éveillait plus que le souvenir d'une plaisanterie éteinte avec les premiers jours de la République. Les destinées de la Compagnie étaient entre les mains d'un grand financier, administrateur habile, Joseph Quesnel, dont la gestion permit l'établissement de sa richesse foncière et immobilière. Joseph Quesnel était un démocrate, et il professait que les travailleurs ne doivent pas être exclus des bénéfices d'une affaire à la prospérité de laquelle ils concourent. Aussi, à chaque augmentation de capital, faisait-il toujours réserver des actions, pour permettre aux cochers de la Compagnie de placer leurs petites économies dans la maison. Les vieux cochers, dont certains avaient encore connu les temps du baron Débauche, fiers d'être actionnaires, et conscients de l'unité de leurs intérêts et de ceux de *leur* maison, devenaient ainsi parmi leurs camarades les avocats de cette paix sociale qui, disait Joseph Quesnel, régnerait partout si un patronat inhumain et aveugle n'en était le premier ennemi.

Temps idylliques où, à la *Compagnie générale*, on ignorait tout conflit intérieur! Sans doute, il y a des mauvais coucheurs partout, parfois on devait bien liquider un cocher remuant et braillard. Mais cela n'allait jamais plus loin. L'idée ne venait même pas aux autres de se solidariser avec ces éléments indésirables et vite éliminés. En 1865, aux derniers jours de la Société Débauche, il y avait bien eu une grève, mais le baron l'avait vite réprimée, et traduit le Comité de grève devant les tribunaux.

Au fur et à mesure que la Compagnie se développait, qu'elle amassait un capital grandissant, non seulement du fait d'émissions d'actions nouvelles, mais aussi d'une thésaurisation des bénéfices, qui en faisait un placement de grand avenir, Joseph Quesnel travaillait à étendre le réseau des liaisons de la Compagnie avec de nombreuses autres affaires. Il savait, dans des filiales créées pour l'exploitation des terrains, de petites industries alimentaires en province, des organisations de transports en commun dans les campagnes, etc., s'attacher des personnes utiles, participant déjà à de grandes entreprises, en les faisant pénétrer dans les conseils d'administration au-dessus desquels la vieille maison étendait son empire.

De plus, prévoyant, cet homme de génie avait compris que, la base même de son industrie parisienne se développant, un jour ou l'autre des conflits pourraient naître, tant avec les cochers qu'avec les compagnies concurrentes ; et comme il savait qu'alors ce n'était pas sur le Conseil municipal, variable, soumis aux marées électorales, et d'ailleurs ruineux à acquérir, qu'il pourrait compter dans les mauvais jours, il avait mis les bons à profit pour lier sa maison de mille manières à la Préfecture de police. De mémoire d'homme, c'était elle qui fournissait aux chefs de service du Quai des Orfèvres non seulement les voitures dont ils avaient besoin pour leur métier, mais aussi les équipages qui emmenaient le dimanche à Meudon MM. les Inspecteurs et leurs dames ; on avait même pour les hauts fonctionnaires de jolis équipages qui ne sentaient aucunement la location.

La tradition se poursuivit quand, au début du xxe siècle, la Compagnie, progrès oblige, lança dans les rues de Paris d'abord les premiers taxis ou taximètres, rendus nécessaires par l'abaissement des bénéfices au lendemain de l'Exposition universelle de 1900, à l'occasion de laquelle le nombre des voitures à Paris avait monté encore, nouvelles étapes de nouvelles méthodes de travail, puis des automobiles, des Wisner. Ce furent aussi des Wisner dont disposèrent les services de la Préfecture, grâce à Joseph Quesnel. Il fallait bien soutenir le jeune et audacieux industriel dont les journaux chantaient les louanges, et qui donnait à l'industrie automobile française la deuxième place dans le monde, après les États-Unis. Il faut dire que, dans le conseil d'administration de Wisner, on retrouvait le grand sucrier Gilson-Quesnel, neveu du vieux Joseph Quesnel, et diverses personnalités, anciens ambassadeurs et ministres, figurant aussi dans *l'Immobilière Quesnel* qui régnait sur le quartier des Invalides, dans la Compagnie des terrains du xviiie, etc.

Quand il avait fallu moderniser le matériel, Joseph Quesnel avait pratiqué une nouvelle augmentation de capital. Une réclame systématique avait été faite à cette occasion parmi les cochers : l'affaire allait prendre des proportions importantes, ils eussent été des niais de ne pas profiter de l'occasion qui se présentait. Collaboration du travail et du capital. Leur vieillesse serait assurée ; et ainsi, tous raclèrent leurs dernières économies et contribuèrent à payer les machines nouvelles, qui les firent mettre au rancart avec leurs canassons, ceux tout au moins qui ne surent pas apprendre un nouveau métier et devenir chauffeurs.

Les conditions du nouveau travail ne ressemblaient plus guère à l'idylle ancienne. Le taximètre avait déjà lié plus étroitement cochers et chauffeurs aux compagnies, en leur imposant une surveillance qui rapprochait leur métier de celui de l'ouvrier d'usine. De plus, avec la complication des taxes pour les bagages, des taxes hors barrière, des retours, du double tarif, un et deux, suivant le nombre de voyageurs, toute une série de fraudes étaient devenues possibles, contre lesquelles les compagnies, ici toutes d'accord, et s'épaulant, se prémunirent avec l'appui de la police des voitures et par la création d'un vaste système de mouchardage : elles embauchèrent des hommes sûrs, rempilés de la coloniale, retraités, anciens sergents de ville, et leur donnèrent la tâche très simple de noter aux gares, aux portes de Paris les numéros des voitures qui passaient, le nombre de voyageurs dans les voitures, les paquets emportés. On prenait ainsi les fraudeurs la main dans le sac. Ceux aussi qui roulaient avec des clients le drapeau levé. Et on les mettait à la porte. L'organisation étant commune aux compagnies, elles se faisaient profiter les unes les autres des listes ainsi établies. Les fraudeurs étaient ainsi mis à l'index de la corporation. Plus de travail.

Puis l'auto était une machine. Plus elle roulait, plus elle rapportait. Elle n'était jamais fatiguée. Ce n'était pas comme le cheval dont la résistance physique limitait la journée du cocher. Celle du chauffeur, rien ne la limitait. Même pas la loi.

L'introduction de l'auto de louage à Paris par la *Compagnie générale* était une idée personnelle de Joseph Quesnel, homme d'affaires audacieux. Mais les quelques machines lancées dès 1905 avaient été bientôt concurrencées. De nouvelles compagnies s'étaient créées qui n'avaient pas avec elles le poids mort des voitures à cheval. Ce fut une course aux effectifs. En deux années, la montée des taxis-autos dans Paris fut vertigineuse. En même temps, il fallait recruter tout un personnel de chauffeurs qui débarqua à Paris du fond des provinces, avec les illusions d'un métier nouveau et moderne. Les bénéfices de la Compagnie croissaient avec l'augmentation du nombre des voitures. Mais déjà Joseph Quesnel apercevait les limites de son empire. Il prit les mesures pour parer aux dangers du lendemain.

Dès 1908, il fonda par un accord passé avec les plus grosses compagnies rivales le Consortium qui pratiquement éliminait les périls de la concurrence. Plus de guerre de tarifs. Et surtout le moyen de faire, à pas trop cher, les pressions nécessaires sur le Conseil municipal de Paris, de qui dépendait toute la législation des voitures, des taxes sur la circulation. Le Consortium, par ailleurs, présentait un autre avantage.

Le Consortium en effet organisa dans les garages la vente de l'essence aux chauffeurs. En plus donc des 72,5 % que les chauffeurs rapportaient aux compagnies de leurs recettes quotidiennes, venait s'ajouter ce commerce nouveau. Un accord était intervenu entre le Consortium et la *Standard Oil.* Le colonel Morris, homme de confiance de cette puissante maison, était venu spécialement à Paris passer le traité d'importation des pétroles roumains et en organiser les débouchés. On avait pour la forme constitué une société française sous les auspices de Wisner. Dans le conseil d'administration voisinaient le général gouverneur de Paris, un des anciens leaders du parti socialiste devenu ministre, et que liaient à Joseph Quesnel une amitié ancienne et une communauté de sentiments démocratiques, des représentants de la *Disconto Bank* de Berlin et de la *Deutsche Bank*, des grandes banques françaises, Gilson-Quesnel, deux ministres ; enfin c'était une assemblée puissante, et puissante par le monde entier. Le marché du pétrole n'était pas assuré que par la *Standard Oil.* Celle-ci avait passé un accord avec ses anciens adversaires Nobel et Rothschild ; et à côté du pétrole d'Amérique, celui de Roumanie et celui de Russie voisinaient, et c'est ainsi que les puits Simonidzé, de Bakou, fournissaient le Consortium par l'intermédiaire des banquiers allemands amis de Wisner.

Cependant cette affaire brillante, qui à Paris seulement vendait aux taxis chaque jour environ 150 000 litres d'essence, achoppa contre un ennemi inattendu : le benzol.

Il y avait depuis les débuts mêmes de l'auto une bataille du benzol et du pétrole, mais on utilisait le benzol coupant l'essence, et par l'intermédiaire d'une sorte de trust avec lequel les pétroliers étaient arrivés à composition. Or le benzol était meilleur marché que l'essence, et les chauffeurs de taxis imaginèrent, malgré l'abondante littérature scientifique qui cherchait à les en dissuader, d'employer le benzol pur. Les taxis, malgré la science, n'en marchèrent pas plus mal. Cela risquait d'être une ruine pour le Consortium, qui faisait de grosses dépenses, qui relançait sans cesse de nouvelles voitures, et qui risquait de se trouver un beau jour avec des stocks considérables sur les bras, et des accords auxquels il ne pourrait plus faire face.

Mais l'idée vint à un conseiller municipal, qui avait dîné chez Diane Brunel un de ces soirs de Noël où l'on s'embrassait sous la boule de gui du hall, que la ville était volée par les chauffeurs, du fait que le benzol échappait à la taxe sur l'essence. Dans la hâte et la fièvre de l'inspiration, il rédigea un rapport, un projet de décret avant la Saint-Sylvestre. Et dès le début de janvier, le Conseil municipal établit la taxe de cent sous sur le benzol, d'où sortit le conflit de 1911 entre les chauffeurs et les patrons.

C'est au moment où cette taxe, d'abord votée à titre provisoire, devenait définitive, à partir du mardi 28 novembre, que la grève éclata. En réponse à la taxe sur le benzol, les chauffeurs réclamaient des patrons, auxquels ils devaient chaque matin faire eux-mêmes l'avance de l'essence pour la journée, une augmentation de la retenue qu'ils gardaient sur la recette. Les chauffeurs, au lieu de 27,5 %, entendaient garder 33 % de la recette. Leur gain moyen à la journée ne dépassait pas, à ce que les journaux reconnaissaient, 8 fr. 50. Avec les 33 %, ils auraient gagné 9 fr. 75.

Pour ces vingt-cinq sous le combat s'ouvrait.

Mais le conflit de la taxe sur le benzol n'était que l'occasion d'une lutte déjà ouverte par le patronat. Celui-ci se battait depuis longtemps déjà pour faire triompher la thèse suivant laquelle les chauffeurs n'étaient pas des salariés : histoire d'éviter les inconvénients des lois sociales, qui le rendaient responsable des accidents. Et la loi des retraites ouvrières qui venait d'être votée rendait nécessaire pour le Consortium qui entendait s'y soustraire, de briser la combativité des chauffeurs, qui s'étaient récemment montrés dans une série d'escarmouches de mauvais augure.

Le Consortium décida donc la guerre sans merci contre les chauffeurs.

VII

Dès le mardi matin, la grève avait été quasi générale. Aux piquets de grève, les hésitants avaient été convaincus. Pas une voiture n'était sortie des garages de *La Française* à Levallois, place Collange et rue Baudin. L'Auto-Fiacre marchait comme un seul homme ; la Compagnie Générale des Voitures, la Compagnie Générale des Fiacres de louage n'eurent pas un chauffeur qui roulât. On n'avait pas encore touché ceux de l'Urbaine et de la Métropole : c'était l'affaire de la journée.

Dans la matinée même, plusieurs loueurs et de petites compagnies qui n'étaient pas du Consortium capitulèrent. Va pour les 33 %. Aux meetings locaux, l'annonce de ces victoires partielles soulevait l'enthousiasme : mais les chauffeurs des maisons qui avaient mis les pouces ne pouvaient refuser de travailler? On accepta partout la proposition faite la nuit précédente par Fiancette, au nom du syndicat : ceux qui rouleraient verseraient chaque jour cent sous au comité de grève, pour le soutien à leurs camarades. Et pour les distinguer des jaunes, ils recevraient une carte qu'ils afficheraient bien en vue sur leur taxi. Les jaunes, combien étaient-ils. Trois à quatre cents ?

Au bout du compte, ça faisait 6 500 grévistes, et de 1 800 à 2 000 qui roulaient payant un impôt quotidien de près de 10 000 francs sur leurs salaires. C'était vrai qu'on n'était pas le quart en ville de l'effectif courant, et que par suite les journées étaient plus faciles et meilleures. Mais si on songe, qu'avec les 33 %, au taux des recettes d'avant la grève, la moyenne de ce qui revenait aux chauffeurs n'atteignait pas dix francs, c'était tout de même une rude saignée, ces cent sous-là.

A la maison syndicale de Levallois, rue Cavé, après quelques hésitations, on avait accepté l'aide de Catherine. Elle faisait la secrétaire bénévole. Elle classait des fiches. Elle enregistrait les demandes de secours de ceux qui avaient de la famille. Elle faisait un peu de tout : on lui apportait les nouvelles des garages, et elle déchiffrait des petits papiers chiffonnés, sans orthographe, d'où elle tirait trois, quatre lignes pour le rapport présenté chaque jour au comité central de grève. Elle était là tous les matins à partir de neuf heures, ne s'étonnant même pas elle-même de cette nouvelle vie. L'autobus la descendait de Montparnasse à la place Pereire, où elle prenait un tramway cahotant à impériale, qui venait de la Madeleine. Il se reconnaissait des autres, le sien, à ce que son écriteau (La Madeleine-Levallois-Perret) était sur fond vert. Elle grimpait en haut par le petit escalier étroit ; parce qu'en bas, dedans, il y avait une épouvantable odeur d'acide qui s'exhalait des accumulateurs et qui la faisait tousser. C'était comme s'il se fût dégagé une épaisse poussière des sièges de drap rouge jaunâtres, décolorés par les années.

Vers midi généralement, Victor venait la prendre pour déjeuner. Ils mangeaient dans un petit café à côté de la maison syndicale, sur le marbre d'une table longue, où familièrement des copains et des inconnus venaient s'asseoir près d'eux. La carte où le vinaigre de l'huilier en tombant avait fait couler l'encre à polycopier violette n'offrait pas de grandes ressources, et puis de l'oignon dans tout ! Mais il y avait la conversation, et cette acceptation rapide, rude et amicale que Catherine avait tout de suite rencontrée. Elle travaillait pour la grève, pas vrai ?

Une fois, elle vint aux piquets de grève place Collange, pour voir comment ça se passait. Après ça, elle avait eu deux longues heures à bavarder avec Victor. C'était drôle tout de même, comme il avait répondu d'elle auprès des autres. Pas très sérieux, peut-être. Bah, il avait confiance en elle : il lui avait sauvé la vie. A Levallois, ça marchait sur des roulettes. Mais au garage de Charonne, à Paris, on signalait des renards. Le samedi matin, Dehaynin devait s'y rendre à sept heures pour prêter la main aux copains. Il y aurait du sport. « Vous voulez de moi ? » Il hésita. Pourquoi pas, après tout ? Il sentait de la sympathie pour cette demoiselle qui était devenue tout bêtement une camarade. On allait lui montrer ce qu'on savait faire.

Elle le retrouva au bistrot en face du garage. Il y avait là tout un groupe de chauffeurs qui prenaient des cafés arrosés.

Dans le petit matin, on apercevait de l'autre côté du boulevard, devant le garage, le groupe foncé des flics. Victor bavardait avec un grand rouquin qu'il présenta à Catherine, Bachereau, qui était d'en face. On disait que la Compagnie, pour qu'on n'empêchât pas les chauffeurs d'arriver au garage, y avait fait coucher des jaunes.

En attendant, au-dehors, un groupe de camarades en avait coincé un, et on l'amenait au café. Il était un peu pâle. C'était un vieux, un ancien cocher avec des moustaches grises. Il se sentait mal à l'aise. En entrant il regarda ceux qui étaient au comptoir. Ses yeux inquiets croisèrent les yeux de Catherine.

« Alors, qu'est-ce que tu bois ? C'est pas la peine de faire une pareille bouille, mon vieux papa. On va simplement causer un brin. Prends toujours un verre. »

Le patron prenait un air interrogateur. Le vieux dit : « Un mazagran », comme à regret.

Les autres lui parlaient, peut-être d'un peu près, mais plutôt gouailleurs qu'autre chose. Le rouquin, Bachereau, qui le connaissait, discutait le coup. Voyons, ce n'était pas sérieux, après quatre jours de grève... Il serait bien avancé vraiment. Est-ce qu'il n'avait pas voté la bagarre comme les autres ? Le vieux baissait la tête. Il avait des gosses. Sa femme était malade. Pas les siens, de gosses, ceux de son fils qui était à l'hôpital, un veuf. Il avait reçu la veille une lettre de la Compagnie : on le prévenait que la grève était virtuellement terminée. Le travail allait reprendre : les meneurs seraient congédiés. Il lui appartenait de prouver par un bon mouvement...

Il avait déplié la lettre. Tous autour de lui se penchaient sur ce chiffon patronal dans les vieilles mains tremblantes. « Donne-moi ça, dit Bachereau, c'est pour le comité central de grève... » Le vieux lui tendit la lettre. Allons, il se décidait. Il secouait la tête. Il dit, tout d'un coup : « Eh bien, non. Je n'irai pas. »

Pour d'autres, ce n'était pas si simple. Sur le boulevard, un groupe discutait ferme avec un chauffeur, un grand diable, qui voulait à tout prix passer, qui se fâchait. Déjà les flics de l'autre côté commençaient à s'agiter. On lui disait : « Tu n'as pas honte ? Tu vas appeler les flics contre des camarades ? — Laissez-moi passer, je vous dis, je m'en fous, moi, de votre grève. Il faut que je becte, moi. »

Il fallut lui expliquer que ce n'était encore rien de rentrer au garage : il aurait à en sortir, on ne pouvait rien lui garantir de ce qui arriverait.

D'ailleurs, s'il y avait des jaunes à l'intérieur, il était de fait qu'ils ne sortaient guère. Vers huit heures, brusquement la porte s'ouvrit et deux voitures s'échappèrent. On vit alors qu'il y avait bien trois cents grévistes sur le boulevard de Charonne. Les deux taxis avaient l'air de rats qui ont abandonné leur tanière et qui se trouvent tout à coup en plein jour au milieu d'une pièce pleine de gens. Ils hésitèrent, tournèrent, puis partirent dans deux directions opposées.

Les sifflets de la police crevèrent l'air du matin. Presque au même moment, tandis que les flics chargeaient vers les grévistes, il y eut un grand bruit de vitres brisées, l'un des taxis avait eu la malencontreuse idée de quitter le boulevard, et au coin de la rue des pierres avaient volé.

La police, comme un essaim de mouches bleues, tournoya sur elle-même. Elle avait l'air de chercher son cadavre. Mais le renard avait filé sans demander son reste. Et, comme Catherine regardait à travers les vitres du café, les agents qui inspectaient les alentours, ne sachant pas s'ils devaient entrer dans la boutique, qui ils devaient appréhender des nombreux passants, reconnaissables à leurs vareuses professionnelles, la jeune femme soudain s'aperçut que Victor et Bachereau n'étaient plus à côté d'elle. Et puis, tout d'un coup, voilà les flics qui virevoltent encore. Ils prennent leurs jambes à leur cou, ils courent sur le boulevard. Catherine sortit pour voir.

A deux cents mètres plus loin, au milieu de la chaussée, le second taxi renversé piteusement sur le côté commençait à flamber avec une fumée blanche. Une cinquantaine de grévistes détalaient dans la perspective du boulevard, se rabattant à droite et à gauche. A côté de la voiture, stupide, le jaune qu'on avait jeté à bas de son siège regardait le désastre. Les agents autour de lui gesticulèrent. Il répondait difficilement, levant les bras au ciel. De sa place, Catherine le voyait mal, mais on avait dû le corriger, il se frottait doucement la gueule.

C'est alors qu'elle aperçut Bachereau.

Sur le mur du garage, à cheval, le poing levé, la casquette en bataille, il parlait à ceux qui étaient à l'intérieur. A travers les boulevards on l'entendait crier. Il avait profité du désarroi de la police qui n'avait laissé personne à la porte du garage. Victor était en bas du mur, il avait dû lui faire la courte échelle. Le poing, en haut, brandi, scandait les phrases : ça ne dura pas longtemps. La police revenait. Bachereau que Victor tirait par un pied sauta à bas. Les deux hommes détalèrent comme des dératés. Les flics se jetaient sur eux ; mais à ce moment tout un groupe de chauffeurs, comme par hasard, traversait la chaussée. Peut-être bien qu'ils allaient sagement au garage... Cela ralentit l'élan de la police.

Catherine retrouva Victor à Levallois. Le lendemain, les chauffeurs iraient en délégation aux obsèques des époux Lafargue. Viendrait-elle ? Ils prirent rendez-vous.

VIII

Vers dix heures, Martha tombait à l'improviste rue Blaise-Desgoffe. Catherine l'avait oubliée : c'était presque incroyable que huit jours plus tôt seulement elle fût rentrée à Paris uniquement pour l'amour de cette écervelée.

D'ailleurs, tout allait pour le mieux : avec Joris de Houten, tout s'était expliqué. Un imbécile de juge d'instruction. Un inspecteur de police qui avait voulu faire du zèle. Joris avait été trouver Clemenceau, qui le connaissait bien, qui savait quels services en certaine occasion le Hollandais avait rendus à la cause française, et Clemenceau était intervenu auprès du garde des Sceaux.

Des morts, pas question. Le nom de Clemenceau avait fait froncer le front à Catherine. Qu'est-ce que le fusilleur de Villeneuve-Saint-Georges venait faire là-dedans? Pourquoi avait-il couvert le trafiquant de drogues? Elle se prenait à nommer ainsi mentalement Joris de Houten, plus sans doute à cause de Clemenceau que par certitude. Avec tout ça, elle devait rencontrer Victor et la délégation des chauffeurs à la sortie du métro Arts-et-Métiers à midi et quart. Elle s'habillait en écoutant à demi Martha. Non, elle ne viendrait pas déjeuner au Champ de Mars. Elle se débarrassa de sa seule amie, et arriva un bon quart d'heure d'avance à son rendez-vous. Il faisait un temps de chien.

Les grévistes formaient une colonne de près de trois cents chauffeurs. Bachereau était avec Victor, et au bras de Victor il y avait une petite femme brune, très jeune, dont Catherine pensa tout de suite qu'elle aurait été jolie si elle avait été arrangée. « Ma copine, présenta Victor, la camarade Catherine dont je t'ai parlé. »

C'était trop ridicule, cette envie de pleurer. Pendant ces quelques jours, Catherine ne s'était même pas demandé s'il y avait quelqu'un dans la vie de Dehaynin. Cela ne la regardait pas, elle n'était pas amoureuse de lui tout de même. Jeannette Bernard travaillait rue de la Paix, chez Worth. Ce nom rappelait à Catherine les anciennes splendeurs de Mme Simonidzé, sa mère. Jeannette était habillée à la mode, comme Catherine, pourtant on ne pouvait pas s'y tromper, et au premier coup d'œil les vêtements mirent entre les deux jeunes femmes une barrière infranchissable. Cependant elles firent aussitôt bande à part au milieu des chauffeurs, et

Victor les regardait ensemble avec une certaine fierté. Jeannette n'était pas moins jolie que Catherine. Elle avait un chapeau neuf, à grands bords, avec une espèce de montagne de tulle noir chiffonné, ce qu'on appelait alors un *ennuagement*. Il y avait un peu plus d'un an qu'ils étaient ensemble.

Il pleuvait. Ça n'avait pas cessé de la matinée. Il n'y avait pas de vent, mais une brume pénétrante, avec des averses périodiques, froides. Par la rue des Fontaines, la colonne gagna la rue du Temple. Un barrage fermait à la circulation la rue Dupetit-Thouars où s'entassait la foule de la rue de la Corderie jusqu'à la rue de Franche-Comté. Il sembla à Catherine que c'était une foule énorme : il y avait peut-être quinze mille personnes. Bachereau n'était pas content.

« Une misère. Vous trouvez, vous qu'il y a du monde? On est quatre chats. Eh bien, quoi? Quinze mille types à Paris, je vous dis que c'est la misère. Pour l'enterrement d'un ouvrier à Berlin ils étaient quatre cent mille. Et ici, pour Lafargue, pour Lafargue, non mais, vous imaginez! »

Il pleuvait, c'était une explication. C'était même inouï que tant de monde fût venu par un temps pareil : « Oui? grognait Bachereau, et s'il faisait beau, vous diriez qu'avec un temps pareil l'ouvrier s'en va à la campagne. »

La foule ouvrière se pressait derrière le service d'ordre. Pas un flic en vue. Les deux corbillards attendaient dans la rue de la Corderie. Le cortège se formait. Les chauffeurs, regagnant leur place, le conduisirent. Il y avait en tête une musique et la foule des drapeaux rouges, une cinquantaine. Dans la rue étroite, sous la pluie, ils étaient comme de surprenantes flammes au-dessus des vêtements noirs. Tout un groupe de gens assez cérémonieusement habillés. Pas des ouvriers. Des chefs. Victor se pencha vers Jeannette pour lui montrer Longuet. On acclamait les grévistes au passage. Les gens portaient une églantine au revers ou au corsage. Jeannette en acheta deux à un vendeur, et fleurit Catherine. Leurs yeux se rencontrèrent en quittant la fleur de papier : et Catherine se sentit tout à fait émue.

Bachereau poussait le coude de Victor. « Les délégués étrangers ! » Catherine regarda. Au premier coup d'œil on reconnaissait les Anglais. Il y avait un fort groupe de Russes, et Catherine s'intéressa surtout à eux. Victor ne put pas lui dire qui c'était. Au premier rang, il y avait une femme très belle. Quelqu'un dit que c'était la citoyenne Kollontaï, qui représentait le bureau étranger du Parti Socialiste russe. Elle parlait avec un homme petit aux pommettes saillantes, avec des moustaches d'un blond roux. Catherine pensait à sa mère fuyant la Russie, et l'esclavage conjugal. Et elle regardait cette femme jeune, mandatée par un grand parti révolutionnaire dans une capitale étrangère, et cela lui faisait très drôle, elle serrait le bras de Jeannette. « C est une belle femme, hein ? » dit celle-ci. La beauté y était peut-être pour quelque chose. Mais c'était surtout l'idée de l'avenir social des femmes qui distrayait Catherine du monstre amer de la jalousie. Au-dessus des têtes, des pancartes oscillaient. Les sections du Parti Socialiste, les organisations provinciales, un groupe polonais... Quand le cortège s'ébranla, par rangs de douze, avec des porteurs de gerbes ou de couronnes rouges en avant des groupes, la lamentation des cuivres éclata. L'harmonie du XIIe jouait la Marche funèbre de Chopin.

Catherine faillit se disputer avec Victor. Ça l'agaçait, elle, que l'on jouât justement cette marche-là. Chopin... Chopin... Victor ne voyait pas ce qui la chiffonnait.

« Qu'est-ce qu'elle a, cette musique? Elle est triste, tout à fait ce qu'il nous faut... »

Peut-être qu'il n'y avait pas que l'emploi d'une marche qui enterrait toute la bourgeoisie, et même les rois, qui mettait ainsi Catherine de mauvaise humeur. Mais il est de fait que ce petit détail lui gâta les obsèques. Surtout que, rue du Temple, avenue de la République, boulevard de Ménilmontant, jusqu'à l'entrée du Père-Lachaise en face de la rue de la Roquette, l'Harmonie joua sans arrêt cet air, et lui seul. Catherine se heurtait à une de ses difficultés habituelles avec le socialisme. Un morceau de musique remettait pour elle tout en cause, elle doutait d'un parti qui enterre les siens au son de la marche de Chopin.

Bachereau ronchonnait aussi : « Quinze mille personnes pour Lafargue... Un gouvernement qui a devant lui une pareille misère peut tout se permettre. » Victor protestait. Bachereau insistait. Le journal du matin n'avait-il pas apporté comme un défi insolent aux grévistes la condamnation de deux militants du syndicat pour un article qui accusait le conseiller municipal, inventeur de la taxe sur le benzol, d'avoir touché de l'argent du Consortium? Au moment où cette taxe réduisait toute une corporation à la grève, la justice bourgeoise décernait un brevet d'honorabilité à cette canaille et envoyait en prison Guinchard, des Transports.

Le cimetière du Père-Lachaise est une étrange ville où des palais en réduction rappellent, mêlés à des tombes misérables, les splendeurs bourgeoises des morts. Des anges de Saint-Sulpice y veillent sur des palmarès de noms qui sonnent comme des conseils d'administration. Banquiers de bronze, dames marmoréennes, chapelles néo-helléniques, pleureuses aux stèles brisées, draperies de pierre, sanglots théoriques. Les arbres noirs sur le ciel gris. Le cortège derrière les corbillards chargés d'immortelles rouges, avec ses drapeaux, semblait interrompre une longue addition de capitaux et de revenus dans le petit gravier des allées. Les deux corbillards marchaient côte à côte. Il y avait entre les tombes une fuite, comme une course, de gens qui gagnaient le columbarium.

Le caractère de temple de ce monument éveilla encore l'esprit critique de Catherine. Il pleuvait toujours, une pluie fine. La foule était massée devant le columbarium et sur les marches de celui-ci, les orateurs parlèrent.

Catherine écouta avec impatience les premiers discours. Elle s'ennuya de réentendre Bracke qui traduisait le discours de l'Allemand Kautsky, Camélinat qui traduisait celui de l'Anglais Keir Hardie. C'était une espèce de ronron, qui ne lui apprenait rien. L'un parlait pour l'Internationale, un autre pour le Parti Socialiste belge... Elle entendit le vieux Vaillant, dont le nom éveillait ici le souvenir de la Commune et la dernière résistance des Fédérés entre les tombes. Elle entraîna Jeannette en avant, parce qu'elle voulait entendre ce que dirait la belle socialiste russe, tout à l'heure.

Une fumée grisâtre s'élevait du columbarium. Le vent maintenant la rabattait comme un crêpe sur les assistants. Tout d'un coup il sembla qu'ils venaient de se réveiller, les porte-drapeau relevèrent leurs rouges fardeaux, des applaudissements éclatèrent : sur les marches du temple où allaient brûler les corps des deux Lafargue, un homme gros, pathétique et barbu venait d'apparaître. Catherine, sans qu'on lui dît son nom, ne pouvait s'y tromper : trop d'images avaient popularisé l'apparence de Jaurès. Elle, par avance, lui était hostile. Par principe. Comme à la Marche funèbre de Chopin. Avec un mélange de bonnes et de mauvaises raisons, où prédominaient les mauvaises. L'horreur de l'engouement pour un chef. Peut-être plus qu'on ne pouvait le penser, un préjugé qui venait de conversations autour d'elle : sans en avoir le moins du monde conscience, et révoltée si on le lui avait dit. Pourtant même le commandant Mercurot était pour quelque chose dans cette méfiance à l'égard de Jaurès. Elle trouvait le célèbre tribun grandiloquent.

Il l'était, de fait. Mais il y avait en lui une violence convaincante. Le chant méridional de sa voix agit sur Catherine, malgré elle : « ... Lafargue, avec les vivacités de son tempérament, avec les soudainetés de ses colères ou de ses ironies, était toujours ramené vers l'action centrale du Parti par son dévouement, par un idéalisme permanent et incomparable, par une pensée fervente d'unité socialiste... »

Un idéalisme permanent! Catherine avait envie de protester. Lafargue idéaliste! Allons, c'était encore du Chopin, et du pire.

« ... Lafargue avait hérité de la pensée des philosophes français du XVIIIe siècle... Voilà plus de cent ans, depuis notre Babeuf, que le socialisme est en route... »

Pas un mot de Marx. Jaurès avait mis quelque emphase sur le possessif : *notre* Babeuf. Catherine ne pouvait s'empêcher de penser que l'orateur écartait Marx comme Allemand. Pourtant, elle subissait le charme de cette voix : « ... Il est bon que les aînés soient là pour marquer la rectitude du sillon. » L'enthousiasme, autour d'elle, était contagieux. On avait oublié la pluie.

Après le tumulte qui avait suivi les derniers mots de Jaurès, le Russe que rue Dupetit-Thouars Catherine avait vu parler à la citoyenne Kollontaï, prit la parole, et on l'écouta poliment : « Bien avant notre révolution, disait-il, pendant la période qui la précéda et la prépara, nos prolétaires conscients, nos social-démocrates avaient appris à considérer Lafargue comme un des plus grands et plus profonds propagateurs des idées marxistes. Ces idées si brillamment confirmées par toute notre expérience de la lutte des classes pendant la révolution et pendant la contre-révolution en Russie, furent le drapeau autour duquel se pressa en rangs serrés cette avant-garde du prolétariat russe, qui sut porter de grands coups à l'absolutisme et sut défendre la cause du socialisme, de la révolution et de la démocratie, malgré l'indécision et les fluctuations de la bourgeoisie libérale... »

« Qui est-ce ? » demanda Jeannette à un voisin. C'était le délégué du Parti Social-Démocrate russe, le citoyen Lénine.

Au nom des socialistes-révolutionnaires, le citoyen Roubanovitch lui succéda. Catherine pensa soudain au manifeste superbe par lequel en 1904 les socialistes-révolutionnaires avaient réclamé la responsabilité de l'assassinat du ministre de Plehve. Et elle se rappela sa brouille avec Jean, pendant un déjeuner, au retour de Cluses, sur ce sujet même. Roubanovitch parlait au nom des révolutionnaires qui étaient au fond de la Sibérie, et tout le romantisme des bagnes politiques oppressait Catherine. Il y avait plus d'un an qu'Egor Serguéievitch Sozonov s'était tué, lui aussi, là-bas, était-ce à Irkoutsk ? Elle ne savait plus bien. Six ans après l'exécution de Plehve. Mais Catherine revint de Sibérie parce que maintenant c'était Kollontaï qui parlait.

Ce qu'elle disait, Catherine n'y prêta pas attention. Ce fut d'ailleurs une allocution très brève. Elle parlait des fleurs qu'on dépose sur les tombes, elle parlait des immortelles rouges, des sentiments des femmes socialistes de Russie. Les femmes socialistes de Russie... Au-delà des mots, ce fut l'instant le plus émouvant de la journée pour Catherine. Les femmes socialistes de la Russie... Ces mots étaient pour elle un alcool véritable. Ce n'était pas un rêve, il y avait là une femme qui parlait en leur nom. Toutes les images russes feuilletées chez elle, contredites. Les paysannes inclinées devant le barine. Les femmes agenouillées devant les icônes. Les femmes socialistes de la Russie...

Un autre orateur parlait. Une bourrasque de pluie s'abattit soudain, si violente, que tout le monde se sauva. L'orateur restait sur les marches du columbarium, au milieu des arbres noirs et une fumée toujours plus épaisse s'élevait au-dessus de sa tête dans les torrents du ciel.

IX

Peut-être qu'en se proposant à Victor pour aider les grévistes, Catherine s'était fait une idée à elle de la grève, et de sa durée possible : tout au moins la question ne s'était-elle pas posée. Mais au bout de quinze jours, le voyage matinal à Levallois, les heures de bureau, commencèrent de lui peser singulièrement. Avait-elle perdu quelque chose de son intérêt dans la bataille ? Pourtant celle-ci se poursuivait avec une âpreté toujours nouvelle. Les compagnies faisaient des efforts têtus pour briser la grève. Elles organisaient chaque jour une espèce de défilé de voitures, qui ne pouvaient guère qu'aller d'un garage à un autre, et sur le siège, elles asseyaient des jeunes pris à la Préfecture, où Lépine n'avait rien à refuser au Consortium, ou amenés à grands frais du fond des provinces, des gars que n'avait pas touchés la propagande rouge, frais émoulus de patronages et de préparations militaires.

Les incidents de rues se multipliaient : vitres brisées, voitures flambées, etc. A tel point que pour protéger leurs chauffeurs, coûteuse armée de briseurs de grève, qui ne servait guère qu'à la parade, les compagnies demandèrent des gardes municipaux, qui les accompagnèrent, assis à côté d'eux. Pour la galerie, un prétexte : les gardes étaient en réalité des guides pour les chauffeurs novices, à peine débarqués à Paris, et qui égaraient leurs clients dans la capitale.

L'unanimité ne régnait pas parmi les grévistes sur les méthodes à suivre avec les renards. On était au lendemain des débats parlementaires sur le droit de grève. Le parti radical-socialiste avait pris position contre le sabotage, la chasse aux renards. Il y avait dans le syndicat même des cochers-chauffeurs une vive opposition à ce qu'on appelait des actes de terreur. Mais ce légalisme était en général très mal vu des chauffeurs. Bachereau, par exemple, éclatait sur le sujet. Il était devenu très copain avec Catherine, il habitait Levallois, il passait la voir rue Cavé.

« C'est pourri, disait-il, leur politique. N'en faut pas! Toute la politique, c'est des histoires de bourgeois et de traîtres. Tenez Briand : la crapule des crapules. Quoi, c'était hier leur grand homme aux socialistes! Comme Millerand, comme Viviani. Nous, on ne connaît qu'un boulot : nos revendications, l'action syndicale. Ah! sacré nom de Dieu, si les prolos pouvaient se mettre ça dans la tête! Un mouvement comme le nôtre, évidemment c'est pas mal joli, mais est-ce que ça devrait rester comme ça en famille? Faudrait que les transports s'en mettent. Plus de trams, plus de métro. C'est alors que Paris serait à croquer! Et puis, là-dessus, tous les autres... La grève générale! »

La grève générale, c'était le rêve que hantait sa conversation. Les ouvriers ne connaissaient pas leur force : « Non mais, pigez un peu : rien que ce qu'on a vu les derniers temps comme grèves... Les cheminots, les inscrits maritimes, et même les histoires de Champagne, des trucs comme dans le bâtiment il y a deux ans... Et puis pour Ferrer en octobre. Vous imaginez que tout ça se goupille à la fois? » Bachereau concluait d'ailleurs qu'il n'y avait rien à faire. « On était des cons, on resterait des cons. »

Tout ça travaillait Catherine : elle méprisait aussi les parlotes du Palais-Bourbon, elle se décourageait de cette grève, on aboutirait à quoi? Le Consortium tiendrait le temps nécessaire. Elle voyait la misère des chauffeurs. Tout cet héroïsme en pure perte! Et elle tombait d'accord avec Bachereau sur un point, ils n'avaient l'un et l'autre confiance que dans l'action directe : qu'on leur brûle leurs voitures, qu'on leur casse la gueule!

Bachereau un jour s'empoigna avec Dehaynin à propos de Fiancette : « Oui, ton Fiancette, criait Bachereau, je n'en voudrais pas pour marcher dedans! Encore un dégueulasse qui fera son chemin comme les autres! Qu'est-ce qu'il a à dire, d'abord, si on bouzille des tacots? Si on l'avait écouté, on serait même pas en grève... Oui, oui, le soir qu'on a décidé la bagarre à la Bourse, il a dit qu'il s'en lavait les mains! »

Victor défendait Fiancette. C'est-à-dire la direction du syndicat. Fiancette n'avait pas combattu à proprement parler la grève. Il craignait simplement que les chauffeurs des petits patrons ne marchent pas...

Bachereau l'interrompit : « Je t'en fous! Il s'est retranché derrière les mouvements précédents, rapport aux critiques qu'on lui avait faites, parce qu'il l'avait été plutôt, mollasson, pour ne pas prendre ses responsabilités cette fois. Il n'attend que la minute de dire fallait pas qu'ils y aillent! Alors toi, tu es contre la chasse aux renards? »

Ça, non, Victor n'était pas contre la chasse aux renards. Des dégoûtants. Mais ce n'était pas une raison pour ne pas utiliser les autres moyens. Si on pouvait faire pression sur les compagnies par le gouvernement. Le commerce perdait à la grève... « Des dattes! hurlait Bachereau, le gouvernement, le commerce et les compagnies, c'est le cul et la chemise. » Catherine approuvait.

Le retour de Mme Simonidzé aussi compliquait les choses. Sans oser lutter de front avec sa fille, elle ne cachait pas que les nouvelles occupations de Catherine lui déplaisaient. Et puis c'était insensé du point de vue santé. Hélène s'installait rue de Babylone. Elle parlait avec une certaine ironie à sa sœur de ses chauffeurs de taxi. Cela fit bien d'ailleurs que Catherine s'entêtât. Mais elle était de mauvaise humeur. Victor l'agaçait avec son optimisme...

Le commandant Mercurot, lui, était aux cent coups. A cause du discours de Caillaux à Saint-Calais. Depuis plus d'un mois, il ne décolérait pas. Quand on pensait qu'un Savorgnan de Brazza, un Coppolani étaient morts pour donner un empire à la France! Caillaux avait livré le Congo à l'Allemagne. C'était une honte sans précédent. Si, Sedan. Et encore, je ne sais pas si on peut comparer : après tout, une défaite militaire! Pourquoi ne leur donnait-il pas Nancy pendant qu'il y était? Ça serait pour la prochaine fois.

Catherine le trouvait comique, son beau-frère.

Mais de découvrir parmi les chauffeurs des types qui tenaient des propos du même genre, des grévistes, pas des mauvais camarades, ça, ça la mit en rogne. Bachereau triomphait : le discours de Jaurès, quand l'affaire vint à la Chambre, était du joli. Qu'est-ce qu'il proposait, Jaurès? D'abord, il approuvait Caillaux de ses marchandages avec l'Allemagne. Il ne voulait seulement pas qu'on y allât trop fort en Afrique pour faire des affaires : mais qu'on se glisse en douce, chez les nègres. « Ah tu parles d'un socialiste! »

Le fait était que Catherine avait lu avec révolte la célèbre phrase sur les trois forces qui se composent *heureusement* dans le monde : l'organisation internationale du travail, le capitalisme moderne et le vieil idéalisme américain. Victor essaya bien de défendre Jaurès, mais il se montra très faible sur ce sujet. Catherine perdait confiance en lui.

Chez Martha, elle rencontra Joris de Houten, qui s'intéressa beaucoup à la nouvelle activité de Mlle Simonidzé. Pas ironique, assez galant. Enfin comme il était toujours avec elle. Catherine parlait sur un ton de défi. Elle défendait ses chauffeurs. Non pas qu'on les attaquât, mais Joris connaissait Wisner, et il affirmait que Wisner était socialiste. Il y avait un malentendu : quand les ouvriers comprendraient que l'intérêt des patrons était le leur... Dans le cas des taxis, est-ce que ce n'était pas évident? Il ne s'agissait pas de salariés recevant chaque jour du patron une somme fixe, mais d'associés, intéressés aux affaires, touchant un pourcentage sur la recette. Les compagnies avaient leurs risques, le matériel qui se démodait, les responsabilités d'accidents...

Pour ce qui était de la cession d'une bande de Congo à l'Allemagne, M. de Houten évidemment ne pouvait apporter la passion qu'il y aurait mise s'il avait été Français. Il souriait à Martha, qui confondait ce deuil national avec son chagrin privé, la mort de sa sœur et le souvenir de Brazza. Personnellement, Joris approuvait le président du Conseil. On avait sagement évité un conflit armé. « Et au fait, chère mademoiselle, ce qu'il faut tout d'abord considérer, c'est l'intérêt de la France, ou plutôt ses intérêts. Car elle a des intérêts divers. Les thèses qui s'affrontent au Parlement, en réalité, résument ces intérêts, groupés les uns avec la majorité, les autres avec la minorité. D'un côté nous avons des financiers qui ont misé sur l'exploitation du Congo, de l'autre un véritable consortium de financement du Maroc, qui ne pouvait engager de grosses opérations qu'autant qu'il était sûr d'y avoir les mains libres. D'ailleurs, on a le plus grand tort de considérer un point de vue national sur ces affaires-là : au Congo, par exemple, la collaboration des capitaux franco-allemands est assurée par une compagnie unique... »

Il était très renseigné, l'élégant ami de Martha. Wisner, n'est-ce pas, qui appartenait à divers groupements de collaboration internationale du capital, lui avait parlé de tout cela. C'était curieux de voir les antagonismes d'intérêts jusqu'au cœur du ministère même : Steeg, par exemple, avait des attaches au Maroc, comme Wisner lui-même d'ailleurs, comme Joseph Quesnel, tenez, et tout le consortium des taxis : des terrains à Casablanca. Par contre, un véritable drame était celui du ministre des Colonies, M. Lebrun ; obligé de défendre l'accord franco-allemand, il ne l'avait fait que la mort dans l'âme, il avait pleuré, disait-on, au Conseil des ministres. Et la démarche des députés de Lorraine, qui n'avaient pas voulu voter l'accord parce qu'on n'aurait pas compris dans la Lorraine mutilée cet abandon devant les vainqueurs de 71, prenait une valeur de symbole : ils étaient venus tous ensemble serrer la main au Lorrain Lebrun, que les devoirs de son ministère empêchaient, lui, de voter contre.

« Vous savez, les députés de Lorraine, il ne faut encore pas s'arrêter à l'apparence : dans les affaires du pays, ce ne sont pas les représentants de Jeanne d'Arc, mais du Comité des Forges... » Il était lancé, il expliquait éloquemment, avec un ton de déférence, les grands rouages économiques de l'État. La bataille parlementaire n'était que la façade derrière laquelle se poursuivaient les tractations véritables. Il n'y avait pas tant de différences entre Caillaux et ses adversaires : le Comité des Forges jouait sur les deux tableaux. Catherine, l'écoutant, pensait à la phrase de Jaurès qui l'avait tant indignée. Le capitalisme moderne, qui groupe les capitaux et qui les enchevêtre de telle sorte que « si une maille de crédit est déchirée à Paris, le crédit est ébranlé à Hambourg... », pouvait vraiment se composer d'une façon *heureuse* avec le vieil idéalisme américain, et l'organisation internationale du travail ; cela ne donnait à Catherine que la mesure de cette organisation aux yeux mêmes de l'un de ses chefs, du grand Jaurès, en qui tant d'hommes plaçaient leur espoir, l'espoir de la paix du monde.

En attendant, les mêmes financiers à Levallois, comme à Hambourg ou à Casablanca, comme à Bakou, décidaient et du pain quotidien de Bachereau ou de Victor, et de la guerre et de la paix, suivant que leurs cartels d'intérêts arrivaient ou n'arrivaient pas à composition. Cette fois, on l'avait échappé de justesse : mais la prochaine? La guerre n'était pas terminée entre les Italiens et les Turcs, qu'elle reprenait entre les Turcs, les Serbes et les Bulgares. Pierre Ier de Serbie, l'autre jour, avait visité les usines de Wisner : on avait pu voir ça dans tous les journaux. Il s'était même intéressé à la vie des métallos, ce brave homme de roi. Il avait dit qu'il prendrait modèle sur la législation sociale de la France pour la Serbie, dès que celle-ci serait entrée dans une ère plus pacifique...

Ces perspectives rendaient à Catherine chaque jour plus odieux, plus oiseux, son travail terre à terre à Levallois. Qu'est-ce qui avait bien pu lui passer par la tête de se fourrer là-dedans? Il s'agissait bien des vingt-cinq sous par jour des chauffeurs, quand tout d'un coup ça pouvait être la guerre. Des bombes, il aurait fallu des bombes...

A ce moment, éclata l'affaire de la rue Ordener : l'exploit des bandits en auto jeta soudainement dans l'ombre et le Congo et le Maroc et la grève et la guerre des Balkans. Une espèce de frénésie entretenue par la presse fit de l'attentat contre un garçon de recette le centre de l'attention et de la discussion publique. La fin de décembre et le début de janvier furent de plus en plus passionnés par la légende sanglante, l'échec de la police, les attaques répétées de ces personnages dont on ne savait comment, sans qu'aucun témoignage fût venu l'établir, les noms étaient jetés à une gloire étrange et criminelle. Des anarchistes, là-dessus on s'entendait, mais était-ce bien Bonnot? Et ce Carouy dont on parlait?

Les compagnons de l'auto grise étaient devenus un sujet violent de discussion entre Catherine et Victor. D'une façon générale les grévistes, au gré de Catherine, parlaient de la bande tout à fait comme Mercurot lui-même, et les journaux bourgeois.

Bien entendu, elle, les trouvait admirables. Seuls

contre tous! Le browning en main, ils défiaient la société.

Victor disait que c'étaient tout simplement des assassins, et que ces histoires-là faisaient le jeu de la police. D'abord, on ne pouvait pas dire que c'étaient des ouvriers, ces gens-là... Catherine se mettait à le détester, quand il parlait ainsi. Au fur et à mesure que les filets de la police se resserraient autour de la rédaction de *L'Anarchie* (par suite de quelles délations?) y voyant les inspirateurs et même les complices de Bonnot, la jeune femme, qui se souvenait de Libertad, et de sa visite à Romainville, se sentait davantage liée à ses nouveaux héros ; et il s'en fallait de bien peu qu'elle considérât Victor comme un flic. Est-ce qu'ils n'avaient pas les mêmes ennemis, Victor, Bachereau, Catherine et les audacieux bandits? Ah s'il y avait eu quelques centaines de Bonnot, il n'aurait pas fait long feu, le capitalisme! Victor haussait les épaules. Bachereau n'était pas si catégorique : mais c'était clair qu'il pensait, lui aussi, *aux innocentes victimes*. Alors quoi? Toujours la même chose! Vouloir la fin, et pas les moyens.

« Croyez-vous, Victor, disait-elle, que la bombe qui a tué de Plehve n'ait pas tué des innocents? Cependant les socialistes-révolutionnaires n'ont pas rejeté son acte comme un assassinat. Ils l'ont revendiqué comme leur. J'ai honte quand je lis les journaux ouvriers d'y retrouver tous les lieux communs de commissariat de la presse bourgeoise...

— D'abord, répondait Victor, ces histoires de reprise individuelle et autres balançoires n'ont rien à voir avec les attentats politiques. Et puis les attentats politiques, pour ce qu'ils avancent la classe ouvrière! Quand ils n'ont pas été organisés par la police... »

Cela, c'était ce qui la mettait le plus hors d'elle : Catherine qui se souvenait de Vaillant, jadis, l'anarchiste, celui qui avait jeté la bombe à la Chambre des Députés. Un homme qui n'avait pas le sou. Elle ne pouvait pas oublier ses yeux... Victor la coupa :

« Eh bien, il en a fait, du joli, votre Vaillant. Donné l'occasion à la police d'exiger des députés qui avaient pris la frousse les lois mêmes au nom desquelles aujourd'hui on poursuit les ouvriers qui luttent pour leur croûte... On aurait voulu le faire, qu'on n'aurait pas mieux réussi. Les bombes jetées ici ou là n'avaient pas donné de résultats, il en fallait une à la Chambre, pour armer les patrons contre les ouvriers. M'étonnerait pas que votre Vaillant, il n'ait fait que ce qu'on lui disait de faire... »

C'était le coup final. D'ailleurs elle toussait, Catherine, et la villa de Berck l'attendait. Au fond, son parti était déjà pris depuis plusieurs jours. Elle prévint les camarades de la rue Cavé qu'elle devait quitter Paris. Gentiment, ils protestèrent. Mais tout de même, elle sentait bien que c'étaient encore là de bons sentiments, du pire genre à son gré, comme de la reconnaissance ; à vrai dire, ils avaient de la sympathie pour elle, est-ce qu'elle ne donnait pas son temps pour la grève ? Mais de là à de la reconnaissance ! Elle se faisait des idées, la jeune personne. Je vous demande un peu pourquoi ils auraient dû avoir de la reconnaissance pour qui que ce fût, simplement parce qu'une petite-bourgeoise n'était pas avec les flics et les patrons contre eux. Est-ce que ce n'était pas tout naturel ? Et même si elle avait interrogé Victor là-dessus, peut-être qu'il lui aurait rappelé le mandat de Bakou.

Mme Simonidzé était ravie que sa fille retournât à Berck. Sa santé, et puis ça allait la tirer de toute cette histoire de grève : compromettant pour Hélène, d'avoir une sœur comme ça, avec la situation de son mari. Enfin, elle s'était habituée à vivre seule rue Blaise-Desgoffe.

Pendant qu'elle empaquetait pourtant, Catherine se disputa avec sa mère. Il s'agissait encore de Bonnot. Mme Simonidzé répétait ce qu'elle avait lu dans *Le Matin* ou ce que disait Hélène. Comment était-ce possible, de sa part à elle, avec ses idées d'autrefois?

« Mon enfant, tu changeras comme moi. Quand on est jeune, on aime la violence...

— Ce n'est pas de la violence qu'il s'agit, ou plutôt si : mais de celle qu'exercent ceux qui ont tout sur ceux qui n'ont rien! »

Mme Simonidzé connaissait tout ça. Les milieux anarchistes n'étaient pas comme sa fille les voyait : il y avait là-dedans beaucoup, beaucoup de police. Allons, bon, est-ce que sa mère allait parler comme Victor? Elle lui jeta, à elle aussi, Vaillant à la tête. « Oui, ça t'embête peut-être, mais, moi, je me souviens. J'étais une enfant, quelque chose comme une poupée qu'on jette dans un fauteuil, mais j'avais des yeux et des oreilles. Je me souviens, je me souviens... Il avait une petite fille qui s'appelait Sidonie, et il avait fabriqué des chaussures en Afrique, et le pâtissier le battait quand il était enfant... »

Elle rappelait à sa mère cette soirée où Mme Simonidzé avait pleuré. Mais Mme Simonidzé ne semblait avoir gardé aucune émotion de toute cette histoire. Elle cherchait des allumettes, et elle n'en trouvait pas : « Tu te souviens, Katioucha? Oui, je m'étais intéressée à ce Vaillant. Un homme curieux. Mais quand il m'a parlé de son projet, je me suis dit que je n'avais pas le droit de garder ça pour moi.

— Comment ? »

Catherine était debout, tremblante. Mme Simonidzé trouva enfin les allumettes. Catherine les avait encore mises dans le vide-poche, avec de vieux bas : « Tu ne te souviens pas de Dubreuil, non ? Ce grand garçon brun qui avait amené Vaillant chez moi ? Eh bien, je lui ai dit ce que Vaillant comptait faire... Je ne savais pas au juste ce que c'était que Dubreuil, ce n'est qu'après que j'ai appris qu'il était de la police... Donc, cinq ou six jours avant l'attentat, on savait à la Préfecture qu'il y aurait une bombe à la Chambre. On n'a rien fait pour l'empêcher. Au contraire. Puisqu'on connaissait l'adresse de Vaillant, une chambre où il préparait sa bombe, rue Dareau, je crois bien. Probablement que ça les arrangeait, qu'il y ait quelques députés tués... une combinaison ministérielle... je ne sais pas. »

Le soir même, Catherine retournait à la villa Baisedieu avec des yeux de morte.

X

Mil neuf cent douze commençait mal.

Wisner n'était pas superstitieux, mais le 1er janvier, en revenant de chez son ami Charles Roussel, à Louveciennes, comme il traversait Puteaux, histoire de regagner sa maison du Bord de l'Eau, où Diane devait l'attendre, la Mercédès avait renversé une vieille femme.

Était-elle ou n'était-elle pas dans son tort ? Honnêtement, Wisner ne pouvait le dire. Il l'avait vue dans l'espèce de poudroiement gris de la fin d'après-midi, se détacher du trottoir et passer comme une grosse poule noire devant la voiture. Cela avait fait un ressaut, et puis sous soi le bruit pénible des os broyés.

On marchait vite, il avait fallu trente mètres pour s'arrêter. Les lanternes étaient barbouillées de sang. Il y avait des débris de tablier bleu, et des cheveux, des bouts de chair, au nez du capot. La vieille vivait encore. Elle soufflait, comme surprise dans son sommeil par une attaque. Elle avait le bassin broyé, et une fracture du crâne. Elle retrouva soudain la force inhumaine des cris. Des ouvriers, des ménagères s'étaient massés, menaçants. Les agents verbalisaient, déférents quand ils surent à qui ils avaient affaire. Tout de même, le cercle se resserrait, et cela pouvait tourner mal. Ce fut la vieille qui sauva tout.

Elle mourut.

Et pas simplement, comme la volaille écrasée, dont les plumes inondent la route, et puis qui casse d'une fois son cou maigre. Non. D'une façon atroce, dramatique, inattendue.

Elle n'avait dans tout ça pas lâché un sac à provisions en toile cirée noire, avec des brisures jaunâtres, où il y avait un pain. La masse du corps écroulée dans la boue de la grande rue, incapable de se redresser, atteinte au ventre, restait là sous les jupes pauvres, qui se retroussaient sur de pitoyables cuisses de vieille, plissées, maculées de sang et de terre, au-delà des bas de coton beige. Le visage remuait doucement contre le sol, et le gémissement qui sortait du tout avait de brusques exacerbations en clameurs, qui faisaient tressaillir une centaine d'êtres effrayés tout autour.

Tout à coup, le caraco rapé fut pris d'un mouvement incompréhensible, et la vieille femme parvint à ramasser son corps brisé. On vit pour la première fois son visage édenté. Elle ouvrait des yeux vides, et balbutiait quelque chose. On n'eut pas le temps de la soutenir. Dans un hurlement, elle s'était redressée, et son poing brandissait le sac vers le ciel. On l'entendit crier : *Le pain!* et tout s'abattit dans le sang et la boue comme un château de cartes.

La confusion fut telle qu'on en oublia les écraseurs. L'un des agents, qui avait maintenant les renseignements nécessaires, les fit filer.

Le 3 janvier, les bandits en auto avaient assassiné un rentier et sa bonne à Thiais. La panique de l'anarchie soufflait sur la Bourse.

Non, mil neuf cent douze ne commençait pas bien. Par exemple, la chute du cabinet Caillaux, qu'en penser? Évidemment, de fait, il n'était pas question de reviser l'accord franco-allemand, ratifié par la Chambre. Le Sénat s'était payé le luxe de renvoyer l'homme qui avait cédé un bout de Congo à Guillaume, et voilà tout. Le Sénat ne représentait pas précisément l'audace en matière spéculative. Réactionnaire. Faisant passer des questions de prestige avant les intérêts véritables. Du moins c'était là le point de vue de Wisner, qui voyait tout de même avec plaisir la situation clarifiée au Maroc. Son groupe, avec Quesnel et les autres, allait pouvoir donner de l'avant. Les terrains de Casablanca et de Rabat déjà connaissaient une plus-value appréciable. Et puis il y avait ces gisements de phosphates...

Au fait, on se consolait de la chute de Caillaux. Le ministère Poincaré comptait passablement des membres de l'ancien gouvernement : Klotz, Steeg, l'essentiel. Alors pas de danger du côté Maroc. Ils n'allaient pas laisser mener une politique contraire à des entreprises qui les intéressaient. Au fond, l'opération sénatoriale n'était pas si bête : on sacrifiait Caillaux, impopulaire auprès des patriotes, on leur donnait un Lorrain à la place, Poincaré, et on continuait les affaires, c'était le principal. Évidemment ça impliquait toute une politique de prestige en face de l'Allemagne, que l'opinion exigeait. Pour cela, il allait falloir augmenter le budget de la guerre et Wisner, au dernier conseil d'administration de *l'Immobilière de Casablanca*, avait parlé avec le secrétaire d'un des ministres, un garçon intelligent, impossible de retrouver son nom, d'une combinaison très intéressante : les usines Wisner fourniraient à la Compagnie des Transports en Commun de nouveaux autobus rapidement transformables, en cas de guerre, pour le transport des troupes. Wisner avait tout de suite mis la chose à l'étude.

Non pas qu'il fût très fatigué de Diane, Wisner, mais il avait toujours bien aimé le bordel. Diane, c'était pour lui comme un cheval de course qui vous flatte. Ils faisaient bien l'amour ensemble. L'ancien mécano était très fier de sa force. C'était un homme très énergique, avec un don prodigieux de record. Son usine, où il allait chaque jour, cent affaires qu'il dirigeait, des combinaisons internationales... Tout cela lui laissait pourtant les loisirs d'avoir une maîtresse, et de ne pas la négliger, tout en faisant avec des amis de longues nuits dans des établissements divers, où il ne dédaignait pas de prouver ses qualités.

Charles Roussel, le couturier, lui, approuvait le geste du Sénat. Mais c'était parce que Mme Caillaux ne s'habillait pas chez lui. Peut-être même qu'elle avait été chez Poiret et, Poiret, c'était la bête noire de Roussel. N'est-ce pas, la maison Roussel, rue de la Paix, en était à sa troisième génération de couturiers, tous Charles de père en fils. Wisner le plaisantait avec Poiret. « Mon cher, il te lève toutes les femmes chic, et Diane me disait... » Charles Roussel pinça les lèvres, et caressa sa belle barbe grisonnante. On était au Chabanais. Par taquinerie, Wisner avait demandé la chambre persane, à cause de la mode persane de Poiret. On avait dîné tard, chez Prunier, pas possible après d'aller au théâtre. Wisner avait des dames sur tous les genoux. « Mon cher, répondit Roussel, tout cela c'est une affaire de... Ce petit Poiret croit être arrivé. Il n'a pas le moindre goût. Quand on veut habiller une aristocratie de..., il faut savoir. J'ai été chez lui : dès le bas de l'escalier il y a des personnes en petite chemise... »

Une des dames qui pelotaient doucement Wisner s'interrompit pour se mêler de la conversation : « Je parie que c'est de la rue Papillon que tu parles, mon chou. » Roussel triompha : « Là! Qu'est-ce que je disais! Quand on veut habiller un monde de..., il faut avoir une maison d'une tenue de..., et qui n'ait pas l'air d'une maison de... »

L'expression favorite du couturier se terminait par un très léger claquement de la langue derrière les dents.

« Je vois ce que c'est, reprit sentencieusement la poule, en secouant les sequins qu'elle avait mis pour faire persan ; votre Poirier, c'est pas un claque, c'est un machin à rendez-vous pour femmes mariées. Du propre! Ça vous suffit donc pas nos fesses? » Elle relevait sa petite liquette prune bordée de dentelle jaune.

Il y avait là un troisième compère, Williams, directeur du *Petit Républicain*, célèbre par ses mœurs ignobles, et qu'on prétendait qui avait tué sa maîtresse, une actrice en vue. Il était plus lié avec Wisner qu'avec Roussel, bien que sa femme actuelle fût cliente chez le couturier. Mais ce soir-là tous trois se baguenaudaient en garçons.

« Moi, dit Williams, je soutiens à fond Poincaré. C'est l'homme du service de trois ans et, sans les trois ans, la

France est foutue. Votre Poiret, c'est du munichois. Nous voulons des modes bien françaises. Que nos femmes soient habillées comme chez soi. Je ne sais si je me fais comprendre. »

Roussel exultait : « Williams, vous parlez d'or. La Parisienne doit rester la Parisienne. Elle a un chic de..., elle ne peut pas le perdre. Voyez le dix-huitième : là vous trouvez la France. Une France de... »

Charles Roussel avait une collection du XVIIIe siècle qui était fameuse. Tout ce qu'on pouvait rêver de Greuze, de Nattier et de Fragonard chastes. Parce que le couturier aimait le XVIIIe, mais pas trop cochon. « Alors, dit Wisner, pour toi, Poincaré c'est le XVIIIe? Je me demande chez qui s'habille sa femme. Je peux te dire qu'elle est plutôt fringuée... Pas chez toi, j'espère ? »

Ici Williams fit quelques plaisanteries bien d'occasion. Il ne s'amusait pas beaucoup à bavarder comme ça, au bordel, avec des gens dont certes il appréciait la compagnie utile pour ses affaires. Il avait comme une idée de faire un tour rue de Provence où on lui avait signalé une nouvelle pensionnaire, tout à fait dans ses goûts. C'est ce qu'il expliquait, entre deux, à Roussel, qui tiquait un peu, parce que la réputation de Williams était précise, et que le couturier n'avait pas envie de voir ça.

« Bon, soupira une des chochottes, qui dansaient entre elles au phonographe, on n'a encore pas bu notre champagne que tu veux te barrer! » Les sept ou huit almées que ces messieurs avaient retenues, averties par Madame de la qualité de leurs hôtes, s'étaient déjà apprêtées au grand jeu. Elles exhibaient des accessoires sortis de l'arsenal de la maison, et qui n'étaient pas plus persans qu'autre chose. L'une d'elles, une petite rousse, allumait tout à fait Wisner.

« Va pour les trois ans! s'exclama-t-il, moi, je prends la rouquine pour une demi-heure! — Tu verras, murmura l'élue, j'en sais une nouvelle : je fais la rue Ordener... »

XI

Évidemment la confiance était revenue avec le nouveau ministère, mais toute cette histoire de bandits en auto affolait le pays. Il est vrai qu'à la faveur de cette tempête, les criailleries de l'opposition ne trouvaient aucun écho dans le public.

Le Petit Républicain était décidément poincariste, et il se distinguait par ses gros titres sur la bande tragique, comme on disait. Williams marchait à fond, c'était lui qui donnait le premier les noms des anarchistes soupçonnés. Le ministère de l'Intérieur était très, très content. Cela ne pouvait manquer d'avoir son retentissement pour le succès de l'affaire sur laquelle Williams jouait à bloc : le casino de Fleurville. Il s'agissait de couler Dinard, Trouville, etc. Il fallait que tout ce que Paris comptait de vraiment chic vînt à Fleurville pour la saison. Et ce n'était pas possible sans l'appui de la Sûreté Générale, si singulier que ça sonne à dire. Aussi les trouvailles de titres sur une affaire si providentielle valaient-elles leur pesant d'or. Une émulation vive animait la rédaction du *Petit Républicain.* Les *idées* étaient soumises au grand patron. Il fallait naturellement attaquer la Préfecture, mais sans trop l'attaquer... Histoire de chauffer l'opinion, et de faire valoir les découvertes. Cela allait permettre un petit nettoyage dans les milieux anarchistes, et même on insinuait que parmi les chauffeurs de taxi grévistes, les idées subversives étaient répandues, qui sait? On cherchait bien loin... Du sabotage à la reprise individuelle le pas n'est pas grand.

Wisner avait conclu un contrat de publicité avec *Le Petit Républicain.* Il y passait des pages entières sur la double-soupape qu'il allait sortir au printemps, et il avait fait aménager à Fleurville des stands magnifiques pour la saison. La belle Mme Brunel avait promis de venir pour la grande semaine, c'était dire qu'on verrait Wisner en personne au casino. D'ailleurs son ami Quesnel était du conseil d'administration de ce journal... Joseph Quesnel, protestant, n'aimait pas Williams, personnellement. La réputation du personnage lui déplaisait et il l'aurait bien liquidé du journal. Mais Williams était *personna grata* à Washington. Les pétroliers de là-bas avaient grande confiance en lui. Et même Delcassé avait prévenu délicatement Joseph Quesnel qu'il valait mieux ne pas insister, pour nos rapports avec la Maison Blanche. Si le patriotisme s'en mêlait! Après tout, les cochonneries du monsieur ne regardaient que lui...

D'ailleurs le Consortium des taxis n'avait qu'à se louer du *Petit Républicain.* Ses intérêts, n'est-ce pas, là-dedans, étaient ceux mêmes de Rockefeller. Williams menait une campagne très habile, très nourrie pour discréditer la grève et les meneurs. Il fallait avoir le public avec soi. Et même, ce qu'il y avait de vraiment honnête, de travailleur, parmi les chauffeurs, pouvait être touché par une bonne propagande. Naturellement pas les cerveaux brûlés, mais les pères de famille, les garçons sérieux qui se moquaient pas mal de la politique, et qui ne songeaient qu'à se faire de bonnes petites économies...

Avec tout cela, la politique du *Petit Républicain*, même avec son allure cocardière, savait être souple. On mangeait de l'alboche, mais on mettait le cas échéant la sourdine sur certaines questions. Le journal avait été des plus modérés dans l'histoire du Congo. Il avait bien fallu : pour ne pas rompre le contrat de la *Disconto Gesellschaft* de Berlin, une affaire excellente, apportée par Joris de Houten.

Joris était fort lié avec Williams, auquel il avait rendu d'inappréciables services, grâce à ses relations avec Lépine, quand il était arrivé à l'amie du directeur ce terrible et regrettable accident, après lequel les gens ne s'étaient pas fait faute d'accuser Williams d'assassinat. Et sans renseignement particulier. Parce que ça faisait joli. Enfin, Williams était payé pour savoir ce que c'était que la presse : on en prend et on en laisse. Mais l'important, c'était la Préfecture, et Houten lui avait donné là un joli coup d'épaule.

Bien entendu, Joris de Houten étant Hollandais, n'était pas tenu à une très stricte rigueur dans ses rapports avec l'Allemagne. Comme Williams. Aussi était-il un intermédiaire utile, et heureux.

De plus il renseignait Williams sur ce qui se passait à la Préfecture, sur les désirs du préfet. Précieux, ça. D'autant que dans la police, ce n'était pas tous les jours commode de se reconnaître. N'est-ce pas, les ministères changent, mais la police reste... Là gît la difficulté. Les agents d'exécution d'une politique deviennent ceux de la suivante, ils sont pourtants liés à leurs patrons précédents. Enfin, ce n'était un mystère pour personne qu'il y avait, grossièrement parlant, deux tendances dans le personnel policier, comme dans le personnel gouvernemental. Les unes reflétant les autres, mais naturellement dans la police, les choses prenaient un caractère peut-être plus direct, plus personnel, et d'une certaine façon plus brutal. Cela va de soi.

Houten, qui était un sceptique, savait parler de cela à merveille. Williams l'emmenait avec lui aux courses, sur son yacht. Avec ça, le Hollandais était un personnage très réservé question femmes. Romantique. La belle Mme de Houten voyageait énormément et on savait vaguement que Joris avait une liaison. Mais il la cachait, et Williams trouvait cela très petite fleur bleue, volets verts, une chaumière et un cœur, enfin il en plaisantait tant et plus, mais ça le rafraîchissait, cet homme, après ses spécialistes d'un certain genre.

Par exemple, Guichard et Jouin, eh bien! le chef et le sous-chef de la Sûreté n'étaient pas d'accord. C'était assez connu. Mais sur quoi cela reposait-il? On en parlait comme d'une histoire de gens qui ne s'entendent pas. Il fallait tout de même comprendre que l'un avait fait sa carrière avec Clemenceau, l'autre avec Caillaux. Tout au moins c'était là l'explication de Joris. N'est-ce pas, à la tête de la France, on oscillait entre deux méthodes. L'une, brutale peut-être, mais qui avait du panache, bien que ce ne fût pas une méthode de droite, puisqu'elle était appliquée par ce vieux communard de Clemenceau. Jamais baisser pavillon devant l'Allemagne, s'appuyer sur l'Angleterre : voilà pour l'extérieur. A l'intérieur, la main de fer, la main du « premier flic de France ». Naturellement, quand on avait dû tirer sur les ouvriers, plusieurs fois, ça avait fait des levées de boucliers à gauche. Au bout du compte, il avait fallu passer la main.

L'autre méthode était toute de composition. Aussi bien avec l'Allemagne qu'avec les syndicats et les socialistes. On lâchait la bride. On permettait un peu les grèves. Et on reprenait les rênes, de l'Intérieur, grâce à de bonnes liaisons avec des chefs. On avait pour la forme brûlé quelques maladroits, des mouchards à Clemenceau, qui avaient fait leur temps dans le mouvement ouvrier, et on y avait introduit une police politique tout à fait sérieuse : pas des petits provocateurs maintenant, mais des hommes de valeur, qui n'étaient même pas à proprement parler de la police, simplement des gens avec qui on pouvait causer.

Le ministère Poincaré, fait de personnalités appartenant aux groupes opposés, s'en tenait encore à une sorte de compromis entre les deux manières. Entre les deux grands groupes d'intérêts. Aussi Clemenceau attaquait-il Poincaré, un vieil ennemi pour lui, bien que ce fût la chute de Caillaux et de sa méthode qui eût porté au pouvoir le Lorrain à la voix de polichinelle.

Tout cela on le voyait bien clairement. Mais dans la police...

Dans la police, c'était tout comme ailleurs la bataille des grands intérêts qui menaient le monde. Joris de Houten donnait l'exemple de son propre cas : ne venait-il pas, fin novembre, d'être l'objet d'une véritable manœuvre policière, lui qui pourtant était fort bien vu à la Préfecture ? On avait essayé de l'impliquer dans une absurde histoire, à propos du suicide de deux détraqués qu'il connaissait un peu. Gaffe d'inspecteur trop zélé : il ne fallait pas s'y tromper. C'était un épisode de la rivalité des deux polices. A tort ou à raison, bien qu'il n'eût personnellement aucune animosité contre Caillaux (Williams le savait mieux que personne, lui qui était résolument adversaire de l'ancien président du Conseil), Houten était suspect à la fraction policière qui soutenait activement les intérêts et la politique du grand radical. On était à la veille de la bataille parlementaire qui allait se livrer autour de l'accord franco-allemand. C'était une aubaine que de jeter le trouble dans le camp ennemi, en compromettant l'un ou l'autre...

« Et puis, mon cher Williams, le fin fond de l'affaire est que j'ai servi passablement d'intermédiaire dans les achats des sources de pétroles néerlandaises, et comme tel j'ai tenu ma partie dans le combat que nos amis américains ont livré en Hollande pour la maîtrise du marché mondial. Vous savez qu'à Berlin, où j'ai de bons amis par ailleurs, le groupe concurrent des financiers de la Deutsche Bank ne me le pardonne pas. Mon Dieu, il ne faut rien dramatiser, mais tout de même n'est-il pas singulier de voir une partie de la police française faire ici les affaires et épouser les intérêts des financiers allemands ? Moi, naturellement, je vis en France, j'ai tous mes meilleurs amis dans ce pays, j'ai naturellement toujours agi au mieux des intérêts de ma patrie d'adoption... » C'était Clemenceau qui l'avait tiré de là.

Houten exposait, avec un grand luxe de détails sur les personnalités, les divisions intérieures de la police. Là aussi, il y avait des partisans de la méthode brutale, nettoyage du pays autant pour les anarchos que pour les apaches, que pour les fort-en-gueule. Et puis il y avait ceux qui voulaient utiliser les grèves, les crimes, etc., pour des fins politiques, sans se faire trop illusion de ce qui peut se réprimer, en laissant la part du feu, mais en se servant de chaque incendie.

Ainsi l'affaire Bonnot, Carouy, Garnier et consorts. Les uns prétendaient y mettre fin par des mesures totales. Et porter le fer aussi loin qu'on voudrait, sans s'arrêter trop à discuter sur les responsabilités, que des déclarations nombreuses faisaient comme ça suffisamment retomber sur des dizaines, des centaines peut-être d'individus.

Au lieu de quoi, la direction de la police lanternait. On l'accusait même d'en savoir plus qu'elle n'en laissait paraître, et de permettre à la bande de poursuivre ses exploits pour détourner les coups de Clemenceau du gouvernement. Joris de Houten, lui, disait que c'était là bien exagérer les choses. Il y avait un peu de ça, mais de là...

C'était, il est vrai, extraordinaire ce qu'à la Préfecture on avait été vite au courant des noms des bandits : Carouy, Metge, Garnier. *Le Petit Républicain* chantait les louanges de Guichard, mais le public qui attribuait maintenant chaque crime à la bande trouvait qu'on n'y allait pas assez franc jeu. Alors *Le Petit Républicain* devait glisser des critiques... Il fallait se résoudre à quelque chose : le caractère anarchiste de l'affaire était patent. Fin janvier, on arrêtait la rédaction de *L'Anarchie*, à son local de Paris, rue Fessart.

Cela ne mit pas un terme aux attentats. La position de M. Guichard devint très délicate. Il y avait des journaux qui vantaient un peu trop son sous-ordre, M. Jouin. Un homme très courageux, pas un bluffeur, lui, etc. Popularité gênante pour la hiérarchie et la discipline. Elle avait d'autres bases que le courage : le public, énervé, chauffé par les journaux, commençait à réclamer la manière forte.

XII

Williams venait de commencer dans son journal la publication des souvenirs de chasse du comte d'Évreux. Une réclame formidable s'étalait sur les murs de Paris, avec des affiches fleurdelysées. Il s'agissait de contrebattre l'effet du lancement par un quotidien concurrent d'un roman de Michel Zévaco. *Le Petit Républicain* exploitait l'indignation soulevée dans le cœur des mères de familles par une affiche un peu trop osée que son adversaire avait placardée par tout le pays, où on voyait Isabeau de Bavière en proie à une crise d'hystérie, à peu près nue dans une cathèdre de style Quartier Latin. A ces débordements, Williams opposait l'attrait de son royal collaborateur, un des pionniers de l'influence française dans le monde, malgré tout, malgré la République. Patrie d'abord!

Au fait l'arrangement s'en était combiné par le couturier Roussel, qui habillait Mme Lopez, l'amie du comte d'Évreux, et la note de celle-ci était fort en retard. Il connaissait Williams, n'est-ce pas? Alors tout s'était arrangé pour le mieux.

Le comte d'Évreux était tenu, il faut dire, à un train qu'on ne peut mener de nos jours qu'avec des ressources bien au-dessus des siennes. Sans doute, n'avait-il pas à payer sa Lorraine-Diétrich, parce que cela faisait de cette marque la fournisseuse de la cour. Et pas mal de choses à l'avenant. Mme Lopez ne coûtait pas si cher que tout cela. Le terrible, c'était le baccara.

Depuis Louis XIV, le jeu est la perte des princes de la maison de France. Évidemment depuis l'avènement de l'ère industrielle, les moyens de réparer les dégâts faits dans le budget des Altesses par la roulette, le trente-et-quarante et l'amélioration de la race chevaline, ne ressemblent guère aux expédients traditionnels de Gaston d'Orléans. On ne peut plus faire porter sa vaisselle à la Monnaie quand ça va mal. Mais on s'en tire avec les pneus Dunlop, les cognacs à redorer, les plages que lance un groupe de financiers.

Pourtant l'hiver 1911-1912 avait été spécialement dur pour le comte d'Évreux. Il avait pris à Monte-Carlo une de ces culottes, mais alors une de ces culottes. Les soutiens qu'il recevait du Quai d'Orsay pour son rôle de propagandiste de l'Idée Française dans le monde s'étaient trouvés bien insuffisants. On avait même au ministère refusé, certes très poliment, mais avec fermeté, les nouvelles avances que Son Altesse Royale avait sollicitées. C'est ainsi que le comte dut en passer une nouvelle fois par les usuriers.

Il s'entendait très bien avec Georges Brunel, un homme très drôle, très vulgaire et très aimable avec lequel il était entré en contact par l'intermédiaire d'une fort jolie femme, actrice aux Variétés, et qui avait été son amie. Ce Brunel était lié à toutes les actrices de Paris, et il était certain qu'elles devaient toucher quelque chose de l'argent qu'on lui laissait entre les mains... Celle-ci d'autant était assez à court d'argent, elle avait escompté un rôle dans la nouvelle pièce d'Henry Bataille, qu'on mettait en répétition, une histoire de jeune fille tuberculeuse qui se sachant condamnée jette son bonnet par-dessus les moulins, et puis ça n'avait pas marché... Cette fois, la somme était un peu forte, Brunel avait prétendu qu'il ne pouvait pas faire l'appoint lui-même, et il avait mis le comte d'Évreux en rapport avec un ami à lui qui avait de l'argent.

C'était un greffier de Seine-et-Oise, qui vivait dans une petite bourgade de dix mille âmes, avec des pots de géraniums et une nièce, qui faisait son ménage. Me Mesplats avait bien cinquante-cinq ans, une maladie d'estomac (des aigreurs), et très peu de cheveux qui s'obstinaient à ne pas blanchir. Dans sa cravate blanche, il avait l'air d'une statue de l'honnêteté en redingote. Mais il ne prêtait pas pour rien de l'argent à des princes de sang royal. Il voulait être juge de paix, et la Légion d'honneur. « Mon cher Brunel, que voulez-vous que j'y fasse, moi? Je ne suis pas le roi, et je ne puis rien dans votre République... » Le comte d'Évreux se trompait.

Si Son Altesse en effet y consentait, elle pouvait rendre très grand service à un des plus hauts personnages de la République, qui bien entendu ne l'en solliciterait pas. Mais n'est-ce pas, ces choses-là ne s'oublient pas.

Or il y allait avoir en Corse, comme dans tout le pays, des élections sénatoriales au début de 1912. Quelques mots de Son Altesse, jetés dans la conversation, pouvaient détacher du candidat conservateur bien des voix qu'effrayait à tort l'étiquette radicale... Son Altesse fit donc en plein hiver un voyage en Corse, où M. Pugliesi-Conti, l'homme des droites, se présentait sans aucune chance, et où pièce fut faite aux candidats de gauche par le candidat du Comité des Forges, un radical, M. Paul Doumer, un des hommes les plus intelligents, assurait Brunel, que la terre ait jamais portés. Et c'était, n'est-ce pas, une pitié qu'un cerveau pareil, à cause d'une mésaventure électorale précédente, fût tenu à l'écart de la vie politique. Il lui fallait un siège, où vous voudrez, mais un siège dans le Midi.

Me Mesplats fut nommé dès février juge de paix sur la Côte d'Azur. Il eut non plus des géraniums, mais des palmiers.

Sa nièce, qui toussait, fut très reconnaissante à Son Altesse Royale ; elle en découpa le portrait dans *Le Petit Républicain*, et l'installa dans le cadre noir et or de sa glace. Les enfants de Mme Lopez se lièrent avec le petit Brunel. Son Altesse d'ailleurs recueillit d'autres avantages de l'affaire : on avait parlé pour elle au Quai d'Orsay, et le ministère étant tombé au lendemain des élections sénatoriales, sur un coup de boutoir de Clemenceau, on vint la solliciter très humblement d'accepter une mission en Angleterre. Il y avait des difficultés qu'un gouvernement démocratique doit savoir résoudre, mais qui nécessitent l'emploi de personnalités capables de parler d'égal à égal avec les rois.

Comme l'avait dit un grand journal du matin : en élisant M. Paul Doumer, la Corse avait voulu prouver une fois de plus que la belle parole de Jules Ferry restait vraie, et qu'il n'y avait pas de place en France pour « l'ostracisme, cet enfant irrité de la cité antique ». Le comte d'Évreux relisait cette phrase avec une certaine surprise. Ça l'humiliait toujours quand il ne comprenait pas : pourtant cette fois, il était excusable.

Il aurait sans doute été fort étonné, M. Paul Doumer, si quelqu'un lui avait rapporté la part jouée dans son élection non seulement par un membre de la famille royale, mais encore par un greffier de Seine-et-Oise. Aussi étonné que vingt et un ans plus tard quand il reçut une balle mortelle dans une exposition de livres. Il était de ces politiciens qui président avec ingénuité la Société Générale d'Électricité, le Crédit Français, la Société Belge des Chantiers de Nicolaiev, etc., à leurs heures perdues, et qui écrivent des livres destinés à faire sensation : il était en train de mettre la dernière main à son ouvrage sur la métallurgie du fer : « Il semble bien, écrivait-il, que ce soit au rivage de la mer Noire, où se trouve encore un des meilleurs minerais du continent, que la fabrication du fer s'implanta tout d'abord... »

Hommage à ce minerai du Donetz que ses collègues du Comité des Forges désirèrent par la suite si fort qu'ils envoyèrent des armées pour le prendre au nom des porteurs de rentes russes, et que le bras de l'assassin s'arma un peu plus tard, dans l'espoir d'une nouvelle expédition pour sa conquête.

Mais la vie et la mort de Paul Doumer restent en dehors de cette histoire. Sans doute ces messieurs de Trignac, d'Anzin, du Creusot, d'Homécourt et autres fiefs avaient-ils grand désir de revoir Paul Doumer sénateur. Wisner n'avait rien à leur refuser. Il en avait touché un mot à plusieurs amis, dont Brunel, homme d'imagination fertile. Bien des moyens avaient été mis en jeu, plus efficaces que des paroles d'Altesse. Tout cela se traduisait très clairement par l'affirmation qu'il n'y avait pas de place en France pour l'ostracisme, « cet enfant irrité de la cité antique ». La cité antique en effet ne connaissait pas les beautés du Comité des Forges.

C'est en janvier que Wisner rencontra une personnalité de ce groupement qui s'était spécialement intéressée aux élections sénatoriales de Corse.

Après une conversation à laquelle Diane et ses beaux yeux prirent une part active, on en vint à se féliciter du nouveau gouvernement. Wisner, qui avait pu passer pour assez favorable à Caillaux, était intarissable. Millerand, un ancien socialiste d'ailleurs, se montrait à la Guerre l'homme dont on avait besoin. Au moment où de nombreux incidents franco-italiens, bateaux saisis en Méditerranée, montraient à quel point la paix était une chose précaire, notre ministre de la Guerre assurait la sécurité française : il réformait l'état-major (vous le connaissez, vous, ce général Joffre ? Qu'est-ce qu'il vaut ? C'est un républicain, paraît-il) et il déclarait au *Matin* : « Je maintiendrai à n'importe quel prix la France au premier rang de la navigation aérienne. »

Wisner venait d'entrer dans le conseil d'administration d'une grande maison de construction d'aéroplanes. Diane n'était jamais montée en avion. On arrangerait cela.

Mais la conversation tourna sur un sujet bien inquiétant : la grève des taxis qui continuait.

« Je n'ai là-dedans, dit Wisner, que des intérêts extrêmement indirects, mais je songe vraiment aux malheureux chauffeurs pour lesquels ce doit être terrible... Avec cela, le commerce est paralysé à Paris. Cela tombe on ne peut plus mal pour ce qui est du pétrole par exemple. La Ville perd chaque jour des sommes énormes sur les taxes. Sur la vente du pétrole même, vous me direz que ça ne fait pas mondialement une différence appréciable. Mais cela précisément à l'heure où se livre une bataille qui peut être décisive! Vous savez que Rockefeller, qui est un grand ami de la France, se bat contre les pétroliers allemands. Toute la question est de savoir si le marché allemand, dont nos amis américains, et nous par suite, avions le contrôle, va nous échapper ou non. Si le gouvernement allemand décide de maintenir le monopole d'état voté l'année dernière par le Reichstag, la partie est perdue. C'est le triomphe du groupe de la Deutsche Bank sur le groupe Rockefeller. Évidemment, nous comptons que la nécessité des armements rendra impossible l'investissement du capital allemand dans l'affaire des pétroles. Et c'est pour nous d'un très grand poids que l'existence en France d'un ministère énergique, décidé, qui, en développant les armements de notre pays, rend impossible à Guillaume II de s'abandonner à tous ses rêves impériaux... »

Oui, Wisner avait eu jadis d'excellents rapports avec l'empereur. Mais c'était un dément : le Maroc, l'Alsace-Lorraine, le pétrole... « Pourquoi pas nos femmes ? » Et il montrait Diane.

« Rockefeller, cher ami, nous ne pouvons d'ailleurs pas le laisser tomber. Franchement. Avez-vous vu ce qu'il vient de faire ? 55 000 francs envoyés à la France pour acheter à Dôle, je crois, la maison natale de Pasteur ! Mon cher, c'est tout simplement magnifique ! Poincaré en a été ému aux larmes. Alors, comment laisser se poursuivre une grève qui est comme une flèche dans le dos de ce grand ami de la France ? J'étais pour la composition. Les députés de la Seine proposaient l'arbitrage entre le Consortium et les grévistes. Vers le premier de l'an. Moi, j'aurais bien parlé avec ce Fiancette, leur représentant, qui n'a pas l'air d'un mauvais bougre. Mais le Consortium en a décidé autrement. Il disait qu'on ne peut pas parler avec des saboteurs. Il y a eu quelques taxis démolis ou brûlés. Je trouve qu'on s'attache un peu trop à ce côté de la question...

— Tiens, s'exclama en riant son interlocuteur, vous n'y perdez pas, vous, à ces démolitions ! Au contraire. Mais eux il faut qu'ils vous en achètent d'autres ! »

Le retour de Corse de certains agents électoraux avait mis les lointains bienfaiteurs de M. Doumer, les bons génies qui n'avaient pas voulu que l'ostracisme sévît en Corse comme à Athènes, en face de nombreuses promesses faites à des gens d'Ajaccio et d'ailleurs. Aussi trouvait-on assez ingénieux par le canal de Wisner de faire proposer au Consortium l'embauche de toute une série de jeunes gens qui ne rêvaient que de Paris. Des garçons tout à fait sûrs, non contaminés par la propagande extrémiste, par le syndicalisme.

Wisner, avec ses idées socialistes, convenait qu'après tout ces jeunes gens avaient le droit au travail, tout comme vous et moi. Et puis il fallait en finir avec cette grève. C'était l'intérêt de tout le monde, des chauffeurs en première ligne.

« J'en toucherai un mot au président du Consortium. La maison de Pasteur! Tout de même, je ne connais pas de geste plus beau, plus pur, plus désintéressé! »

XIII

Le matin du 1er février 1912, l'encre grasse des journaux suait l'épouvante. En allant à leur travail dans l'aube mal débarbouillée, les gens ne se retrouvaient plus dans les gros titres terrifiants qui mêlaient trois histoires. Un caissier attaqué à Paris rue Meslay, en plein jour, et lesté de 150 000 francs ; à Montrouge une tenancière de débit dépouillée sous la menace du revolver par trois jeunes gens ; mais surtout une histoire de train, où il y avait des anarchistes — bien que ni l'une ni l'autre de ces affaires ne semblât directement liée à la bande Bonnot.

La dernière avait les honneurs de tous les journaux : à Orléans, des cambrioleurs surpris dans un bureau de la gare, avaient blessé un sous-chef et un homme d'équipe, et sauté dans le train de Paris qui partait. A Étampes, comme on visitait le train, un voyageur suspect qu'on avait fait descendre s'était tué d'un coup de revolver. Quel drame y avait-il dans la vie de ce malheureux, que redoutait-il? On n'avait pas pris la peine de le savoir. Toujours est-il qu'il n'avait rien à voir avec le drame d'Orléans, c'était un tourneur sur métaux, avec 7 fr. 70 en poche, les photos d'une femme et de deux enfants. Les bandits avaient quitté le train en marche, et comme un brigadier et un gendarme les rattrapaient sur la route, quelque part en pleine campagne, ils abattirent le brigadier d'une balle au cœur. Le gendarme pédalant à toute allure avait ramené des troupes. Toute la région alertée, maréchaussée et régiments mobilisés. On avait cerné les meurtriers dans les marais avant la nuit. Ils étaient deux, cachés dans les joncs, tiraillant. Quand ils furent sur le point d'être pris, l'un tourna sur lui-même son revolver et mourut en criant : « *Vive l'anarchie!* » L'autre se sauva.

Rejoint en gare d'Etréchy, il avait été lynché par la foule.

Dans les rues de Levallois, ce n'était pourtant pas plus ce drame que les affaires de Montrouge ou de la rue Meslay qui expliquaient l'affluence matinale. Entre les portes de Paris et la place Collange, des milliers de chauffeurs de taxi attendaient sous le crachin. Les pas des cuirassiers retentissaient sur les pavés. La reprise avait été annoncée pour neuf heures à la Cie des Autos-Place. Sur les 2 500 voitures de cette compagnie, 1 000, disait-on, devaient sortir. Depuis six heures et demie les rues étaient pleines. Les vareuses bleues des chauffeurs s'agitaient aux coins des rues, dans les débits. Place Collange, un escadron de cuirassiers piaffait.

A tout dire, le désir du Consortium d'une grande manifestation destinée à briser la grève, l'avait poussé à surestimer ses forces. Ou bien était-ce le désir d'incidents? Toujours est-il qu'à neuf heures il y avait du personnel pour trente-six voitures : il est vrai qu'on mettait deux hommes par siège, en raison du danger. Mais encore sur ces soixante-douze conducteurs, recrutés Dieu sait comme, y en eut-il qui embouteillèrent tout en faisant la grève des bras croisés. Ce ne fut que vers la demie qu'on parvint à organiser la sortie, chaque voiture avec ses deux conducteurs, et l'escorte d'un agent cycliste, et le tout sous la protection des cuirassiers.

La place Collange hostile laissa le défilé atteindre son déversoir. Mais là, dans la rue, le conducteur de la quatrième voiture, un jeune Corse, qui venait tout juste de passer son permis de conduire, eut un geste un peu brusque et entra bruyamment dans la troisième, devant lui. Aux fenêtres des maisons, des applaudissements éclatèrent : appréciation de professionnels. Et une espèce de rire, le rire menaçant et large des foules, crispa les abords de la place quand la septième voiture, encore un Corse ! se jeta sur le flic à roulettes qui l'escortait. Celui-ci cabra sa monture, et pivota sur sa roue arrière. Le cirque maintenant... Les cuirassiers piétinaient leur crottin sur la place Collange.

Tant bien que mal la procession s'engageait dans les rues. A l'angle des rues Gide et Farzillau, comme la première voiture y parvenait, soudain un groupe débusqua. Une dizaine de grévistes. Oh ! ça ne traîna pas : en un clin d'œil les deux conducteurs de la voiture marinaient dans la boue noirâtre, jetés à bas du siège, et la voiture était retournée, comme un gros hanneton, ses roues, sur le côté, stupide. Cela fit une clameur. Des cris tout autour, des approbations. On sentait par le dédale des rues une population entière dont le poing seul venait d'agir. Par-derrière la voiture culbutée, la file oscillante conduite par des chauffeurs d'occase s'immobilisait, avec des heurts, des ailes cabossées. Les agents cyclistes se jetaient de côté pour éviter les coups de queue de ce serpent maladroit, aux anneaux mal emboutis. En moins de temps qu'il ne faut pour en rire, cinq taxis étaient retournés, leurs vitres brisées, les capotes déchirées, l'essence répandue et incendiée. Alors sur la place Collange un sabre brilla, commandant la charge, et les cuirassiers se précipitèrent dans la rue Gide, empêtrée de voitures, de manifestants, de gendarmes, d'agents cyclistes, où deux nouvelles voitures se renversaient.

C'est ainsi que Bachereau fut transporté au poste, le crâne fendu et de là au dépôt, où on refusa de l'envoyer à l'infirmerie spéciale.

Les incidents de Levallois, l'affaire d'Orléans, celle de Montrouge et surtout celle de la rue Meslay qui soulevait une véritable panique dans le monde de la finance, cinq semaines après la rue Ordener, firent l'objet d'un conseil de cabinet. On tremblait dans les maisons bourgeoises. Joseph Quesnel exprima très haut son avis : il y avait peu de temps que Xavier Guichard était à la Sûreté, il ne pouvait encore avoir Paris en main, mais son subordonné Jouin était un incapable. C'était chez Wisner où il y avait une petite réunion non officielle, quasi intime de ces messieurs du Consortium. Puisque la police était impuissante à protéger les chauffeurs qui voulaient travailler, en face de l'anarchie croissante, le devoir était de donner des armes à ces malheureux, qu'on ne pouvait pas envoyer comme ça à la mort.

Un des directeurs de garage de la Cie Gle des Fiacres de louage abonda dans ce sens : il fallait même leur recommander de ne pas attendre qu'on les descendît. Tirer les premiers, que MM. les assassins finissent! Wisner protestait un peu. Mais il était très ému par l'histoire d'Orléans. Plus de sécurité de nos jours... Il s'attendrissait sur le tourneur en métal, victime d'une fâcheuse méprise : « 7 fr. 70 en poche, disait-il, sans doute un chômeur... S'il était venu chez nous, nous lui aurions donné du travail! »

Au syndicat des cochers-chauffeurs, le citoyen Fiancette recevait les journalistes. Il avait pu constater l'effet déplorable fait par les événements du matin sur le public. *Sa* grève risquait de sombrer dans l'impopularité, on pouvait se mettre à confondre vraiment les chauffeurs et les anarchistes. Le citoyen Fiancette réprouvait toute violence. Il était sincèrement désolé de ce qui se passait là. Wisner l'avait bien jugé : c'était un homme avec qui on pouvait parler. Ses cheveux qui se décoiffaient tout le temps, sa grosse moustache, sa robustesse de bistrot, il avait ce physique peuple avec lequel on réussit dans la politique de la Troisième République, quand on est intelligent. « Je suis inquiet, déclarait-il à la presse. Je serais désolé qu'il y eût de nouvelles bagarres. Malheureusement je ne puis répondre des nerfs de six mille camarades, réduits au chômage depuis plus de deux mois... »

Il allait et venait par la pièce, avec toute sa responsabilité qui lui perlait au front, dans le petit local chauffé à bloc, et il s'épongea : « La grève, dit-il, c'est une nécessité bien terrible. »

Il s'employa de son mieux au Comité central de grève à conjurer le retour d'incidents comme ceux du matin. Une majorité était contre lui, mais il l'adjurait. Assez de ces méthodes anarchiques, à un moment où l'anarchie était à l'ordre du jour. Les honnêtes chauffeurs voulaient-ils se solidariser avec les assassins qu'on avait traqués près d'Étampes? Le jour suivant se passa en négociations du bureau de M. Steeg, ministre de l'Intérieur, à la Bourse du Travail et au siège du Consortium. Le gouvernement n'était pas moins inquiet que le citoyen Fiancette. Les patrons ne voulaient rien entendre, ils recommenceraient à organiser des sorties de voitures. Et la liberté du travail, alors?

A vrai dire, Fiancette l'expliquait aux grévistes, le nombre des jaunes était tout de même infime. Qu'est-ce qu'on perdait à les laisser sortir? C'était insignifiant. Mieux valait donner l'impression d'une force calme qui se contient. Cette opinion prévalut.

Dès que la Préfecture l'apprit, elle autorisa le Consortium à refaire une démonstration le lendemain matin, puisque ces messieurs y tenaient. Le 3 au matin donc, 49 voitures sortaient place Collange, 55 au garage de l'avenue de Wagram, une soixantaine à Charonne. Mais cette fois, on avait assis sur le siège non pas un second conducteur, mais un municipal en uniforme avec son fusil. Ceci à la demande de Joseph Quesnel.

Une vive indignation s'empara des grévistes. Mais aussi certains faisaient valoir combien Fiancette avait été sage : dans ces conditions on serait allé à une inutile tuerie. D'autant que toutes ces sorties s'étaient effectuées sous la protection des cuirassiers.

Dans sa cellule Bachereau délirait, et se retournait. Il avait soif.

Le 5 février, Wisner eut une minute de plaisir en dépliant son journal. Un télégramme de Pékin annonçait que l'impératrice de Chine consentait à la fondation de la République chinoise. En l'honneur de cet événement, le fabricant d'autos emmena Diane chez Marguery où ils déjeunèrent au champagne : « Pensez donc, chère amie, la Chine... Un immense empire, le plus arriéré du monde, et voilà que les principes de 89 faisant leur chemin franchissent la Grande Muraille. L'impératrice elle-même consent à la République! »

Quelle perspective pour le monde entier! Et tout d'abord pour la France démocratique. Ces vastes territoires ouverts au progrès... On installerait partout le téléphone, le télégraphe, tous les bienfaits de la civilisation, on combattrait la syphilis, l'opium (bien que cela soit un peu difficile avec les Anglais), il y aurait des automobiles jusqu'au fond du désert de Gobi...

« Vous vous échauffez, mon cher, dit Diane, vous n'avez pas encore les commandes... »

En attendant, la grève continuait bel et bien, et les promenades quotidiennes coûtaient cher, car il fallait payer les cipaux. Au siège du Consortium, on s'agitait. On téléphona aux journaux. Ils n'étaient pas assez énergiques. Williams avait cessé toute campagne, qu'est-ce que c'était que ça ?

M. Picot, commissaire du quartier Saint-Merri, s'apprêtait à aller faire sa manille, quand on vint le prévenir qu'il y avait deux hommes qui le demandaient. Allons bon! C'étaient les chauffeurs Chardaire et Bourderey, de la Cie des Autos-Fiacres, qui circulaient ce jour-là sur l'auto 232-G-7. Ils avaient chargé un couple de voyageurs, un homme et une femme. Des personnes comme il faut. A la hauteur de la rue Aubry-le-Boucher, sur le boulevard Sébastopol, un jeune homme monté sur un triporteur avait lancé dans leur direction un flacon de vitriol. Non, ils n'avaient pas été atteints.

M. le Commissaire s'étonna. Mais comment savaient-ils alors que c'était du vitriol! Une vitre avait été brisée. Par le vitriol? Non, par le flacon. Et les quatre occupants de la voiture, les clients et les deux chauffeurs avaient été éclaboussés. « Voyons... » dit M. le Commissaire. Oh, les chauffeurs, eux, naturellement, n'avaient eu presque rien, presque rien de visible! Non plus que le monsieur d'ailleurs. Mais la dame, ah ça! La dame avait été abîmée. Sa robe gâchée, tout le côté droit du visage brûlé. « Où est-elle, cette dame? » demanda le commissaire. Malheureusement on ne pouvait rien lui en dire : aussitôt le taxi arrêté, les deux clients s'étaient esquivés, très ennuyés, refusant de donner leur nom, leur adresse. Des gens très bien, vous comprenez. Pas envie d'être mêlés à un fait-divers. « Pourtant, dit le commissaire, si la dame était très brûlée, il fallait bien qu'elle aille à l'hôpital, au moins chez le pharmacien, et pour les suites, l'assurance... »

Peut-être bien que le couple n'y avait pas pensé. Ou que c'était une femme mariée avec son ami. Jeune, assez jolie. Avant le vitriol en tout cas.

L'histoire était dans tous les journaux, et bien que le jeune homme au triporteur eût entièrement disparu, on le décrivait comme un syndicaliste farouche.

A vrai dire, la grève des taxis avait pour effet surtout une terrible multiplication des accidents à Paris. Il y eut des morts. Les chauffeurs inexpérimentés, embauchés par le Consortium, étaient catastrophiques. Les grévistes en tiraient argument. Ce qui, disait Wisner, n'est pas tout à fait juste de leur part, parce qu'ils y ont leur responsabilité.

Le samedi 10 février fut marqué de trois faits. Au Sénat, il y eut un étincelant duel de paroles entre Clemenceau et Poincaré, au bout duquel le président du Conseil fit ratifier l'accord franco-allemand par la Haute Assemblée, par 212 voix contre 42.

Le soir, avait lieu la première retraite militaire dans Paris avec la musique du 102e régiment d'infanterie. Elle corrigeait pour ainsi dire, au cœur des patriotes, l'effet du vote de l'après-midi. Et Mme Lopez, qui avait été chez des amis et dont la voiture était en réparation, en sortant à pied vers onze heures, rencontra le cortège que suivaient de jeunes exaltés qui criaient : *Vive la France!* en tendant les bras vers le ciel. Mme Lopez avait toujours aimé les militaires. La musique lui parut bien enivrante. Elle emboîta le pas des petits soldats. Ils l'entraînèrent avec d'autres comme le joueur de flûte qui se fait suivre par les souris. Du Parc Monceau, on remontait vers Montmartre, et Mme Lopez fut toute surprise de se trouver boulevard Barbès quand un olibrius, un ouvrier, probablement un étranger, excita la fureur des manifestants en ne se découvrant pas devant le drapeau. Il restait là comme un abruti, sur le bord du trottoir, avec sa casquette carrée sur sa tête. On la lui arracha, et la foule lyncha l'impudent. Un anarchiste peut-être. Ou un socialiste.

Comment rentrer à Neuilly? Mme Lopez n'avait pas l'habitude du métro, et avec cette grève... Heureusement qu'un taxi passait. Mme Lopez le prit.

Vers minuit elle arrivait à pied au commissariat de l'Hôtel de Ville de Neuilly, dans un assez grand désordre. Dans un coin isolé du Parc de Neuilly, la voiture avait fait halte. Le chauffeur avait ouvert la portière, avait arraché à Mme Lopez le réticule, où elle avait quelques centaines de francs et sa montre en diamants, et le collier de perles qu'elle avait au cou, heureusement pas le grand sautoir qu'elle mettait rarement, mais enfin un collier dans les cinquante mille.

La presse fut très discrète sur cet incident. Mme Lopez évidemment ne tenait pas à la publicité à cause du comte d'Évreux, mais aussi le Consortium avait donné un coup de téléphone à tous les journaux. Il envoya même à Mme Lopez un représentant, un homme très bien, qui lui offrit un chèque de la part de ces messieurs. Ces messieurs se sentaient responsables de leur personnel, ils espéraient qu'on ne parlerait plus de cette déplorable affaire. Mme Lopez trouva vraiment cela très chic du Consortium. Le comte d'Évreux, qui connaissait Wisner, apprécia.

D'ailleurs, le dimanche, on avait bien la tête à autre chose. Cent cinquante mille ouvriers étaient sur le pavé derrière le cercueil d'Aernoult, un soldat dont le corps avait été ramené d'Afrique, où on l'avait tué injustement, prétendait la presse socialiste. Toujours est-il qu'il y eut vingt-deux agents blessés à Paris ce jour-là.

Quelques manifestants aussi, mais ce n'est pas la même chose. Le Consortium, dans un rapport au ministre de l'Intérieur, souligna la présence des grévistes en masse à ces funérailles : voilà ce que c'était que ces gens-là, pour lesquels on faisait preuve d'une faiblesse coupable. Le gouvernement trouvait-il suffisant de faire patrouiller, dans Levallois, la citadelle des chauffeurs, et d'y faire de temps en temps le soir disperser des réunions dans les débits ?

Entre autres, les commerçants de Levallois s'en plaignaient : entraves à la liberté du commerce. Mais celle du travail ?

XIV

Le samedi 17 février, Paris vit encore une retraite militaire, plus éclatante que la première, mieux organisée. Il n'y avait, Dieu merci ! pas seulement des antimilitaristes à Paris.

Le congrès du parti socialiste s'ouvrit le mardi suivant à Lyon. Le fond des débats y fut précisément le sujet d'actualité mis en avant par la grève des taxis : les violences anarchiques au cours des grèves. Depuis le mouvement des cheminots, la discussion était ouverte. Dans le sein même du parti, il y avait des gens qui ne désapprouvaient Briand que dans la forme, mais qui pensaient que, lorsque l'actuel ministre de la Justice avait réprimé le mouvement des cheminots, il n'avait fait que ce que tout chef de gouvernement doit faire en face de tels excès.

La chasse au renard, le sabotage, préconisés par les

anarcho-syndicalistes, Mamzelle Cisaille et le citoyen Browning comme disait Gustave Hervé, tout cela était très impopulaire parmi les « petites gens ». Le parti radical, à Tours, s'était élevé contre ces méthodes, et à la Chambre, le 2 décembre, le citoyen Ghesquière, député socialiste, les avait stigmatisées, au milieu de l'émotion générale de l'Assemblée jusque sur les bancs de la droite. Compère-Morel avait soutenu Ghesquière, et au congrès de Lyon, violemment attaqués, tous deux se défendirent en reprenant avec éclat leurs arguments parlementaires. La grève, disait l'un d'eux, est une arme à deux tranchants qui blesse plus souvent les grévistes que le patron.

Il y avait, ce jour-là, près de quatre-vingt-dix jours que les chauffeurs de taxi résistaient au Consortium.

« Il faut arracher le chiendent anarchiste, disait à la tribune le citoyen Ghesquière... J'ai dit qu'il ne fallait pas systématiser la violence. J'ai dit tout le mépris que m'inspirent la chaussette à clous et la machine à bosseler. Je l'ai dit à la Chambre et je le répète ici. J'ai pour les gréviculteurs une telle haine que je ne trouve point de mots assez forts pour les flétrir ! »

Cela avait fait un beau tumulte. Mais il y avait des délégués qui disaient que c'était vrai après tout, qu'on criait après les flics qui passaient le monde à tabac dans les commissariats, et puis qu'est-ce que les grévistes faisaient d'autre avec les jaunes ? Ne valait-il pas mieux user de la persuasion ?

Compère-Morel défendit avec beaucoup de force son discours parlementaire du 2 décembre, et il demanda au Congrès, dénonçant la manœuvre contre Ghesquière et lui, de se prononcer contre le sabotage et la chasse aux renards. Le Congrès aurait-il le courage de le faire, de défendre la position socialiste ? En tout cas, il applaudit Compère-Morel.

Mais alors le grand Jaurès intervint. Sa voix prenante passa sur l'Assemblée, et ce fut comme si le climat changeait. Non point qu'il défendît les actes individuels, les méthodes d'Hervé. Mais il montrait aux délégués le danger d'une motion approuvant Compère-Morel. C'était la déclaration de guerre du parti socialiste à la C.G.T., la rupture avec les masses ouvrières. Le lendemain, par 2 558 voix contre 18, le Congrès absolvait Ghesquière et Compère-Morel, mais se refusait à les suivre.

La réponse au congrès de Lyon ne se fit pas attendre.

Le surlendemain, vers huit heures et demie du soir, au garage Wagram, une petite détonation se faisait entendre au milieu des voitures garées, et la 717-G-6 prenait feu. On maîtrisa l'incendie, mais l'intérieur de la carrosserie était consumé. Vers dix heures, le fait se répétait dans la 542-G-6. Puis, vers deux heures du matin, c'était le tour de la 51-G-6 et de la 562-G-6. On fouilla alors toutes les voitures et on trouva un engin non explosé dans une autre voiture.

Des faits semblables se produisirent dans la même soirée au garage Charonne de la Cie Gle des Voitures, et place Collange au garage A de la Cie française des Autos-Place. Dix explosions en tout. La presse du lendemain fit à cette affaire les mêmes titres que pour la bande Bonnot. On se trouvait devant un attentat anarchiste contre le Consortium des taxis. C'était à n'en pas douter le fait des grévistes. On avait voulu mettre le feu aux garages. Heureusement que le mal avait été circonscrit.

Toutes les voitures où avaient été découverts les engins étaient des taxis ayant circulé, conduits par des jaunes. Le refus de Jaurès de désavouer la chasse au renard, et cela deux jours avant, était souligné avec indignation.

Pourtant le chef de la brigade des recherches, M. Court, avait fait aux journaux la déclaration suivante : « Les détonateurs n'étaient nullement dangereux. Ils étaient simplement destinés à communiquer le feu aux véhicules dans lesquels ils étaient placés. Leur composition témoigne de la part de leurs auteurs quelques connaissances en chimie. Il se pourrait que les coupables se trouvent parmi les chauffeurs, embauchés chaque jour depuis la reprise du travail. »

Étrange langage! Le Consortium protesta. Il était sûr de tout son personnel. Même du chauffeur qui avait volé son collier de perles à Mme Lopez ? demanda le syndicat dans une lettre aux journaux. Le certain est que ce M. Court avait une drôle de façon de comprendre son métier, à donner ainsi des arguments aux grévistes. Joseph Quesnel vit Williams, et le lendemain *Le Petit Républicain* expliquait toute l'affaire.

L'enquête avait montré que les engins avaient été déposés dans les voitures par des voyageurs mystérieux. Il y avait un Russe qui s'était obstiné à ne prendre que les taxis de la Cie Gle des Voitures. Et puis aussi un chauffeur gréviste avait disparu depuis deux jours de son domicile à Levallois. On ne disait pas le nom pour ne pas gêner la police. Il y avait encore *l'homme au pardessus gris*.

Le jour suivant, dans son courrier, le directeur de la Cie des Autos-Place à Levallois reçut un avertissement : on voulait mettre le feu à ses dépôts d'essence. La rue des Arts et la rue Margolin furent immédiatement occupées par la police, tous les passants fouillés. On arrêta plusieurs individus dont les papiers n'étaient pas en règle. *Le Petit Républicain* entre les pistes de la veille se décidait : il optait pour le gréviste disparu. Ce ne pouvait être que lui l'auteur des attentats, cherchez à qui le crime profite.

Le samedi 24 février, Paris s'endormit tard au milieu des accents de la *Sidi-Brahim* et de la *Marche lorraine*. Les retraites militaires étaient un véritable succès.

XV

Au bout du mois, Bachereau sortit de prison. Sa tête, mal guérie, était encore douloureuse. Il avait des étourdissements. Le médecin lui avait affirmé que ce n'était rien, et peut-être que vraiment ce n'était pas grand' chose. Condamné aux flagrants délits, il avait été trimbalé à la Santé, puis à Fresnes. Pourquoi ces voyages? Bien inutile de le demander : c'était cependant alors qu'il avait le plus souffert de la tête. Ce géant blessé gémissait comme un petit enfant.

Quand il se trouva sur le pavé de Paris, ce 29 février, ses premiers regards furent pour les taxis. Il y en avait, mais qui arboraient la carte syndicale, prouvant qu'ils payaient bien la redevance quotidienne. Allons, la grève continuait. Où aller? Comment retourner à son hôtel, où il ne pourrait pas solder sa chambre? Ses affaires y étaient restées. Bachereau n'avait pas de femme, personne qui ait pris soin de ce qu'il laissait derrière lui.

Il n'était pourtant pas seul : il y avait les camarades. La Bourse du Travail. C'est là tout droit que vont ceux qui sortent de la prison. Précisément ce que disait Mercurot. Le capitaine s'occupait du règlement des retraites militaires. Le gouvernement attachait une grande importance à ces promenades en musique. Il s'agissait de rendre à l'armée un prestige compromis par la complicité des pouvoirs publics avec les antimilitaristes jusque dans l'armée même (des officiers francs-maçons qui n'hésitaient pas à prêcher la désobéissance aux soldats, parfaitement). On avait désigné des cadres spéciaux pour l'élaboration des programmes et leur exécution. Mercurot faisait ce travail avec intérêt : chaque samedi, il se sentait un peu comme s'il avait donné lui-même une fête. Il expliquait à Hélène ce que c'était que les Bourses du Travail : une invention récente. Les bastions de l'anarchie, de l'antipatriotisme, le siège de l'état-major des saboteurs. « Si on nous laissait faire, il ne faudrait pas longtemps pour nettoyer ces repaires de brigands! » Une des idées de Mercurot était de faire passer chaque samedi rue du Château-d'Eau, ou tout au moins boulevard Magenta, les troupes et leur musique. « Il faut que les brigands entendent nos tambours! Il faut que nous habituions les patriotes à l'idée que *là* est l'ennemi! »

Le dimanche précédent, à Levallois, à l'angle de la rue Gide et de la place Villiers, une pierre avait frappé un taxi conduit par deux jaunes. Il y avait du monde tout autour, mais descendant du siège les deux chauffeurs se jetèrent sur deux ouvriers, qui n'étaient pour rien dans l'histoire : des invités d'une noce qui se trouvait déjà réunie dans un débit de la rue Gide, tout à côté. Les gens de la noce s'en mêlèrent, et les deux hommes se sentant débordés se sauvèrent, mais après avoir déchargé leurs revolvers sur la foule. Un jeune homme de dix-neuf ans restait sur l'asphalte, blessé au ventre.

Le lundi, au meeting de la Bourse du Travail, l'indignation des grévistes se fit menaçante : ils étaient armés maintenant, les renards. Des nouvelles circulaient : le nom même du directeur de la compagnie, qui avait fait distribuer des revolvers dans ses garages, était prononcé avec fureur. Quelqu'un réclamait son adresse. La direction du syndicat était très inquiète : les difficultés de vie croissantes pour les grévistes, quelques tiraillements avec les chauffeurs travaillant dont on avait dû monter à six francs l'imposition de grève qu'ils payaient chaque jour, tout cela rendait possibles des réactions violentes. Fiancette lut publiquement les lettres anonymes menaçant de faire sauter la maison syndicale de la rue Cavé. Certes, les pistes des journaux, dans l'affaire des bombes des garages, avaient dû être abandonnées l'une après l'autre. Toutes les provocations avortaient. Jusqu'alors. Qu'est-ce que le lendemain réservait ?

Le lendemain, c'était le jour que Mme de Lérins menait Guy par les Ternes voir ses petits amis Scriabine, après leur sortie du lycée Carnot, vers le soir. Ce jour-là, place du Havre, d'une voiture où se trouvaient trois hommes, trois coups de feu partirent, tuant un agent qui voulait verbaliser. Puis l'auto, comme un bolide à travers Paris, échappa, tandis que les poursuivants improvisés, la police, étaient arrêtés par une série de hasards malheureux : une femme qui venait bêtement là se jeter sous les roues de la voiture de course réquisitionnée par deux agents. Elle avait une côte cassée, mais Bonnot, Garnier et Raymond-la-Science avaient disparu, venant effrayer à Neuilly, au passage, la veuve du capitaine de Lérins.

L'incapacité de la police éclatait avec trop de force pour qu'on ne prît pas des décisions immédiates : d'autant que dans la nuit les bandits avaient attaqué l'étude d'un notaire à Pontoise. Aussi, le mercredi, Boué et Dieudonné étaient-ils arrêtés, et le garçon de recettes

Caby, la victime de la rue Ordener, reconnaissait docilement dans le second son agresseur ; il n'y avait plus qu'à féliciter la police.

Pourtant les bandits couraient toujours.

On pensait, dans les milieux dirigeants, que les événements récents comportaient des leçons qu'il fallait savoir en tirer. Au Consortium des taxis, Joseph Quesnel rencontra l'approbation de tous quand il déclara que l'audace des anarchistes nécessitait des mesures d'exception dans le pays. Le rapporteur général du budget au Conseil municipal de Paris, l'éminent M. Dausset, réclamait pour la capitale la création d'une « Sûreté préventive ».

« La police doit être préventive, écrivait-il. J'entends ainsi que les agents qui ont l'obscure et noble mission de protéger la sécurité publique devraient vivre la vie des criminels, devraient entrer dans les associations de déclassés et de bandits, participer à l'examen des « coups » projetés, étudier avec ceux qui les méditent les chances de réussite et d'échec. Je ne suis pas sans savoir que la Sûreté parisienne possède certains policiers subtils et adroits qui s'emploient, non sans ferveur, à la rude tâche que je viens de définir. Mais... »

Joris de Houten lisait à voix haute cet article à Martha dans le petit salon de la pension de famille. Il éclata de rire :

« Ce Dausset est un farceur! Comme si par exemple les arrestations d'hier ne prouvaient pas jusqu'à la gauche que sa *Sûreté préventive* existe! On dit bien assez comme cela que la police a une main dans les attentats récents, inutile de consacrer la chose avec une étiquette. La brigade des anarchistes ne suffit-elle pas? Déjà les syndicalistes et les socialistes crient à la provocation à propos de bottes. Pourquoi ne pas fonder à la Préfecture, pendant qu'on y est, un *Service des provocateurs* avec une pancarte sur la porte?

— Mon ami, dit Martha, votre café se refroidit. »

Drôles de jours que les 29 février! Du matin au soir il y a des gens qui n'ont en tête que la rareté de ce prodige bissextile : c'est comme des vacances dans leur vie, du temps volé à la mort. L'année saute à cloche-pied comme un collégien. Mais tout le monde n'a pas ce sentiment. Il y a des intérêts qui continuent de courir même le dimanche, n'est-ce pas? Vers six heures quarante du soir, ce 29 février-là, le mécanicien Goudert et le chauffeur Patriat, celui-ci débarqué de frais depuis deux jours, et directement installé au volant d'une machine, venaient solliciter devant la gare de l'Est l'aide des agents Jouaunin et Perrichaud.

Des grévistes qui sortaient de la Bourse du Travail et qui remontaient vers Barbès, deux cents environ, les avaient lapidés sur le boulevard Magenta. Pourquoi Goudert et Patriat flânaient-ils à la sortie de la Bourse du Travail, cela les agents ne s'en occupèrent pas. A vrai dire, ils n'avaient eu aucun mal, et on peut se demander dans quel but, avec les deux flics dans leur taxi, ils se rendirent au carrefour Barbès charger encore les agents Moreau et Rebillard. Après quoi, tous six s'en vinrent par le boulevard Barbès repasser devant les grévistes. Atteignant la tête de la colonne, ils ralentirent si bien que Patriat se fit reconnaître. Ce chauffeur novice eut-il peur? Il donna un coup de volant si brusque qu'il vint se bloquer contre le tramway Clignancourt-Bastille. C'est là qu'il fut entouré. Des ordures, de la boue ramassée, toutes sortes de débris volaient en l'air. Les agents se mirent de la partie.

Comment se fit-il qu'un coup de feu partit devant la brasserie sise 26, boulevard de la Chapelle? C'est ce qui ne fut jamais établi. Mais les agents, eux, à ce signal tirèrent tous à la fois. Des blessés s'en furent, emmenés par leurs camarades. Il devait y avoir là un provocateur. Les grévistes l'auraient sans doute découvert malgré la confusion et la bagarre. Mais la police arrêta un homme. Celui-ci était un agent en bourgeois. Simple erreur, paraît-il.

La diversion vint sous la forme d'un taxi. Un renard! Cela fit comme dans une baignoire quand l'eau se précipite au trou de vidage. L'homme déjà était jeté à bas de son siège. L'agent Moreau saisit à la gorge le gréviste qui venait de faire cela. Un pavé qui frappa l'agent Moreau à la tête lui fit lâcher prise, et ce fut une pluie de pierres.

On arrêta, au hasard, un homme qui avait la tête bandée ; c'était un récidiviste, le chauffeur Bachereau qui sortait de Fresnes, et qui y retourna.

XVI

Catherine, dans l'hiver de Berck, traînait une convalescence morale toute mêlée au vent marin, à la pluie et au sable des dunes.

Les prédictions médicales qui avaient si lourdement pesé sur sa vie ne paraissaient plus guère justifiables. Était-elle guérie? En tout cas, son mal avait l'air de prendre une forme assoupie, bénigne. Plus que des cicatrices dans ses poumons, à en croire le médecin de Berck consulté. Mais qui ajoutait précipitamment : «Pourtant je vous conseille de profiter ici de votre séjour, pour consolider vos tissus... »

Tout suivait un train qui s'endort. Jusqu'à la haine du couple Baisedieu qui semblait hiverner dans la villa mitoyenne. Mélanie allait et venait, entourant sa demoiselle de mille prévenances. Elle avait amené avec elle un jour sa sœur et son beau-frère, le mineur d'Anzin, venus à Berck pour le dimanche, histoire de leur montrer sa patronne. C'était un grand gars de ch'Nord, le beau-frère : il ressemblait à Victor Dehaynin, et cela pinça Catherine au cœur. Sa femme était une Mélanie du modèle au-dessus, pâlie par la misère des corons et les fatigues de la maternité. Elle avait son dernier-né sur les bras. Une petite chose vagissante, dont la main, encore incapable de se dérouler tout à fait, cherchait à attraper les rayons du soleil médiocre de février.

Cette petite bête tyrannique, larvaire, eut pour Catherine, ou devant elle, un sourire d'au-delà du monde qui vint la toucher là où elle était sans défense. La jeune femme posa un doigt timide sur le bourrelet qui ne servait pas encore de poignet à l'enfant. Et soudain celui-ci se mit à pleurer. La mère s'excusait, berçant ce paquet de désespoir dont les cris montaient. Elle s'assit, ouvrit son corsage et apaisa son morceau d'avenir avec un sein déjà flétri, avant la trentaine, mais blond comme les dunes de Berck et gonflé d'un lait tendre et douloureux. La main du petit s'était posée, comme une fois de plus en lui coulait le sang de sa mère. Il tétait ; son regard, immense dans la tête chauve, s'arrêta sur Catherine, sans interrompre le travail goulu de la bouche.

Catherine pensa longtemps à cet enfant sans savoir pourquoi.

Le jour où l'Union des Syndicats et la Fédération des Transports lançaient à Paris un appel à la solidarité avec les chauffeurs de taxis, éveillant ainsi dans leur cœur l'espoir de la grève générale, à Berck se tenait un meeting anarchiste contre les arrestations récentes dans l'affaire des bandits en auto : les rédacteurs du journal *L'Anarchie*, Kilbatchiche et Rirette Maîtrejean, emprisonnés le 31 janvier, De Boué, un typographe arrêté le 28 février, Dieudonné, et deux femmes dont l'une, l'amie de Dieudonné, était une occasion de victoire pour toute la presse parce qu'on l'appelait la Vénus Rouge (alors vous comprenez!). Catherine parla longuement avec un cheminot, chauffeur à la compagnie du chemin de fer de Berck-Plage à Paris-Plage, Barthélemy Baraille. Tout de même, elle s'entendait mieux avec les anarchistes qu'avec les socialistes. Elle pensait avec amertume à Victor.

Comme elle faisait toutes choses, le lendemain elle prit le train de Paris. Sans motif. Dans le train, tout son intérêt alla à la réclame monstre qui s'étalait dans les journaux pour le Pulsoconn du Dr Macaura. Cette réincarnation du Messie était tombée à Paris du ciel américain, avec son appareil vibratoire, qui guérissait tout. Dans l'hôtel du boulevard Haussmann, où le guérisseur était logé avec une splendeur de roi nègre, toute la souffrance de la capitale défilait. Sur les bancs du boulevard, les miraculés bavardaient. On voyait entrer des paralytiques qui ressortaient en dansant, brisant sur leur genou leurs béquilles au milieu de la foule des badauds. Lourdes recommençait avec l'apparat de la science et le prestige du pays des gratteciel et des milliards.

Victor Dehaynin était à la Bourse du Travail quand Catherine vint le chercher rue Cavé. De Champerret à République, le voyage en métro lui parut plus long que la route de Berck à Paris. Elle avait une valise avec elle, n'ayant point passé par la rue Blaise-Desgoffe. Victor lui donna très peu d'attention. Les nouvelles arrivaient, apportées par des grévistes. Comment faire? demandait l'un, parce qu'à son garage les piquets de grève n'étaient plus sérieusement tenus depuis trois jours. Une voiture avait été lapidée boulevard Ornano. Rue Saint-Maur, on en avait renversé une et battu le renard. Un taxi du garage Charonne ayant été mis en l'air à l'angle de la rue Auguste-Barbier et de la rue Fontaine-au-Roi, un agent avait arrêté un gréviste. Les copains l'avaient dégagé, rossant le flic et le désarmant comme il tirait son pétard. Un second poulet qui s'était ramené avait eu le même sort. Cent huit jours de grève...

Catherine et Victor dînèrent ensemble. Ce soir-là, bien qu'on fût un samedi, il n'y avait pas de retraite militaire en perspective, parce que le lendemain à Vincennes il y avait une revue monstre pour laquelle la garnison de Paris gardait frais ses soldats et ses musiciens. Victor était prolixe sur ces histoires de promenades en fanfare du samedi. Tout de même le chauvinisme montait dans le pays, les démonstrations place de la Concorde devant la statue de Strasbourg se multipliaient. Cette ordure de Millerand demandait sans cesse de nouveaux crédits pour la guerre. Quand ce n'était pas pour l'artillerie, c'était pour l'aviation. Qu'est-ce qu'on préparait?

Catherine considérait Victor. Il mangeait sa salade. Elle pensait au petit neveu de Mélanie. Comme il ne la regardait pas, cet homme. Elle avait quelque amertume à parler, à parler. Pourtant, tout d'un coup, il posa sa fourchette et laissa retomber dans l'huile une feuille de frisée.

« Alors, dit-il, c'est fini ces idées noires? »

Comme il levait les yeux sur elle, il vit qu'elle avait les siens pleins de larmes. Il se méprit, sans doute. Mais il y avait de l'affection dans la voix qui demandait : « Ça ne va donc pas, la santé ?

— Oh, si, dit-elle. La santé... Voyez-vous, Victor, je suis toute drôle ces jours-ci, parce que j'ai regardé un mioche, un tout petit. C'est bizarre. J'ai comme un vide en moi depuis ce moment-là. C'est stupide, mais qu'est-ce que je peux y faire ? J'y pense tout le temps... »

Il y eut un silence où l'on entendit les assiettes. Dans le petit restaurant du boulevard Magenta, ils étaient seuls à manger, à cause du samedi soir. A la caisse, un chat ronronnait sur les genoux de la dame. Le garçon mit en marche un phonographe pâle.

« Pourquoi ne vous mariez-vous pas ? reprit Dehaynin qui commandait un camembert.

— Le mariage! »

Elle était partie, avec sa voix chantante. Une jolie idée d'homme! Se marier, faire *une fin*, n'est-ce pas ? Victor haussa gentiment ses larges épaules : « Vous savez, quand je dis marier... Mais faites un gosse, puisque ça vous dit. Quand ça tient une femme, il n'y a pas à discuter. A propos, Jeannette est enceinte. »

Le camembert arrivait. Ce n'était vraiment pas un beau camembert.

« Alors, nous on va se marier. Qu'est-ce que vous voulez, c'est plus simple pour le gosse. Une formalité. »

Catherine était contre les formalités. Mais est-ce qu'elle allait discuter avec Victor ? Il croirait peut-être que c'était la jalousie qui la faisait parler contre le mariage. Elle eut tout de même deux ou trois phrases très amères. Elle demanda un mendiant : « On prendra le café dehors », avait déclaré Dehaynin.

Ils traînèrent sur les grands boulevards assez vides

à cette heure où les gens se sont déjà enfournés dans les théâtres. A côté de la porte Saint-Martin, Victor eut envie soudain d'entrer à Paris-Kermesse. Il y avait là des petits employés, de jeunes ouvriers, des filles, autour des appareils à sous, des jeux d'adresse. Devant le nègre un marin, très entouré, montrait sa force. A chaque coup de poing sur le ventre de cuir les yeux s'éclairaient et une sonnette annonçait la victoire. Dehaynin rigolait. Ils échouèrent quelque part près de la porte Saint-Denis sur les banquettes d'un café étroit et profond, gagné sur ce terrain si cher par un propriétaire habile qui avait fait diminuer l'entrée de sa maison. « Un café noir et un crème », commanda Victor, qui avait l'habitude de Catherine. Le garçon hurla en élevant son plateau : « Versez deux dont un ! » et Catherine regarda le poing de Victor sur la table. Il aurait fait lui aussi briller les yeux du nègre.

Elle parla de sa solitude. Berck d'abord... puis Berck n'était pas la question. La vie. Cet attrait qu'elle avait pour les ouvriers, et entre eux et elle, ces frontières tout de même jamais franchies, dont elle n'était pas responsable. Sa famille, les siens, son monde, qu'est-ce qu'elle avait à faire avec tous ces gens ? « Vous ne prenez rien avec ? demanda le garçon qui servait le café. — Va pour un rhum », dit Victor. Il hochait la tête. Il la croyait. C'était sûrement vrai, ce qu'elle contait là. Elle aurait voulu. Et puis voilà.

« Toute l'affaire, c'est que vous ne foutez rien. Je sais, la santé. Mais quand même. D'abord on s'ennuie quand on ne fout rien. Tenez, moi, s'il y avait pas le travail de la grève, je ne pourrais pas la supporter, la grève. »

Catherine sentit croître encore son amertume. Qu'est-ce que c'était, disait-elle, que cet amour du travail? L'esclave amoureux de sa chaîne, de son boulot! Victor s'expliquait. Non, c'était normal. Il aimait ce qui le faisait vivre. Pour rien au monde, il n'aurait voulu être un oisif. On ne se battait pas pour supprimer le travail, mais pour supprimer l'oisiveté. On voulait ne pas se tuer au travail. On ne voulait pas ne pas travailler. D'ailleurs là n'était pas l'affaire. Mais le travail, c'était cela qui séparait Catherine des ouvriers et des ouvrières. Tant qu'elle n'aurait pas accepté sa part de travail commun, elle ne pouvait qu'être une étrangère dans le monde où chacun gagne sa vie.

« Accepter, dit Catherine, la malédiction du travail...

— Allons, bon. La malédiction! Quelle malédiction? Du Bon Dieu? Adam, Ève, le Serpent et ses sornettes? C'est une idée chrétienne, ça, c'est-à-dire une idée pour les pauvres, parce que les riches, eux, ne sont pas trop maudits. »

Oui, Catherine aurait dû travailler. Faire comme les autres. Ou bien, fallait pas se plaindre de ne pas se sentir comme les autres. Qu'est-ce qu'elle chantait, Catherine, de l'exploitation des femmes? Ce n'était pas du tout le moyen de se libérer pour les femmes, que de ne rien faire. C'était comme ça qu'elles étaient à la merci des hommes. Une idée bourgeoise, ça. Toutes les femmes devaient travailler. Gagner elles-mêmes leur vie, et non pas dépendre d'un homme.

« Je ne dépends pas d'un homme... »

Elle regretta cette phrase aussitôt. Facile avec le chèque mensuel de Bakou. Elle se sentit plus confuse encore de tout ce qu'il y avait d'aveu dans cette rébellion. Victor eut la générosité de poursuivre comme si elle n'avait rien dit. Dans le monde qu'il imaginait, l'égalité devant le travail fondait la véritable égalité de l'homme et de la femme. L'état créerait les œuvres, les institutions qui maintiendraient cette égalité compromise par la maternité, comme il assurerait la vieillesse. L'entrée des femmes dans l'industrie permettrait la diminution de la journée de travail. Victor déjà perdait de vue Catherine, pour ce rêve immense devant lui, où ne disparaissait aucunement la condition ouvrière, mais où la condition ouvrière devenait l'honneur même de la vie.

Ils se séparèrent vers dix heures, et Catherine trouva chez elle Mme Simonidzé en robe de chambre qui faisait des réussites. Son chapeau enlevé, sa valise ouverte devant elle, assise sur le bord du sofa persan, la jeune femme regardait avec des yeux d'étrangère les murs et les meubles de l'appartement. Elle se rappela une pensée ancienne, aux jours de Cluses, il y avait près de huit ans. Alors, se représentant sa vie devant elle, avec désespoir elle n'y imaginait guère d'autres bouleversements que déménager, vivre ailleurs. Les années passent, et on a un nouvel appartement.

Elle n'avait même pas changé d'appartement.

XVII

Diane de Nettencourt avait été à Vincennes avec Wisner. Elle portait une toilette ravissante, très printanière, en crêpe champagne, soutachée de brun. Le ciel avait été clément à l'armée française. Un temps délicieux, presque chaud. La revue fut un grand succès et provoqua l'enthousiasme. Wisner était enchanté. Un beau dimanche.

Le mardi, la police arrêta deux nouveaux comparses

de Bonnot, Rodriguez et Bélonie, et Catherine, lasse en trois jours de ce Paris, vide pour elle, et de la conversation de Mme Simonidzé, s'en retourna à Berck avec une cargaison de livres. Le mercredi, les incidents de la grève des taxis se multiplièrent. Voitures retournées, jaunes corrigés à l'angle du quai de Bercy et du pont de Tolbiac, rue du Bois-de-Boulogne à Neuilly, à Levallois, à Gennevilliers. Rue de la Véga, un des Corses du Consortium descendu de son siège voyait s'enfuir sa voiture emmenée par un gréviste. Le soir, on retrouvait la bagnole brûlant derrière une caserne de dragons.

A ce même moment, 8 000 ouvriers réunis au manège Saint-Paul par la Fédération des Transports, s'engageaient par la voix de Guinchard à soutenir les chauffeurs grévistes, *par tous les moyens, même illégaux, puisque le gouvernement donne l'exemple de l'illégalité.* Le meeting préconisait la grève générale de vingt-quatre heures dans les transports.

Jour après jour, les difficultés de la vie croissaient pour les grévistes. Des grands espoirs naissaient de résolutions comme celles du meeting des Transports. Mais on savait bien qu'un fléchissement aux piquets de grève, la liberté laissée aux renards, et tout croulait. Le Consortium refusait toujours de discuter avec les délégués. Les pétroliers insistaient pour qu'on liquidât la grève avec énergie. En attendant les condamnations pleuvaient. Quinze jours, un mois... Cela faisait des femmes, des enfants, dont il fallait s'occuper. On organisait des soupes. On distribuait des fonds. Le syndicat ne chômait pas.

Le samedi 16 mars 1912 est une date historique : ce jour-là le Préfet de police fut élu membre de l'Académie des Sciences morales et politiques. Cette nouvelle fut très appréciée dans le monde ouvrier. La journée se termina en fanfare : il y avait quinze jours qu'on n'avait pas eu de retraite militaire à cause de Vincennes. Les journaux avaient publié le matin les itinéraires des retraites. Car il y en avait trois à travers Paris : avec les musiques des 102e, 5e et 31e régiments d'infanterie.

Sur la place de la Concorde, devant la statue de Strasbourg, un groupe d'étudiants qui accompagnait le cortège manifesta avec une telle ardeur patriotique qu'on dut, fort poliment, arrêter l'un d'entre eux. Au poste de police, tandis qu'on procédait à la vérification de domicile, ce jeune homme, qui était le fils d'un magistrat, ne fut pas mis au violon, mais on l'installa dans le bureau du commissaire, libre à cette heure de la soirée. Devant le commissariat, une vingtaine d'étudiants avec des femmes criaient : Vive la France! et agitaient des cannes.

Mais la retraite qui traversa le XXe arrondissement fut l'occasion d'incidents d'un tout autre genre. La foule ouvrière, massée dans les rues, manifesta avec violence. Rue de Belleville, rue Julien-Lacroix, les cris : *Vive Rousset! A bas l'armée!* l'accueillirent. Des fenêtres descendaient des huées. La musique ayant attaqué la *Marseillaise*, l'*Internationale* jaillit d'entre les pavés. Des bagarres eurent lieu sur toute la traversée de l'arrondissement, si bien qu'on dut abandonner l'itinéraire prévu et fuir littéralement devant la foule. Tout le quartier resta debout très tard, manifestant et chantant, victorieux. La police avait arrêté treize personnes qui furent passées à tabac.

Au lendemain de ces incidents, le gouvernement décida de ne plus publier l'itinéraire des retraites. C'était là avouer à quel point on était sûr de la population. On entendait sans doute lui inculquer le patriotisme par surprise. Tactique qui réussit au début des guerres.

Mercurot pestait contre les syndicalistes et contre le gouvernement, qui n'avait pas fait immédiatement fermer la Bourse du Travail et occupé les locaux de *L'Humanité*, de *La Bataille syndicaliste* et de *La Guerre sociale*.

Les événements de Belleville donnaient, il est vrai, à réfléchir. A une réunion de *l'Immobilière du Maroc*, Quesnel parlant avec un membre du gouvernement stigmatisa aussi la faiblesse de Poincaré. Celui-ci pourtant n'était pas à critiquer. Il suffisait de lire les journaux, comme le faisait remarquer Joris de Houten, pour voir qu'une nouvelle ligne y était développée : à partir du 15 mars, on eût dit que les journaux cherchaient à semer la panique. Bien qu'aucun nouveau crime ne se fût produit qu'on pût imputer à Bonnot et ses amis, la hantise des bandits en auto brusquement fut portée au décuple dans toute la presse. Pas un incident qui ne fût relié à l'affaire, la police malgré ses arrestations multiples était violemment attaquée pour n'avoir pas mis la main sur les principaux coupables. On ne disait plus les bandits, la bande Bonnot, on disait : EUX! En même temps les demandes se multipliaient de nettoyage des organisations ouvrières, des milieux anarchistes et antimilitaristes ; on réclamait le renforcement de la police. D'autres sujets d'inquiétude venaient s'ajouter aux soucis des patriotes. Le mouvement des mineurs en Angleterre, déclenché au début de mars, avait entraîné une grève en Allemagne vers le 10 mars, qui allait s'étendant. En France dans le bassin d'Anzin, après bien des tergiversations, malgré le freinage du syndicat, les mineurs décidaient la grève le 17. Après même la reprise du travail en Allemagne, la grève d'Anzin se développait. En Angleterre, le 20, Tom Mann était arrêté pour excitation au désordre.

D'Anzin le 21, la grève passe à la Compagnie d'Aniche. Déjà on parlait de grève en Bohême et en Belgique. Cette espèce de contagion internationale était vraiment menaçante.

A Berck, Catherine entendait les échos très proches qui venaient d'Anzin et d'Aniche. Le beau-frère de Mélanie avait été jeté en prison ; sa femme, battue à coups de crosse, sur les seins, eut une fièvre violente et son lait s'altéra. Les doigts de l'enfant s'agitèrent un matin, et il mourut. C'était ce jour-là que Jouhaux était venu parler à Denain. Le lendemain les mineurs reprenaient le travail.

Dans la nuit du 22 au 23 mars, Guinchard, des Transports, était assailli par un groupe de jaunes et blessé. On avait au Consortium beaucoup redouté la grève de solidarité des Transports, promise au meeting du manège Saint-Paul. La presse ouvrière accusait ouvertement les hommes du Consortium, les Joseph Quesnel, les Laurans, les Jéramec, les Sède de Liéoux, d'avoir machiné l'attaque du secrétaire des Transports.

Wisner était indigné. L'audace des meneurs était vraiment incroyable. Il fallait en finir véritablement. On avait fait appel à la police pour la défense des chauffeurs, on avait fait appel à la garde, on l'avait assise sur le siège. Cependant les taxis continuaient à se renverser, à flamber. Maintenant on menaçait les dirigeants du Consortium. A qui ferait-on appel pour défendre leur vie, et serait-ce en vain ?

Joseph Quesnel, au téléphone, passa au ministère de l'Intérieur un de ces savons qui comptent dans la vie d'une police. Dans la police, d'ailleurs, le torchon brûlait : le 23 mars le sous-chef de la Sûreté, Jouin, se rendait chez Lépine et donnait sa démission. Personne n'était dupe du prétexte de santé : on savait que des discussions opposaient Jouin et Guichard. Et Jouin s'était enfermé deux heures avec le préfet : ce n'était pas pour lui faire écouter ses battements de cœur.

Un peu après huit heures du soir, Jeannette, qui enlevait le couvert dans le petit logement de Levallois où ils habitaient, dit à Victor : « Si nous n'allons pas au cinéma ce soir voir Rigadin, il y aura du malheur! » Dehaynin la regarda avec étonnement. Elle se fit câline, et rougit très fort. « Tu comprends, c'est plus fort que moi, j'y pense tout le temps. Probable que c'est mon état. Mais si tu ne me passes pas ma fantaisie, vois-tu que le petit, quand il viendra, ressemble à Rigadin ? »

Ils descendirent donc, mais comme il était un peu tôt, ils s'arrêtèrent au café Bareyre. Là, une société de chauffeurs, la Mutuelle « Auto-Aéro », tenait une réunion dans le fond. Victor serra quelques mains de connaissances. Jeannette et lui s'assirent à l'écart, près de la vitre de la devanture. Ils bavardèrent. Ils avaient beau faire, parler de la grève, toujours ils revenaient au même sujet : le petit. Comme leur vie allait être modifiée! Ils se regardaient en riant. Victor tenait la main de Jeannette.

« C'est drôle, disait-elle, je suis un peu lasse. »

Victor s'inquiéta : on pouvait rentrer. Non, non : et Rigadin!

Jeannette buvait son café, quand deux coups de feu éclatèrent, au-dehors, trouant la vitre, et le verre se brisa sur la table, en face de Victor.

XVIII

Que s'était-il passé ? Les rues étaient à peu près vides. De toutes parts, des cafés, des maisons, une foule se précipita. C'étaient des jaunes qui ayant quitté la place Collange se rendaient au garage Baudin, de la Compagnie Française. Ils étaient quatre. Il y eut une course dans la nuit. Maintenant voilà que les jaunes veulent nous tuer chez nous ! Victor était sorti, laissant Jeannette à l'intérieur. Mais elle, inquiète, s'était dressée et l'avait suivi. Il voulait en vain la renvoyer. Il pouvait y avoir d'autres coups de feu. On entendit un cri : *Ayouda!* C'étaient des Corses.

La confusion était grande. Où avaient disparu les gens ? Trois chauffeurs discutaient à côté de Victor. L'un d'eux, il le connaissait, un tout jeune, Bédhomme. « Occupe-toi de ma femme, je vais voir.

— Non, dit Bédhomme, j'y vais moi-même. »

Bédhomme se dirigeait vers le garage Baudin, quand les gens qui couraient lui dirent de se garer. Il y eut une fusillade dans la nuit. Du garage Collange, à l'appel de leurs camarades, une troupe de Corses du Consortium était sortie, revolver au poing, et ils tiraient. Bédhomme les vit tourner dans la rue de Cormeille.

A ce moment, une balle siffla. Un flic, éberlué, survenait, et il se rejeta en arrière : « Qu'est-ce que ça veut dire ? » cria-t-il à Bédhomme. Et Bédhomme répondit : « Les gens qui ont tiré sont cachés rue de Cormeille. » Tous deux s'avancèrent jusqu'au coin de la rue.

Il y avait là des hommes, se défilant les uns derrière les autres, collés au mur d'un côté de la rue. Le premier d'entre eux, un type rasé, jeune, plutôt petit, avec une cotte bleue, et une sorte de casquette grise, cria : « N'avancez pas ou je tire! »

Un coup de feu éclata, et Bédhomme s'écroula aux pieds de l'agent.

Celui-ci se pencha sur son compagnon, tandis que les gens de la rue de Cormeille disparaissaient, si bien que ceux qui survinrent crurent que Bédhomme avait été tué par le flic.

Levallois bouillait. Malgré la pluie fine, qui transformait les rues étroites en une espèce de bain de vapeur froide, toute la population était sortie. Hier, Guinchard blessé, aujourd'hui un chauffeur de Levallois. Était-il mort? On ne voulait pas y croire. Il était bel et bien mort. Était-ce, oui ou non, le flic ou les jaunes? Les Corses! Il y avait un accent de haine terrible contre ces gens-là. On en parlait comme d'ennemis nationaux. De Corse vient une bonne part de la police. Victor et Jeannette n'allèrent pas voir Rigadin. Jeannette avait des douleurs au ventre. Ils rentrèrent.

Le lendemain, le député socialiste Willm déposait au bureau de la Chambre une motion demandant au gouvernement de reprendre les négociations avec le Consortium. L'émotion créée par l'assassinat de Levallois était grande. Cette fois, ce n'étaient pas les anarchistes. Au Consortium, on craignait le retentissement de cette affaire. Le même jour, la crise intérieure de la police devenait publique. Le chef de la Sûreté, Guichard, renonçait lui-même à la masquer davantage, et il déclarait aux journalistes :

« Depuis mon arrivée à la Sûreté, deux affaires ont été ratées, celle de la rue Meslay et celle de la rue Ordener. Il ne suffit pas, pour être chef-adjoint de la Sûreté, de se montrer bon policier, — qualité qui appartient à

M. Jouin, — il faut aussi être bon fonctionnaire, c'est-à-dire respecter les ordres du chef, et fonctionnaire discipliné comme il convient à un subordonné. Il faut, en outre, savoir mener les hommes. Je ne conteste pas que ce soit mon collaborateur, M. Jouin, qui ait mené l'affaire de la rue Ordener de bout en bout et cela parle en sa faveur. La raison officielle, ou du moins le prétexte donné par mon collaborateur, est son état de santé. Or il y a d'autres choses que je ne puis vous exposer. Je suis et resterai chef de la Sûreté et j'entends que dans les services mes subordonnés m'obéissent. »

C'est à ce moment critique qu'un nouvel et sanglant exploit de la bande Bonnot donna au gouvernement Poincaré l'occasion d'intervenir. Vers huit heures du matin, le surlendemain de l'assassinat de Bédhomme, dans la forêt de Sénart, une auto est attaquée, le chauffeur tué, son compagnon blessé. Six hommes s'emparent de la voiture et disparaissent. A dix heures, ils sont à Chantilly. Quatre d'entre eux pénètrent dans l'agence de la Société Générale, y tuent un employé, en blessent deux, un quatrième s'enfuit. Ils emportent le contenu des coffres, et sous la protection d'un de ceux qui sont restés dehors, qui tient une carabine, ils regagnent la voiture. Les curieux n'osent pas intervenir. L'homme à la carabine remonte dans la voiture. Un de ses camarades lui arrache son arme et tire sur la foule. La voiture part.

A la Chambre, Franklin-Bouillon interpelle. Nous ne sommes pas défendus, qu'est-ce qui se passe entre Jouin et Guichard ? « Cet état d'anarchie ne peut pas durer. Je demande l'assurance que l'ordre sera rétabli dès demain à la Préfecture de police. »

Le ministre Steeg répond. Il promet tout ce qu'on veut. Il promet ce qu'il fait depuis des semaines réclamer par toute la presse : « *La police sera renforcée.* » Dans cette minute où la Chambre sent passer le frisson de la propriété en danger, le ministre de l'Intérieur réclame des crédits. Augmenter le budget de la police, voilà la solution qui fera disparaître les dissenssions entre ses chefs. Le ministre a la confiance de l'Assemblée.

Aussitôt, comme par enchantement, le différend Jouin-Guichard s'aplanit. Les journaux du soir rassurent l'opinion publique. Elle n'a jamais su quel était le fond de ce différend, elle ne le saura jamais. Mais il est aplani, et c'est là l'essentiel.

Pourtant le meurtre de Bédhomme reste dans toute cette idylle un point noir. Dans des conversations de couloirs, on a fait savoir au Consortium qu'on ne souhaitait pas pour l'instant que de semblables faits se renouvelassent. Il allait falloir faire une concession aux chauffeurs. M. Lépine se souvenait des funérailles d'Aernoult, il n'y avait que quelques jours, avec des centaines de milliers de travailleurs. Il ne voulait pour rien au monde encore un enterrement de ce genre-là dans Paris, et comment faire puisque le cadavre était à la Morgue? Interdire les obsèques, c'était pire encore.

En séance, Steeg répondait à Willm : « Le gouvernement a estimé qu'il avait à remplir un rôle de conciliateur et qu'il devait se présenter au besoin comme arbitre. » Il avait laissé quatre mois les chauffeurs faire grève avant de tenir ce langage. « Des instructions, ajoutait-il, ont été données au préfet de la Seine en vue de saisir le Consortium des compagnies de la demande d'arbitrage que lui avaient adressée les chauffeurs en grève. Le Consortium des automobiles a répondu qu'il ne pouvait pas accepter la proposition d'arbitrage. Le gouvernement ne pouvait agir que par la persuasion. »

Mais le gouvernement acceptait le projet de résolution, il interviendrait si la Chambre le lui demandait. Elle le lui demanda donc.

En attendant, Lépine faisait enlever le corps de Bédhomme à la Morgue, et transporter à Levallois. C'était réduire l'importance des obsèques. Le même jour, la Chambre votait les crédits supplémentaires de police. Les députés socialistes, à l'exception du seul Vaillant, votèrent pour les crédits à ce gouvernement qui ne pouvait agir auprès des patrons que par la persuasion.

Le 28, jour de l'enterrement de Bédhomme, il y avait 25 000 ouvriers dans les rues de Levallois. Victor, pâle comme un linge, regardait par la fenêtre de sa chambre le cortège et ses drapeaux rouges. Il ne pouvait laisser Jeannette qui s'était couchée l'autre soir, après les incidents du café Bareyre, et qui gémissait dans le lit, avec de la fièvre. Il voyait la mer ouvrière des casquettes, endiguée à perte de vue par les maisons. Là-dedans s'avançait le corbillard, chargé de couronnes de lilas blancs. Jeannette gémissait.

Les femmes des grévistes, dans le cortège, marchaient ensemble et leur premier rang portait une énorme couronne barrée d'un ruban rouge comme le sang de l'assassiné. Elles s'étaient habillées de leur mieux pour faire honneur au mort. Elles avaient de grands chapeaux à plumes, hauts et majestueux, comme c'était à peu près alors la mode. Leurs robes foncées, noires ou marines, étaient longues et larges du bas. Celles qui portaient la couronne devaient se retrousser d'une main pour marcher à l'aise. Elles portaient des jaquettes longues, ou des manteaux, ajustés au buste. Plusieurs pleuraient. Victor remarqua derrière le cercueil les représentants du syndicat et du parti socialiste. Il y avait là Vaillant, celui qui n'avait pas consenti à donner de l'argent à la police. Fiancette avec un col dur et une cravate blanche. Le gros Guinchard, remis de sa blessure récente, avec une lavallière noire qui cachait toute la chemise.

« Victor! »

Il se retourna : sur le lit, Jeannette étendue avait repoussé les draps. Et là, dans le linge ouvert, les oreillers mâchés, elle regardait avec désolation, sur ses cuisses écartées, un mélange de débris sanglants qui coulait. Victor mit un moment à comprendre. Puis, comme s'il fallait qu'il se convainquît, il vint près du lit et souleva la chemise. Cela venait bien du sexe. Il se mit à pleurer.

Le lendemain, le Consortium, par la voix de M. de Sède de Liéoux, parlant à un collaborateur du *Temps*, repoussait l'arbitrage du gouvernement. La *persuasion* n'avait pas fait son effet.

XIX

Marcel Habert, conseiller municipal de Paris, craignait que les bonnes paroles de M. Steeg à la Chambre ne restassent de bonnes paroles et que la police ne fût pas renforcée. A l'Hôtel de Ville, il s'en ouvrit à M. Lépine, qui le rassura. La police serait renforcée. On avait déjà les sous.

En attendant, il fallait mériter la confiance publique. C'était le 25 qu'avait eu lieu l'attentat de Chantilly. Le 29, quatre jours après, le commissaire de Loménie avait déjà reçu un télégramme lui apprenant où retrouver l'un des bandits qui avaient opéré à la Société Générale. Cette rapidité étonnante cadrait trop bien avec les nécessités de la politique pour qu'on pût vraiment s'en étonner. Elle venait apporter une preuve de plus du fait que les exploits de la bande étaient en réalité autorisés par la police ; il y avait du héros chez ces révoltés qui jouaient leur tête, mais à leur ombre il y avait Lépine et Guichard qui gagnaient au jeu.

Catherine se promenait dans Berck, assez désemparée. Elle avait fermé sa porte aux quelques gens qu'elle connaissait. L'histoire de la mort du petit neveu de Mélanie l'avait jetée dans une espèce de rage. Devant elle, il y avait des enfants qui jouaient, et cela l'irritait. Elle remarqua un jeune homme avec un pardessus gris et une casquette de jockey, qui trimbalait une valise et un paquet, et qui semblait chercher son chemin. Où l'avait-elle déjà vu ? Une espèce de souvenir de banlieue et de fleurs printanières... Tout d'un coup, lui aussi l'aperçut, et il eut comme une hésitation, il la connaissait évidemment. Elle alla vers lui, instinctivement. Il sourit, avec une espèce de gêne. C'était presque un gamin, assez pauvrement habillé. Au moment même où ils se parlèrent, elle le reconnut : c'était lui qui lui avait tenu la main, à Romainville, chez les gens de *L'Anarchie*.

« Je ne me trompe pas, dit-il, c'est vous qui vous êtes trouvée mal, l'autre année... »

Elle fit oui, de la tête. Elle avait envie de lui prendre son paquet, trop lourd pour lui. Un pitoyable gosse, rongé par la maladie. Il ne voulut pas, et tout de suite :

« Vous savez, vaut mieux vous prévenir : c'est pas utile qu'on nous voie ensemble dans la rue. On me recherche...

— Allons chez moi ? »

Il hésita. Irait-il ? Et puis avait-elle saisi ce qu'il lui disait. Il baissa la voix : « Pour l'affaire de Chantilly. »

Qu'est-ce que ça pouvait faire à Catherine ? Ils gagnèrent donc la villa Baisedieu. Mélanie était déjà ressortie. Ainsi Catherine se trouva accueillir sous son toit *l'homme à la carabine*, le terrible Soudy lui-même, un enfant triste qui ne savait pas où poser son paquet, si pesant, avant de se mettre en quête de l'ami chez lequel il devait aller. « Oui, je me sentais surveillé à Paris. Après l'histoire de l'autre jour. Rien de précis. Mais je rencontrais tout le temps les mêmes figures. Je me suis énervé, alors j'ai télégraphié à un cheminot, Baraille. Un copain. Révoqué pendant la grève de 1910. Quelqu'un de sûr. Il ne livrerait pas un camarade. J'arrive... »

Il y avait des conserves. Ils mangèrent. Elle lui demanda des nouvelles de *L'Anarchie*. Il parlait d'une façon légèrement gouailleuse. Ce qu'il y en avait sous les verrous! Et le plus drôle, des gens qui n'y étaient pour rien. Il avait une admiration sans réserve pour les autres, les vrais. Qui ils étaient, combien, là-dessus il était discret. Mais tout de même. Fier d'avoir joué sa partie à Chantilly. Qu'allait-il devenir? Oh! simplement se faire oublier. Il avait un peu d'argent, il passerait en Belgique. De toute façon, s'il était pris, ce n'était pas une grande perte. Une loque. Il n'en avait plus pour longtemps. « On dit ça, dit Catherine. Les médecins m'avaient condamnée, moi, et puis je ne suis pas morte.

— Moi, si on me condamne... »

La phrase se terminait par un geste de couperet. Soudy cligna de l'œil et rigola. L'enfant se vantait un peu. Quand ils eurent mangé, ils parlèrent du passé, de Libertad. De mille choses. De l'amour. Cela commençait comme toujours par des histoires sur l'éducation sexuelle, des airs de sceptique. Puis Soudy raconta sa propre histoire. L'amour, il avait connu ça. Deux ans qu'ils avaient vécu ensemble. Elle l'avait quitté. Le trottoir. Un an passe. Il la rencontre. Elle était bien arrangée, fardée, surprenante. Toujours elle, tout de même, et différente. Il la garda, mais pour quelques jours. Elle avait disparu, et lui il avait la vérole. L'amour...

On frappait à la porte. Qui pouvait venir à cette heure? Catherine mit rapidement Soudy, son paquet, sa valise, dans la pièce de derrière. Elle ouvrit. Derrière le commissaire de Berck, un agent en civil, bien reconnaissable. Et ce brave M. Baisedieu.

On avait vu entrer un homme... Eh bien? Comme on recherchait quelqu'un, Mlle Simonidzé serait assez aimable. Non. Elle répondait avec sécheresse, elle était chez elle, on n'avait pas le droit. Le civil la poussa de l'épaule, c'était inutile de résister. Ils regardèrent la pièce, et tout de suite ils allèrent au fond, là où *il* était.

Catherine sentait clairement qu'il fallait dire quelque chose : « Messieurs, ces manières sont inqualifiables et je vous prie de me montrer votre mandat de perquisition... »

M. Baisedieu agita le poing en murmurant quelque chose. C'était lui évidemment qui avait appelé la police. Mais déjà le flic avait ouvert la porte du fond : la pièce était vide. Soudy avait filé par la fenêtre ouverte. Les policiers se retirèrent avec des excuses, pas très convaincus. Baisedieu râlait. « Je vous dis, monsieur le Commissaire... »

Le lendemain matin, samedi, à la sortie du petit chalet du cheminot Baraille, *l'homme à la carabine* tombait dans une souricière : Jouin lui-même opérait, avec le commissaire spécial Escande. Il fut arrêté à la gare.

Une note de plus vint s'ajouter au dossier de Simonidzé (Catherine). Mais on ne pouvait pas l'impliquer dans l'affaire. Soudy avait déclaré qu'il avait été directement de la gare chez le cheminot.

On ne remarquait guère dans les journaux du lendemain, à côté des détails de cette arrestation sensationnelle, l'entrefilet annonçant le suicide du lieutenant Pierre de Sabran.

Le soir de l'arrestation de Soudy, la retraite militaire à Paris avait été menée avec éclat. Suivant les dernières ordonnances, on n'en avait pas publié l'itinéraire. Elle passa vers neuf heures devant la Bourse du Travail. On voulait une démonstration de force. Il y avait là une police en civil considérable. Quand *la Marseillaise* éclata, aux fenêtres du premier quelqu'un cria quelque chose qu'on n'entendit même pas. Immédiatement le cortège manifesta contre la Bourse, des pierres volèrent aux fenêtres, les cannes furent brandies, les poings agités. Il y avait là très peu de monde. Deux ouvriers qui étaient sur le pas de la porte furent littéralement lynchés, roués par les patriotes en délire. La *Marche lorraine* ponctua ce beau fait d'armes aux cris de *Vive Poincaré! Vive la France!*

C'était la revanche de Belleville. Le capitaine Mercurot triomphait.

Sa belle-sœur cependant à Berck poursuivait une vie tranquille. Malgré M. Baisedieu qui marmonnait sur son passage et dont la femme s'essayait à toutes sortes de vexations ménagères contre Catherine. Mélanie écumait. « Mademoiselle est bien trop bonne. Ce serait moi... »

L'affaire de la rue d'Offémont (comme on appelait l'histoire de la mort du jeune Sabran) défrayait la presse, et apportait une espèce de diversion politique, dont le gouvernement allait pouvoir faire usage.

Au début d'avril, un mot de Victor apprit à Catherine la fausse-couche de Jeannette. C'était un mot si triste, mêlé de propos sur la grève, sur la mort de Bédhomme, sur les manœuvres du Consortium. Catherine songea à la petite Judith Romanet, morte de n'avoir pas voulu d'enfant. Comme elle avait trouvé ça mal de cette malheureuse, quand après l'avortement Judith avait regretté de n'avoir pas gardé le mioche. Eh bien, pour Victor... c'est-à-dire pour Jeannette, elle éprouvait un sentiment tout autre, un regret infini. De quoi aurait-il eu l'air, ce petit? Décidément bien des choses avaient changé dans sa tête. Elle se sentit soudain égoïste, dans son isolement. Tant de malheurs, de catastrophes autour d'elle. L'annonce dans les journaux du suicide, à Étampes, de la sœur de Soudy vint s'ajouter à cela. Cela n'avait rien à voir avec l'arrestation de *l'homme à la carabine.* Une histoire lamentable et simple, des parents qui s'opposaient à un mariage, et elle s'était tuée près du lit de son ami, comme ça, d'un coup de revolver. L'amour... L'accent terrible et railleur du petit Soudy lui revenait aux oreilles. Le monde est une machine sanglante à laquelle les êtres se déchirent comme des doigts arrachés.

Encore une fois, Catherine quittait Berck. A Paris, elle vint se remettre au service des grévistes, rue Cavé. L'atmosphère de la grève était bien changée depuis les jours de décembre. Il y avait tout de même de la fatigue et du désespoir. Les grèves de solidarité promises ne se déclenchaient pas. On avait de moins en moins d'argent. Le printemps de Paris est humide et froid. Des signes de lassitude apparaissaient dans les meetings. On n'arrivait jamais à rien. Le gouvernement n'avait pas pu faire céder les patrons, alors!

Par contre, Aristide Briand, ministre de la Justice, avait remporté à la Chambre un succès de séance en répondant à *L'Action Française* sur l'affaire Sabran.

Dans la soirée du 13 avril, une auto passant rue Cavé, au moment où les ouvriers sortaient du meeting, chargea les grévistes et plusieurs coups de feu en partirent qui n'atteignirent personne. On prétendit dans les journaux que c'était la bande Bonnot. A vrai dire, c'était une simple supposition : l'opinion régna bien plutôt parmi les grévistes que c'était une nouvelle attaque dans le genre de celle de mars qui avait coûté la vie à Bédhomme. En fait, jamais cet incident ne fut relevé par la suite au cours du procès de la bande. La Sûreté devait être fixée sur le caractère des automobilistes de la rue Cavé.

Le naufrage du *Titanic*, qu'on apprit par les journaux du 16, y chassa comme une romance entêtante presque tous les autres soucis des lecteurs. *Plus près de toi, mon Dieu!* devint à Paris le cantique à la mode, et les illustrés représentaient le navire s'abîmant tandis que l'orchestre joue encore cette confondante jérémiade. La France oubliait du même coup Bédhomme, Pierre de Sabran et autres histoires déplaisantes.

Le 18 avril, à la Bourse du Travail, au milieu d'une angoisse générale, Fiancette prononçait l'oraison funèbre de la grève :

« La grève est finie. Certes, nous pourrions encore prolonger la lutte. Il n'y a pas aujourd'hui en circulation une seule voiture de plus qu'hier. Mais des défections d'un autre ordre se sont produites : bon nombre de chauffeurs qui travaillent ne versent plus à la caisse de grève. Celle-ci est maintenant vide. A quoi bon maintenant acculer à la misère, par l'éternisation d'une lutte sans issue immédiate, les meilleurs d'entre nous? A quoi bon risquer dans une défaite complète et définitive l'avenir d'un syndicat aussi vivace aujourd'hui qu'hier? »

Ce langage très humain, très sensible toucha le cœur de nombreux journaux. C'était bien là ce Fiancette, qu'on avait tout le long de la grève considéré comme un homme sérieux et dont les déclarations avaient toujours été telles, qu'on n'avait pas pu le tenir pour solidaire des actes répréhensibles des grévistes. « Je vous le disais bien, répétait Wisner à Joseph Quesnel, qu'avec cet homme-là on pouvait parler ! »

On ne pouvait tout de même pas avoir la paix : la grève était finie, mais Wisner avait maintenant le souci de l'affaire Sabran. Cet imbécile de Brunel ! Et Diane qui n'allait pas bien...

Catherine se trouvait libre, et oisive. Ces quelques jours au service des grévistes l'avaient acquittée d'un certain poids. Victor vaincu n'était plus tout à fait le même pour elle, elle s'en délivrait. Elle avait même réussi à être assez amie avec Jeannette.

Le 19, les taxis roulaient dans Paris. La grève avait duré cent quarante-quatre jours. Le journal apportait la nouvelle de la révolte de Fez. Les Marocains se soulevaient. Mais ce qui retint Catherine qui lisait les journaux en attendant sa sœur Hélène rue Blaise-Desgoffe, ce fut le télégramme suivant de l'agence Reuter :

« *Saint-Pétersbourg, 18 avril. — D'après un télégramme d'Irkoutsk, les désordres qui règnent depuis quelque temps aux laveries d'or de la Cie Lena sont devenus graves. Les soldats appelés pour rétablir l'ordre ont tiré sur les ouvriers. Cent sept de ces derniers ont été tués et quatre-vingts blessés. Il semble que l'événement se soit produit à six heures hier soir. Un groupe de grévistes, ayant vainement demandé la mise en liberté de quelques-uns de leurs camarades, marchèrent sur la mine de Féodesia. Les troupes bloquèrent la route et cernèrent les manifestants qui lancèrent quelques pierres. La troupe tira alors plusieurs salves.* »

« Tu m'excuses d'être en retard, Katioucha, s'écria Hélène en se précipitant dans la chambre, j'ai dû ce matin aller à l'église de la rue Daru, à un service pour le Tzar! »

XX

C'est le jour suivant qu'eut lieu chez Mercurot le dîner où Catherine rencontra le lieutenant Desgouttes-Valèze. Ils sortaient ensemble le lendemain matin au Bois de Boulogne. Le surlendemain, Catherine était la maîtresse du jeune officier.

Cette fille folle et enthousiaste, qui s'était jetée passionnément aux hommes, venait de traverser près de deux ans de chasteté. C'était pour elle-même monstrueux et presque incompréhensible. Maintenant, nue à côté de son amant endormi, elle rêvait, assise sur le lit de passage ; tout naturellement, elle avait couché avec un officier. Cela la troublait et l'irritait. Est-ce qu'elle était une fille à soldats? Celui-ci était simplement un enfant blond, émerveillé, et qu'elle n'avait qu'à regarder pour que la vie lui remontât au visage. Un joli garçon. Ceux qui avaient commandé le feu aux mines de la Lena étaient peut-être aussi jolis garçons que Fernand. Car il s'appelait Fernand.

Suivait-elle une destinée, elle qui avait été d'abord à Jean Thiébault? Dans ce lit, sentant près d'elle la jambe de cet inconnu d'hier, elle pensait encore à Victor. C'était surtout Victor, l'inaccessible Victor, qui avait fait que dès les premiers mots d'amour elle s'était abandonnée à ce jeune cavalier, tout étonné d'un si rapide triomphe. Les mots d'amour... l'amour... Ah, le mot *amour* était pour la vie teinté d'avoir passé entre les lèvres du petit Soudy, ce gamin tendre qui avait la vérole et la tuberculose, et qu'on allait tuer un de ces petits matins.

Elle dit tout haut : « L'amour! » et contempla Fernand.

Les épaules de l'homme, jeunes et fortes, sortaient du drap, et la tête jetée de côté plongeait dans l'oreiller, avec la bouche mi-ouverte. Il dormait comme ils dorment tous. Catherine revoyait le sommeil de Régis, de Paul Jonghens, de Devèze, de bien d'autres, dans celui de Fernand. Celui-ci, comme tous les autres, avait pu la faire crier, il n'avait pas pu l'attendrir.

Il ne se réveilla pas quand elle se leva. Il avait bien fait l'amour, il pionçait. Elle s'habilla, s'arrêtant comme une voleuse. En bas, le garçon la regarda drôlement.

Le soir même elle filait à Berck. Elle ne répondit pas aux lettres du lieutenant Desgouttes-Valèze.

C'est de Berck que Catherine vit se dérouler cette sanglante fin d'avril où sombra Bonnot. Après Soudy, dès le début du mois les arrestations s'étaient multipliées : Carouy vendu par un camarade, Callemin vendu par une femme. Mais là-dessus, au cours d'une perquisition à Ivry, le sous-chef de la Sûreté, Jouin, se trouvant soudain en face de Bonnot, est abattu de deux balles de revolver. Ainsi se termine la rivalité qui déchirait la police. Le réseau des délations s'est si vite resserré qu'il faut croire à un incroyable amas de traîtrises subites, si l'on n'admet pas que tout le long de leur terrible et grande aventure, ces héros dévoyés aient été suivis pas à pas par les hommes de cette police qui faisait semblant de les rechercher.

Qui avait amené Jouin le 24 avril chez le revendeur

Gauzy où il se rencontra avec la mort ? Trop bien, et pas assez renseigné. Il est envoyé dans une maison d'Ivry, parce que de toute la France c'est là qu'on soupçonne que se trouvent les papiers du vol de Thiais, qui remonte au 3 janvier. Et de toute la France, voilà que c'est cette maison qu'a choisie Bonnot pour se cacher. Mais Jouin n'a-t-il pas reçu de son chef une leçon publique ? Il est un fonctionnaire discipliné, il va là où on l'envoie. Il y trouve la mort.

L'héritage du gouvernement Caillaux dans la police est ainsi liquidé. Xavier Guichard prend en main l'affaire. En quelques jours il en finira avec Bonnot ; suivant sa propre expression, il n'est pas seulement un bon policier, mais un bon fonctionnaire. Et le 29 avril, l'hallali sonne à Choisy-le-Roi. Il faut maintenant supprimer Bonnot, il ne peut plus servir les fins d'une police unifiée. On connaît la honteuse histoire de cet assaut donné par deux compagnies de la Garde Républicaine, d'énormes forces de police et de gendarmerie, sous l'œil de Lépine et de ce même Lescouvé, autour duquel, vingt-deux ans plus tard, devaient se débattre à nouveau les mystères de la magistrature et de la police française, au lendemain des jours de Février.

Plus de mille hommes suffirent à en abattre un seul. Un seul homme suffit à montrer d'une façon éclatante la bassesse et la lâcheté de cette police française, si forte, quand il s'agit de faire des faux, de glisser un revolver dans la poche d'un ouvrier qu'on arrête, de pousser au crime ou à l'attentat ceux qui ne savent plus, face aux banquiers, aux industriels, aux provocateurs, s'il est un bien et s'il est un mal ; un seul homme suffit à éclabousser, de son sang et de sa cervelle, les défenseurs d'un ordre, qui deux ans plus tard allait s'auréoler de millions de cadavres.

Mais avec Bonnot, en France, agonise l'anarchie. Avec Bonnot, ce qui tombe c'est cette conception même qui poussait Libertad à nier la division du monde en classes, à demander à la fois la supression du banquier et du contrôleur de métro.

Le calme relatif des premiers jours de mai fut pour Catherine une période de cauchemar. Bataille pour bataille, elle comparait deux défaites : la grève des taxis, le drame de Choisy-le-Roi. Tout le romantisme de sa jeunesse était pour qu'elle applaudît encore à la chute des Titans, à l'épopée d'éclair qui avait pendant cinq mois sinistrement illuminé un monde. Mais à ce va-tout, à ce qui perd gagne, à ce pile ou face, s'opposaient les cent quarante-quatre jours de lutte des chauffeurs. Elle ne pouvait plus avoir ce mépris des petites tâches quotidiennes, ce mépris des syndicats, du socialisme, qu'elle avait éprouvé jadis avec toute la supériorité de quelqu'un qui s'en passe, et qui mange après tout chaque jour. Elle avait vu de trop près cette autre forme d'héroïsme. Une lettre de Victor qu'elle reçut vers le milieu de mai disait : « *Maintenant on s'est mis à recruter pour le syndicat. J'ai fait une réunion de garage...* » Où sont les Titans d'aujourd'hui ? Tandis qu'elle lisait ce mot très simple, avec une émotion dont elle ne comprenait pas elle-même le fondement, à Nogent-sur-Marne, commençait le siège de la maison où étaient réfugiés Valet et Garnier. Cette fois, on employa les mitrailleuses. Cela passa Choisy-le-Roi en horreur. De Paris, en auto, étaient venus des gens du monde qui avaient des relations à la Préfecture et dans la presse. Les petits-fils des Versaillais accouraient prendre une leçon de guerre civile, comme ils avaient été deux mois plus tôt à Vincennes, comme ils allaient le 14 juillet à Longchamp prendre une leçon de patriotisme. Aux yeux de ces gens, qui avaient délaissé le théâtre pour un spectacle plus réel, qu'on ne s'y trompe pas! les bandits étaient surtout des ouvriers rebelles. Ce n'est pas pour rien que les propriétaires apprennent à leurs chiens à mordre tous les hommes en casquette. Garnier et Valet, donc, à trois heures du matin, moururent.

A Berck, M. Baisedieu se faisait insupportable. La mitoyenneté des villas rendait les choses plus gênantes. Un jour, au début de juin, Catherine était dans son jardin que ne cloisonnait du jardin Baisedieu qu'une haie de buis ; de son enclos, le propriétaire eut un accès de rage à la vue de sa locataire. La paralysie générale le guettait, il faut dire, l'estimable croupier en retraite. Peut-être aussi était-ce le regret cuisant d'être lié à Mme Baisedieu qui lui faisait haïr si violemment les jolies femmes. Toujours est-il que sur un échange très banal de réflexions, une observation de sa part, à laquelle Mlle Simonidzé avait répondu avec sa voix hautaine et chantante, Baisedieu se mit à hurler :

« Putain! Putain! Putain! »

Ce n'était pas par le bon caractère que brillait Catherine, mais aussi mettez-vous à sa place. Elle avait une canne à la main, parce qu'elle allait partir en promenade, et Baisedieu derrière la haie jardinait. Elle ne fit ni une ni deux : fendant les fusains comme une vague, elle passa chez son propriétaire et lui cassa son gourdin sur la figure.

La police de Berck, qui n'avait pas oublié le jour de la venue de Soudy dans la villa, saisit cette splendide occasion de se débarrasser d'une personne suspecte, contre laquelle on n'avait jamais rien eu de positif. N'est-ce pas, il n'y avait pas seulement violences à cet excellent M. Baisedieu, mais il y avait bris de clôture. Catherine était de nationalité russe. Elle fut expulsée avec deux ans d'interdiction de séjour.

Elle s'en fut à Londres, où elle logea dans un petit hôtel de Soho. C'est là qu'elle demeura jusqu'à l'hiver. La vie du monde coulait toujours aussi sanglante et chaotique, mais d'un pays tout à fait étranger pour elle, les événements avaient une autre couleur. Il y avait dans une traverse de Tottenham Court Road un hôtel-restaurant où dînaient des gens du monde et les artistes. Une espèce d'aquarium international avec des palmiers et des pots d'argent. Une cousine de Miss Baxton l'y avait menée, et Catherine y revint souvent avec un jeune peintre qui lui avait parlé dans la rue parce qu'il l'avait prise pour une Française.

Garry Lytton était très beau à la manière de Cambridge. Son sport était l'aviron. Il avait gagné le match annuel sur la Tamise. Ils s'embrassèrent au cinéma. L'été venait. Il fit inviter Catherine à des week-ends chez des amis à la campagne. Garry fut pour Catherine la solution commode d'un problème. Elle regardait son beau garçon assez stupide, et elle pensait : l'amour...

Cette période de sa vie fut consacrée à la lecture. Tandis que Garry peignait ou ramait, elle lisait. Elle passait de longs jours dans les bibliothèques. Elle étudiait l'histoire du mouvement ouvrier. En parlant à Paris avec Victor, elle avait éprouvé la honte de ses ignorances. Il y a tant de choses, que les ouvriers savent, à quoi ils font allusion parce que cela touche à l'histoire de leur classe, et qu'on ignore quand on n'a d'autre éducation que celle de la bourgeoisie.

Londres est plein de souvenirs, non seulement des souvenirs de l'histoire sanglante de ses rois, de l'histoire de ses fêtes, mais aussi des vies de ceux qui s'y sont cachés. Et ces souvenirs-là que personne ne fait revivre y attendaient Catherine avec un charme plus fort que le brouillard. Londres est la ville des émigrés politiques.

Leurs ombres dans Covent-Garden, dans l'East End plein de Juifs et de romances, avaient pour elle un chatoiement de moire. Tout le monde qui fuyait Paris et M. Thiers tournait encore ici pour elle. Elle y rechercha les traces de la petite Laura qui était morte l'autre hiver. C'est ainsi qu'elle entendit la voix de Marx.

Il y a des livres qui ferment un monde. Ils sont un point final, on les laisse et on s'en va. Plus loin, ailleurs, n'importe! Il en est d'autres qui sont les portes de notre propre pays. Pourquoi fut-ce plus particulièrement *Le 18 Brumaire de Louis Bonaparte* qui joua ce rôle pour Catherine? Il faudrait savoir où s'en allaient ses pensées dans la petite chambre de Soho où dès huit heures on la réveillait pour lui apporter un pot d'eau chaude.

C'est donc dans ce Londres, où une fille comme elle, une Russe, venait, au temps de la Commune, apporter à Marx le message des insurgés, une belle fille, qui avait des parents riches, là-bas chez les tzars, que Catherine commença à douter pour de bon de l'anarchie. Toute l'histoire de la dernière année enfin se résumait à ses yeux. Par des Géorgiens exilés, elle se lia avec des socialistes anglais, elle rencontra des Russes du parti ouvrier socialiste. En septembre, tandis que Garry s'en allait en Irlande chez une tante à héritage, elle s'en fut visiter le Pays Noir : dans l'aire minière du pays de Galles, elle vit des hommes rudes et des femmes comme elle ne soupçonnait point qu'il y en eût. Elle toucha le fond de la misère. L'épuisement de la dernière grève y était lisible comme une maladie sur un visage d'enfant. Dans ces régions où chaque année, sur le travail forcené des mineurs, on prélève non seulement les bénéfices des compagnies, mais des millions pour les propriétaires de terrains, dont plusieurs membres de la famille royale, la mortalité était monstrueuse : elle l'est encore. Catherine descendit dans les puits avec les chefs des Trade-Unions. Elle suivit une campagne de meetings. Ici plus que jamais elle retrouvait la leçon initiale, celle de Cluses. Partout le prolétariat était à l'image de ce grand enfant qu'elle avait vu tomber.

Cependant à travers l'Europe l'écho des blessés et des mourants des Balkans se traînait. De guerre en guerre, le feu, qui semblait s'apaiser par instants, renaissait comme une soif inextinguible. Le monde avait des poussées brusques d'herpès un peu partout : un accès brutal de fièvre, puis ça se localise, et ce n'est pas encore pour cette fois le grand typhus qu'on a craint. Joris de Houten, de passage à Londres pour affaires, vint voir Mlle Simonidzé.

Elle n'avait guère envie de sortir avec lui, elle avait comme cela des arrière-pensées sur lui et ses rapports avec Lépine. Mais quoi, on était en Angleterre! Et puis elle était fatiguée de Garry. Cela ferait une soirée sans lui.

Joris connaissait le petit restaurant près de Tottenham Court Road, et cela lui paraissait le fin du fin, il ne voulait pas dîner ailleurs. Ils n'y furent pas plus tôt attablés que d'une table voisine des mains se tendirent. Deux Français, des amis de Joris.

Brunel, brûlé à Paris, ne l'était pas pour ses anciens clients qui l'avaient toujours connu comme usurier, et à qui le scandale n'apprenait rien. Le comte d'Évreux d'ailleurs disait : « J'ai les idées larges, moi. Je dînerais bien avec mon bottier. » En fait, chargé d'une mission en Angleterre, il avait été heureux d'y retrouver Brunel, qui lui facilitait matériellement une aventure à laquelle il tenait. Londres est d'un cher! Et puis il faut voir comme les Anglais vivent. Brunel aussi semblait avoir à Londres une sorte de mission. Il avait un peu changé de nom. On l'appelait Brunelli maintenant. En fait, c'était son nom véritable. Il était niçois.

Le dîner, au bout du compte, fut assez ennuyeux, parce que ces messieurs parlèrent sans arrêt bourse et pétroles, le cours de la Shell, les affaires Mantacheff, etc. Ils étaient aussi inquiets sur la question d'une guerre prochaine que Keir Hardie ou Tom Mann.

Brunelli demanda à Mlle Simonidzé l'autorisation de venir lui présenter ses hommages. Évidemment c'était un personnage douteux, et pas très recommandable, mais il avait une bonne humeur qui changeait Catherine de Garry. Et puis il ne respectait rien, il avait un cynisme qui flattait souvent les idées de la jeune femme. Ils sortirent plusieurs fois ensemble en octobre et novembre. Ils se rencontraient au Café Royal, dînaient dans Leicester Square, allaient au music-hall, et même dans les boîtes de ce faux Montmartre qui ferme tôt. Ils parlaient politique, et Brunelli disait qu'il adorait le socialisme au champagne.

Catherine le méprisait, et ces sorties contrastaient très singulièrement avec ses occupations, ses fréquentations habituelles. Mais il y avait en elle une espèce de besoin, une contradiction. Elle n'était pas libérée des choses qu'avaient aimées sa mère et son père, le propriétaire de puits de Bakou. Elle se reprochait parfois d'être là, en décolleté, avec ce bandit en smoking, dans une loge de Picadilly. Elle revoyait le sud de Londres, au-delà de la Tamise, où elle avait été le jour même. Mais qu'y faire ? Elle aimait, à la fois, et haïssait le luxe. Elle voulait certains soirs oublier la misère. Son socialisme n'était pas encore de très bon teint.

Et puis, elle se jetait à n'importe quoi, pour se distraire d'une idée profonde qu'elle ne s'avouait pas. Au bout du compte il n'y avait pas grande différence entre la passion qu'elle apportait à l'étude et la folie de ces soirées. Tout lui était égal maintenant que rien ne la rapprochait plus de Victor.

Cependant un certain instinct lui fit éconduire Brunelli qui la courtisait. Il s'acharnait, d'ailleurs. Parfois elle se disait pourquoi pas ? Mais elle avait Garry Lytton. Il la préserva de cette erreur. Simplement parce qu'elle faisait suffisamment l'amour. Brunelli devait aller en Suisse à la mi-novembre. Il répétait tout le temps à Catherine qu'il fallait venir avec lui, parce qu'elle se trouverait tout juste à Bâle où il allait y avoir un congrès international des socialistes.

Cette perspective ne déplaisait pas à Catherine, mais elle ne voulait pas y aller avec Brunelli.

Brunelli, au hasard d'une soirée, peut-être légèrement gris, s'était mis à parler de son ancienne femme. Une sentimentalité soudaine, brusque et profonde, l'avait saisi. Tout n'était donc pas complètement mauvais dans cet homme ? Catherine découvrait ce Brunelli nouveau pour elle avec une curiosité assez grande. Elle avait entendu parler de Diane, elle l'avait même défendue jadis, on s'en souvient, contre Desgouttes-Valèze, et puis voilà que ce personnage s'éclairait singulièrement. Drôle d'amour que celui de Brunelli ! Mais cet homme bizarre et cynique, qui avait bien volontiers partagé Diane avec Wisner, se remettait très mal d'une séparation définitive, d'avec cette femme plus forte que lui en affaires. Elle était en Égypte pour l'heure.

Cette faiblesse découverte établissait un lien inattendu entre Georges et Catherine.

Là-dessus, une lettre de Victor donna à Catherine une nostalgie extraordinaire de Paris. On parlait de plus en plus de la guerre. Maintenant les alliés de la veille s'entr'égorgeaient dans les Balkans. C'était drôle, mais

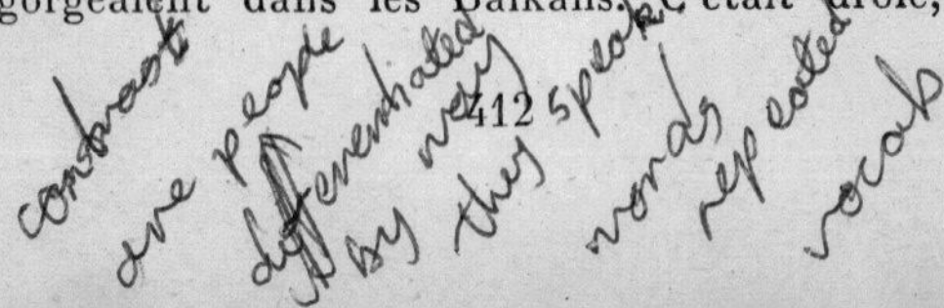

quand il s'agissait de la guerre, Catherine pensait invinciblement à Victor. Garry Lytton était vraiment trop idiot!

Quand Brunelli fut sur le point de partir, Catherine lui annonça soudain : « Vous savez? Je vous accompagne. Mais jusqu'à Paris seulement. J'y reste deux jours, et je reviens ici... » Il crut un instant que c'était arrivé, elle le repoussa gentiment, mais fermement. « Non, mon vieux, bas les pattes! — Vous savez, dit-il, c'est la première fois de ma vie que ça m'arrive. — Quoi? Jeune ingénu! — ... d'être rabroué comme ça. — Eh, bien, ça vous fera les pieds. »

Ils arrivèrent dans un Paris de mi-novembre. Catherine prit une chambre dans un hôtel près de l'Étoile sous le nom de Ketty Simon. Pour deux jours, elle n'aurait pas d'histoire. Elle avait envoyé un mot à Victor. Elle ne verrait pas sa famille.

Brunelli tomba chez elle à l'improviste. Il était très gai, très entreprenant. Elle n'avait qu'une idée, qu'il s'en aille. Mais c'était comme un fait exprès, il s'incrustait. Elle faisait semblant de ne pas comprendre ses plaisanteries, assez grossières. Lui, il commençait à s'énerver. Il avait compté comme ça sur le dernier moment pour s'envoyer cette petite. Qu'est-ce qu'elle avait à ne pas vouloir? Ensuite, elle retournait à Londres, et lui partait.

Tout d'un coup, il perdit patience et la saisit dans ses bras par-derrière. Il enfouissait sa bouche moustachue dans le cou de la jeune femme. Elle se cabra et le rejeta violemment. Elle était furieuse. « Sors d'ici, sors d'ici, chien! » Il s'avançait, ne croyant pas à une colère si violente. Il reçut sa main en plein dans la gueule.

« Ah! si c'est comme ça, ma fille! » dit-il, dégrisé. Il prit son chapeau, son pardessus, et sortit.

Le soir même, un inspecteur de police se présentait chez Mlle Simon, et la priait de le suivre. Catherine coucha au Dépôt et le lendemain elle était à Saint-Lazare.

Une petite note dans les journaux tomba sous les yeux de Jean Thiébault. Jean vint à Saint-Lazare, il obtint la permission de parler à la prisonnière. Il y avait plusieurs années qu'ils ne s'étaient vus. La première parole du brillant officier d'état-major fut pour proposer une fois de plus à Catherine Simonidzé, interdite de séjour en rupture d'arrêt, de devenir la femme du commandant Thiébault. Elle le regarda avec une certaine émotion. Il avait vieilli. Ça ne devait pas être mal à lui de proposer ça. « Non, mon ami, dit-elle, jamais. »

Le commandant obtint l'élargissement de Catherine, qui fut refoulée sur la Belgique.

Elle n'avait pas vu Victor.

ÉPILOGUE

Clara

I

L'année 1912 avait enregistré d'éclatants succès pour le socialisme international. Au printemps, les élections allemandes avaient fait du parti social-démocrate le plus grand parti du Reichstag. Le socialiste Scheidemann s'était assis au fauteuil présidentiel de cette Assemblée.

A Bâle, où devait se tenir le congrès international contre la guerre, le Grand Conseil cantonal était aux mains des socialistes. Ils n'étaient que 50 sur 130, mais les 80 autres sièges se séparaient entre libéraux, radicaux et catholiques, et ces derniers faisaient bloc avec eux.

Il y avait alors 13 0000 habitants à Bâle, et là-dessus, d'après les listes d'impôts, on comptait 190 millionnaires. On y faisait de l'acier, des matières colorantes, du papier, de la bière, sans parler des industries électriques. Le Grand Conseil avait invité les délégués des partis socialistes de tous les pays, et l'évêque prêtait sa cathédrale pour le congrès. Ainsi s'exprimait cette alliance de la croix et du socialisme, qui était la base parlementaire du régime des 190 millionnaires de Bâle-sur-le-Rhin.

C'est de Genève qu'arrivait Brunelli. M. Sauvebon,

son « directeur de conscience » comme il disait, lui avait recommandé de descendre à l'hôtel des *Trois Rois.* On était le 23 novembre, le brouillard s'étendait sur le Rhin, bas, cotonneux. Au-dessous de cette nappe grise on entendait les eaux du fleuve, on eût dit de la vaisselle brisée. Par en haut, le brouillard se déchirait de soleil, et cela poudroyait sur l'autre rive du Rhin, comme un alliage d'argent et d'or. Ainsi on y voyait surgir le front des maisons, et parfois jusqu'à leur taille. Vieilles demeures bâloises, aux fenêtres doubles, avec leurs volets verts et les tuiles du toit brunies par l'âge.

Aux *Trois Rois,* le livre d'hôtel apprit à Brunelli que M. Sauvebon était bien renseigné : il y avait là déjà Camélinat, Vaillant, Jaurès, Compère-Morel et Dubreuilh. Brunelli sifflotait, pensant avec une certaine ironie qu'il n'y a pas de sot métier. Il avait de très beaux bagages, des bagages à faire se retourner n'importe qui, même un socialiste, et il était habillé avec des étoffes anglaises. L'hôtel n'avait pas l'air mauvais. Mais Brunelli sentait en lui comme une passion l'idée de ce Paris, dont il avait été l'un des maîtres, et qu'il avait perdu. Il y songeait avec une volonté ferme de le reconquérir. Ici, vraiment, commençaient pour lui et sa profession nouvelle et son nouvel espoir. Il reviendrait un jour à Paris comme un triomphateur. Il y aurait part au pouvoir et tous ces imbéciles, ces hypocrites qui lui tournaient aujourd'hui le dos viendraient à nouveau lui lécher les bottes.

Après un brin de toilette, il sortit en ville. Il y avait des cortèges dans les rues. Le Burgvogteilhalle où devait s'ouvrir le Congrès était couvert de tentures, de drapeaux rouges avec des inscriptions dans toutes les langues. On croisait dans les rues des musiques, des chorales. Il était venu dans la ville, outre les délégués, une foule considérable, paysans des campagnes voisines, ouvriers de toute la Suisse. Tout ce monde, le nez en l'air, baguenaudait par la ville comme une immense tournée Cook. Au-dessus de tout, dans le brouillard, résonnaient les cloches de la cathédrale. Lourde, lourde, lourde, lourde chanson. Les sons graves tournaient dans l'air comme une inquiétude. Ils semblaient démentir l'aspect de fête de la ville. Ils appelaient les sauveteurs vers quelque lointain incendie.

Aussi bien le gouvernement d'Autriche-Hongrie ne venait-il pas de mobiliser face à la Serbie victorieuse? Un conflit austro-serbe entraînerait l'intervention de la Russie. Les cloches parlaient de cela aux nuages. Le carillon de Bâle n'est pas joyeux : c'est une voix d'alarme qui a retenti depuis le Moyen Age pour annoncer bien des dangers et des guerres. Une voix qui contrastait avec les flammes rouges des édifices publics. Une voix de désespoir et de panique, qui semble dire à Brunelli : *Il y aura toujours des guerres!*

Georges n'était pas très superstitieux, ni très sentimental. Mais, comme il le disait lui-même, il était bon public. Fils de petits commerçants d'un faubourg niçois, il avait gardé de son origine la faculté de s'attendrir aux mélodrames. Il y avait dans Bâle qui se préparait à la fête un étrange mélange du passé et de l'avenir, de la réalité et de la légende, qui le saisit tout à coup. Au fond de lui, il n'avait que mépris de ces manifestations pacifistes, qu'il tenait pour du décor : la guerre et la paix, ne savait-il pas où ça se décide, lui, l'intime de Wisner, le prêteur sur gages de tant de ministres ou de généraux? Le tapis vert des conseils d'administration est moins romantique que ce trompe-l'œil gothique à l'une des articulations les plus rhumatisantes de la vieille Europe. Pourtant le lamento des cloches que tout le monde trouvait naturel éveillait au cœur du mari de Diane une émotion presque humaine.

Il entra dans la cathédrale. Cette bâtisse a l'air d'une forteresse. Ou tout au moins, elle l'eut pour Brunelli ce jour-là avec le brouillard. Les ressemblances de l'art militaire et de l'art religieux d'autrefois le firent ricaner. Il lui passa par la tête que les socialistes venaient se réfugier ici comme les bourgeois jadis fuyant devant les seigneurs. Il pensait aux seigneurs du jour, aux seigneurs de l'acier, du charbon, du pétrole. Bon, pour lui, il s'imaginait dans un petit costume du xve siècle tout à fait rigolo.

Le chœur de la cathédrale était déjà entièrement décoré de drapeaux et d'oriflammes rouges. Le comique de l'affaire l'emporta pour Georges sur le sinistre de la mise en scène. Pour n'être pas croyant, ça, Brunelli n'était pas croyant. Les églises ne lui en imposaient pas, elles suscitaient même toujours chez lui une espèce de gaîté irrespectueuse, comme devant un prestidigitateur maladroit dont on devine tous les trucs. La simplicité des moyens, depuis le filtrage de la lumière par les vitraux jusqu'à la hauteur des voûtes, lui faisait hausser les épaules. Mais cette fois pardessus tout, l'absurdité de la présence ici des drapeaux mêmes qui sont ceux des batailles de rues, des drapeaux des ouvriers insurgés, des communards, des fusilleurs de prêtres... Brunelli ricana, la farce était un peu trop grosse. Ces curés tout de même... Son chapeau à la main, il aperçut soudain Jaurès, qui se promenait dans les bas-côtés.

Le soir même, Brunelli écrivait à M. Sauvebon : «... Je m'arrangeai donc, en sortant de la cathédrale, pour ne pas perdre de vue M. Jaurès. J'étais là, non loin de lui, à ruminer comment je pouvais lier conversation avec lui, quand le hasard me servit, et j'eus la chance — M. Jaurès étant fort occupé à regarder de vieilles maisons, sans prendre le soin de monter sur le trottoir — d'être à portée de la main quand une auto qui passait faillit le renverser. Je le saisis par le bras, et le tirai en arrière.

« Il me remercia, et je le saluai par son nom. J'étais Français, nous avions fait connaissance. De plus nous habitions au même hôtel. Je me donnai pour un millionnaire excentrique, et c'était gagner un peu sa confiance que de ne pas avoir honte de ma richesse en lui parlant. Je lui dis que je venais du Maroc, où on m'avait laissé circuler sans méfiance à cause de ma fortune, et je lui fis un tableau effrayant de ce qui se passe là-bas. Il fut très intéressé, me dit qu'il m'interrogerait là-dessus plus en détail, ou si je voulais lui donner des notes. Je n'avais pas à me forcer pour inventer des histoires sur la cruauté française au Maroc. Il me suffisait de répéter ce que j'ai entendu raconter par un aide de camp du général Lyautey, il y a seulement quelques semaines, sans embellir. Et vous savez que je suis une âme sensible.

« Nous avons été ensemble, le grand Tribun et moi, voir de la peinture. Il y a des trésors artistiques à Bâle. Pour mon compte je préfère Paul Chabas à ces vieux peintres, mais Jaurès, ma parole, à force d'éloquence, m'a fait trouver admirable presque n'importe quoi.

« Il m'a promis de me faire avoir une place au Congrès avec les journalistes, et je l'en ai vivement remercié. Cela nous a tout naturellement amenés à parler des dangers d'une guerre. A vrai dire, Jaurès ne croit pas à la possibilité d'une guerre, à ce qu'il m'a semblé. C'est-à-dire qu'il croit à la possibilité d'une guerre, mais qu'il est fermement persuadé que les ouvriers de tous les pays empêcheront ça. Il a grande confiance dans les ouvriers allemands, et il dit que c'est le principal, parce qu'il croit que la question essentielle est la question franco-allemande, et que jamais les Français ne prendront l'offensive. Le danger lui paraît venir de la caste militaire allemande. Il m'a parlé longuement, et avec beaucoup d'enthousiasme, d'une manifestation qui a eu lieu aux environs de Berlin, à Treptow si je me souviens bien, en septembre de l'autre année. Des centaines de milliers d'ouvriers y étaient venus protester contre les événements d'Agadir et la possibilité d'une guerre qui eût pour base les ambitions allemandes au Maroc. Le lendemain, le kaiser prononçait un discours qui témoignait d'un recul, et Jaurès affirme que c'est bien plutôt cela que la ferme attitude du gouvernement français, et le vibrant discours de notre président à Toulon, qui a sauvé la paix pour cette fois.

« Il me semble en fait que ce soit en des manifestations de ce genre que réside le fin mot des projets socialistes en cas d'alerte. Par ailleurs, M. Jaurès m'a parlé de ses vues sur la réorganisation de l'armée, et je dois dire que, pour paradoxales qu'elles soient, elles ne m'ont paru ni folles, ni impossibles, ni même dépourvues d'esprit patriotique. »

Brunelli notait en passant plusieurs propos tenus dans la salle à manger des *Trois Rois* et concluait :

« Vous avouerez que pour un début cela n'est pas trop mal. Du premier coup, je parle au principal acteur de la comédie et c'est lui qui me loge à l'avant-scène. A part cela, le petit appareil est excellent. J'en ai fait quelques essais et je pense que vous aurez tous les portraits que vous désirez. Parmi les Allemands, j'ai déjà pu approcher un instant d'une femme qu'on considère comme l'un des plus dangereux éléments qui soient venus ici. On l'appelle Zetkin, mais je ne suis pas sûr de l'orthographe : je vérifierai... »

II

Clara Zetkin à Bâle a déjà passé la cinquantaine. La longue vie, la longue histoire qu'elle a derrière elle, n'est rien au prix de celle qui s'ouvre à son avenir.

Elle n'est pas belle, mais il y en a elle quelque chose de fort, qui dépasse la femme. Plutôt petite, elle surprend par la largeur des traits. Ses cheveux sont blonds encore, et de cette espèce de cheveux lourds que ni peigne ni épingles ne peuvent jamais retenir. Le squelette du visage est marqué, puissant. On ne peut pas dans une foule faire autrement que de la voir. Elle est assez négligemment habillée, mais ce ne sont pas ses corsages rayés, ou la fourrure mal assise sur ses épaules, qui retiennent l'attention, qui l'attirent sur elle. Ce qu'il y a d'insolite en elle, ce sont ses yeux.

L'auteur de ce livre a vu vingt ans plus tard Clara Zetkin presque mourante. Alors encore, à Moscou, épuisée par la maladie et l'âge, décharnée et ne retrouvant plus son souffle au bout de phrases qui semblaient chacune venir comme une flèche du passé vivant qu'elle incarnait, alors encore elle avait ces yeux démesurés et magnifiques, les yeux de toute l'Allemagne ouvrière, bleus et mobiles, comme des eaux profondes traversées par des courants. Cela tenait des mers phosphorescentes, et de l'aïeul légendaire, du vieux Rhin allemand.

Dans la nuit qui précéda le congrès de Bâle, à l'hôtel des *Trois Rois*, un espion, avec le zèle du débutant, développe dans sa chambre une photo de Clara Zetkin qu'il est arrivé à prendre l'après-midi dans la rue. Il se penche sur la cuve, il est terriblement intéressé, parce que c'est la première photo qu'il fait avec le petit appareil que lui a remis M. Sauvebon, de Genève, dissimulé dans le pommeau de sa canne. Le cliché est minuscule, mais net, et il est aisé de l'agrandir. L'homme se penche sur la cuve, et il voit apparaître l'image de Clara Zetkin, qui ira dans un dossier de police, au Deuxième Bureau du ministère de la Guerre où l'on prépare secrètement la riposte à ce congrès de plein jour qui va se tenir le lendemain.

L'espion est un homme cynique, mais que la nouveauté de son métier sans doute rend nerveux. Car cet individu, habitué aux plus belles femmes de Paris, se prend tout à coup, oubliant qu'il a devant lui le portrait d'une vieille femme, à rêver devant ce regard étrange qu'il a surpris comme un voleur. Il ne remarque pas la mince bouche germanique aux coins tombants, la bouche de Goethe et de Hegel, non : il ne voit que le regard, les yeux clairs de Clara.

Qu'y lit-il? Les prisons des années de la guerre ou cette heure éclatante où la vieille femme surgit, malgré toute la police française, en plein Congrès de Tours en 1921, et y porte la parole de feu d'où naît le parti communiste français? Il regarde probablement sans plus cette ennemie, comme une autre, avec l'idée de s'en graver les traits dans la mémoire. C'est un homme pour qui les femmes qui s'occupent de politique ont toujours quelque chose de ridicule, mais il vient un instant de l'oublier.

A cette même minute, dans une chambre d'hôtel à Bruxelles, Catherine Simonidzé déballe ses affaires. Assise au milieu de ses valises, elle a ouvert une boîte d'où s'échappent des instantanés jaunis, les quelques souvenirs qu'elle traîne de sa vie. Comme tout cela lui est étranger maintenant! Un portrait dédicacé d'Henri Bataille, un groupe à Viroflay avec Régis, Brigitte et Mercurot... Garry qu'elle déchire. Elle se souvient d'autres arrivées à l'hôtel, jadis avec sa mère, enfant, dans des palaces. L'image de Grigori sortie avant toute chose. Pour la première fois, elle songe qu'elle ne possède aucune photo de Victor... Entre toutes les images du monde et ses yeux, s'interposent de récentes images, celles que sa mémoire a gardées de la prison. Toute la déchéance et toute la grandeur humaines. Elle a vu à Saint-Lazare des prostituées et des ouvrières. Tout est un peu plus affreux qu'on ne l'imagine : mais il en est resté dans son cœur une certitude. Elle sait maintenant ce qu'est le sort des femmes. Elle sait qu'à tout prendre, il y a deux sortes de femmes. Elle est sortie du parasitisme et de la prostitution. Le monde du travail s'ouvre à elle. Il avait raison, Victor.

Il avait raison, Victor, mais je ne puis plus parler de Catherine. Hésitante, vacillante Catherine, comme elle s'approche lentement de la lumière! Nous sommes pourtant déjà à la fin de l'année 12, et déjà toute une humanité existe de laquelle les Catherine Simonidzé ne font qu'entrevoir les ombres au travers d'un écran. Clara Zetkin a dépassé la cinquantaine, voyons donc. Je prends Clara Zetkin comme un exemple, mais tout me ramènerait invinciblement à elle.

On dira que l'auteur s'égare, et qu'il est grand temps

qu'il achève par un roulement de tambour un livre où c'est à désespérer de voir soudain surgir, si tardivement, cette image de femme qui aurait pu en être le centre, mais qui ne saurait venir y jouer un rôle de comparse. On dira que l'auteur s'égare, et l'auteur ne le contredira pas. Le monde, lecteur, est mal construit à mon gré, comme à ton gré mon livre. Oui, il faut refaire l'un et l'autre, avec pour héroïne une Clara, et non point Diane, et non point Catherine. Si je t'en donne un peu le goût, la simple velléité, tu peux déchirer ce bouquin avec mépris, que m'importe!

Mais en attendant, s'il me plaît, je te parlerai sans fin des yeux de Clara... Quoi? tu croyais que j'en avais tout dit? De ces yeux qui devaient un jour, du haut de la tribune présidentielle du Reichstag, à la veille même de la tourmente hitlérienne, parcourir posément les bancs bondés d'ennemis, mesurant l'immense travail à faire... et c'est alors que la vieille combattante annonça de sa voix calme l'avènement à venir des Soviets d'Allemagne... tu croyais qu'avec deux ou trois comparaisons j'avais épuisé ce que j'ai à dire de ces yeux? Quand ce sont vraiment les yeux de cette vieille femme, tous les yeux des femmes de demain, la jeunesse des yeux de demain! Avant que j'aie épuisé les images du ciel et les métaphores marines, avant que dans les abîmes et dans les clartés j'aie pris tout ce que je puis utiliser pour te donner une petite idée de ce qui peut se dire de ces aurores qui s'ouvrent sur le XXe siècle comme des fenêtres dans l'ignorance et dans la nuit, tu devras te rendre, lecteur. Mais j'ai pitié de ta patience, et puis, il y a grand besoin aussi de ta force, à toi, pour transformer le monde. A toi aussi.

III

Le 24 novembre à dix heures du matin, au Burgvogteilhalle, le Congrès fut ouvert par le Belge Anseele qui remplaçait à la présidence Vandervelde, malade. Deux Belges l'assistaient, Camille Huysmans et Furnémont. Pablo Iglesias n'était pas arrivé pour l'ouverture. Au bureau siégeaient Bebel, Vaillant, Kautsky, Adler, Jaurès, Keir Hardie, Branting, Rosa Luxembourg, Pernerstorfer, Greulich et Sakasoff. La chorale socialiste de Bâle y alla d'une cantate. Cinq cents délégués répondaient à l'appel.

Le premier discours fut celui du socialiste bâlois Wurschleger, parlant au nom de la section locale du parti, et au nom du gouvernement. Il apportait une affirmation singulièrement rassurante : le prolétariat n'était pas seul à vouloir engager la lutte contre la guerre : « Certains éléments éclairés de la bourgeoisie s'y associent du fond de leur cœur. C'est la raison pour laquelle nous avons pu avoir ici même pour la démonstration pacifique la cathédrale et que tout à l'heure on lira une adresse du gouvernement tout entier de Bâle au Congrès... »

Au-dehors le bourdon grave de la cathédrale commentait avec sa voix venue du fond des temps l'optimisme de Wurschleger. Par tous les bouts de la ville il arrivait de plus en plus de gens bigarrés, de délégations portant leurs drapeaux roulés, s'interpellant. Une petite bruine faisait hocher la tête au monde. Dommage... mais aussi qu'attendre d'une pareille saison? Les maisons se vidaient, des paysans entraient dans la ville. Les brasseries étaient pleines. Tous descendaient vers les casernes. Il y avait foule autour du bâtiment du congrès. Les délégués en sortirent vers midi au milieu d'une curiosité pressante, comme la voix de la cathédrale se faisait plus haute, plus impérieuse, interminable. On avait beau penser que la cathédrale était de la partie, que c'était dans la cathédrale qu'allait retentir la parole de la paix, le bruit des cloches prenait irrémédiablement l'accent du tocsin. Elles sonnaient la guerre, le danger. Elles ne pouvaient pas se déshabituer d'un rôle séculaire. Elles gémissaient pesamment comme au temps de Charles le Téméraire. N'était-ce pas encore du côté du Saint-Empire qu'était la menace? C'était comme un air qui ne va pas avec les mots de la chanson. Les rues regorgeaient de costumes campagnards, culottes courtes, chemises fraîches, bonnets verts. Des flûtes s'essayaient dans des cours.

Près de la caserne, le cortège se formait.

Il s'ébranla vers deux heures.

La foule immense entourait ce serpent de trente mille têtes. Des gens étaient venus du pays de Bade, d'Alsace-Lorraine, de la Suisse entière. Le cortège était compact, on s'y sentait les épaules. Des bannières et des banderoles partout. Au rouge des drapeaux se mêlait tout un parterre de couleurs, ornements, costumes. Douze fanfares jouaient des airs qui se chassaient l'un l'autre, du *Ranz des Vaches* à l'*Internationale*. Là-dessus, sans arrêt déferlait le refrain des cloches.

En tête du cortège cent cyclistes du parti socialiste s'avançaient, déblayant le terrain. Ils marchaient avec cette lenteur difficile qui faisait soudain que l'un d'eux, incapable de se retenir, partait de côté. Les rues s'ouvraient devant cet escadron pacifique. Puis venaient les jeunesses socialistes de Bâle. Ici commençait l'idylle.

C'étaient des centaines de jeunes gens en costume national ; imaginez des Guillaume Tell de vingt ans marchant en foule, avec le petit chapeau, la chemise aux manches larges, les bretelles vertes, le genou nu sortant de la culotte, l'arbalète au côté. Ils s'avançaient sous les cloches, archaïques, comme une première offrande au dieu de la guerre. Ces héros d'opéra avaient l'air de marcher sous un tir de barrage d'artillerie. Ils s'avançaient au son perçant des fifres, jouant et gambadant, malgré le sinistre novembre. Cette noce villageoise n'avait pas l'air d'entendre le funèbre glas qui maintenant s'était établi sur la ville comme un maître incontesté.

Derrière le cortège des Guillaume Tell venaient les jeunes filles. Vêtues de blanc, avec des robes à l'antique, mêlant ainsi les époques et les mythologies. Les unes à pied, les autres sur des chars. Elles portaient des emblèmes pacifiques, avec des colombes, des gerbes, des outils de carton. Presque toutes avaient leurs cheveux épars.

Des enfants en blanc avec de courtes tuniques agitaient des palmes sur lesquelles il était écrit en lettres d'or qu'il est plus glorieux de sécher les larmes que de répandre des torrents de sang. Et juste derrière ce groupe marchaient, non pas le Christ entrant à Jérusalem, mais dans leurs vêtements sombres Jaurès et Kautsky. Les délégués s'avançaient au milieu des drapeaux. Il y en avait une masse. La plupart n'étaient pas de simples oriflammes rouges, mais portaient des emblèmes corporatifs qui ramenaient le défilé en plein Moyen Age.

Sur un char décoré comme pour une bataille de fleurs, entièrement de fleurs blanches, une reine de la Paix, entourée de ses dames d'honneur, soufflait dans une trompette d'argent. Ainsi le cortège touchait à l'opéra et au carnaval. Mais la volée des cloches semblait répondre d'une façon lugubre à cette légèreté humaine, à cet étrange manque de sérieux, où s'étalaient les graves figures des chefs de la social-démocratie.

Les groupes nationaux, séparés par un intervalle marqué, se succédaient en chantant, les Allemands, les Hongrois, les Croates, les Français, les Belges, les Anglais, les Russes. Les chants n'étaient pas les mêmes : chaque pays avait sa chanson. Les Français ne savaient que l'*Internationale*. L'unité de tout cela, qui était par moments d'une discordance affreuse, était faite au bout du compte par la sonnerie des cloches, qui s'affolait. Quatre ouvriers portaient dans le cortège un énorme livre où étaient inscrits les mots : BAS LES ARMES!

Quand le cortège atteignit la cathédrale, on vit les drapeaux converger vers le grand portail, et ils semblèrent former une immense rose rouge happée par une gueule de géant. La marée humaine envahit la cathédrale et l'emplit jusqu'aux derniers recoins. Plus de deux fois ce qui put s'y caser resta au-dehors, vingt mille personnes environ. Cela se distribua tout autour de la cathédrale, notamment sur la terrasse qui domine le Rhin, en quatre grands meetings où Vaillant, entre autres, parla.

La cathédrale ayant mangé dix mille socialistes lança encore quelques clameurs éperdues. Puis tout d'un coup les cloches se turent, et ce fut comme devant une maison où il y a un mourant, quand on a répandu de la paille sur le trottoir.

Les cloches écoutaient les orateurs.

IV

Un jour les manuels d'histoire raconteront les nobles discours et les grandes pensées qui retentirent au congrès de Bâle. Ce n'est ici ni notre tâche ni notre ambition. Quand on aura montré Blocker, président socialiste du gouvernement de Bâle, s'inclinant devant la religion chrétienne, comme bon nombre d'autres orateurs qui n'arrivaient pas à se remettre de parler sous les voûtes d'une cathédrale ; quand on aura montré le vieux Bebel lui-même remerciant l'évêque et affirmant que, si le Christ revenait, il ne se joindrait pas aux chrétiens mais aux socialistes ; quand on aura pourtant rapporté les mots du vieux Bebel, affirmant d'autre part que ceux qui disent *Paix sur la terre aux hommes de bonne volonté!* auront plus grande joie encore à monter en chaire pour pousser le peuple à la guerre meurtrière, à l'anéantissement de l'humanité et à la destruction de toutes choses ; quand on aura montré Greulich et Keir Hardie voyant dans les victoires électorales du socialisme la garantie de la paix ; Sakasoff plaidant la lutte pacifique pour la paix ; et tous les autres... Haase, comme un homme déjà qui a mauvaise conscience, s'embrouille à parler des cloches et de la guerre des Balkans ; Adler cherche son inspiration dans l'Évangile, qu'a dit le Polonais Dasinsky? Quand on aura dans chaque discours recueilli le ferment révolutionnaire noyé dans les phrases, l'appel à tous les moyens contre la guerre chez Vaillant, à l'action légale ou révolutionnaire chez Jaurès, nous n'aurons rien entendu du grand cœur qui battit ce jour-là dans Bâle.

Peut-être bien qu'il y avait plus de ridicule que d'efficacité à cette parade des Guillaume Tell et des Anges de la Paix. Peut-être que la bouffonnerie l'emportait sur le tragique. Peut-être que, dans ce défilé de bonzes solennels, nous ne pouvons plus aujourd'hui qu'apercevoir les visages des traîtres qui devaient, dix-huit mois plus tard, livrer aux seigneurs de la guerre les prolétariats européens. Peut-être bien.

Pourtant dans cette fête, où s'élève un double parfum d'encens et de pourriture, présages des terribles charniers du Masurenland ou de Verdun, je ne ris pas du geste des enfants qui sèment des fleurs. Que seront-ils un jour, ces jeunes coryphées de 1912 ? Leurs mains apprendront à tenir des fusils. Il jetteront un jour des fleurs meurtrières, des grenades, avec ces mêmes mains.

Je ne ris pas de cet immense peuple rassemblé dans Bâle, de cet immense espoir qui sera frustré. Il n'y a pas parmi ces gens-là que des traîtres, il y a aussi des hommes marqués d'un doigt sanglant. Je jette les yeux sur cette terrasse qui surplombe le Rhin et où pour la minute parle Pressencé. J'y vois des milliers et des milliers d'hommes jeunes, vivants. Leur chair est chaude, palpitante. Le sang vient à leurs joues. Ils ont les mouvements aisés des corps qui travaillent. Leurs femmes sont avec eux, leurs promises, leurs enfants. Ils ont des mouvements inattendus, ils touchent gaiement leurs voisins, leurs yeux s'allument, se posent doucement sur des lèvres, des seins. Ils ont des désirs d'hommes, ils ont faim, soif, ils éprouvent de la langueur quand une fille élève son bras nu. Ils suivent des yeux avec confiance les gestes de l'orateur, les frémissements rouges des drapeaux. Cet immense troupeau est venu ici comme à une fête. J'ai peur de regarder en face son destin.

C'est épouvantable comme un train de banlieue le dimanche si l'on savait d'avance à quelle catastrophe il va. Par exemple, ce groupe de paysans badois...

... C'était un Badois, ce gosse de la classe 19 à côté d'Oulchy-la-Ville, je crois bien, le 2 août 1918. Les canons français avaient inondé le plateau de nouveaux gaz asphyxiants dont nous ignorions les effets, et quand ce garçon de dix-neuf ans, perdu, aveuglé, arriva sur nous qui étions à l'abri du talus de la route, les mains lancées en avant, je vis qu'il avait quelque chose d'anormal au visage. Un instant il hésita, puis comme quelqu'un qui a très mal à la tête, il porta sa paume gauche à son visage et le serra un peu dans ses doigts. Quand sa main redescendit, elle tenait une chose sanglante, innommable : son nez. Ce qu'il était advenu de sa figure, pensez-y un peu longuement...

Je n'ai jamais depuis ce temps tout à fait perdu l'odeur de la gangrène, qui n'est pas absolument la même sur la charogne de l'homme et sur celle du cheval. Je la ressens parfois en rêve. Cela me réveille. Je suis dans un lit. Il n'y a pas de cadavre à côté. Je souris dans la nuit avec une expression obtuse et reposée. Allons, cela reviendra peut-être, mais on n'y est pas encore.

Nous étions à Bâle, je crois bien.

Nous autres, rien ne nous arrête : nous n'avons aucune peine à tracer notre chemin à travers la foule jusque dans la cathédrale pleine comme un œuf. Songez combien de ces bras, de ces jambes, qu'il nous faut écarter pour faire notre passage, tomberont de ces corps vigoureux dans les ans à venir. Nous traversons un meeting de mutilés et de cadavres. Jaurès parle dans la cathédrale.

Ah, l'observateur du Deuxième Bureau, si fier d'avoir roulé hier le grand Tribun, se tait maintenant, et écoute.

Il écoute de toutes ses oreilles, il n'est plus si sûr du beau travail qu'il a fait. Avec tout ce que vous voudrez de défauts, d'erreurs, Jaurès, à cette minute où la parole encore une fois l'emporte au-delà de sa raison bourgeoise, où il sent, lui, battre ce cœur ouvrier qu'il exprime après tout, malgré tout, Jaurès incarne vraiment la lutte contre la guerre, et les mots qu'il prononce aujourd'hui retentiront jusqu'au fond d'une étude de l'école Stanislas, où le pion Villain en recueille déjà l'écho avec haine et déjà à Bâle dans la tête de l'homme du Deuxième Bureau, ces mots éveillent comme une nécessité l'idée de l'assassinat.

Jamais dans cette église, où, à des heures périlleuses, les chefs de la chrétienté ont jadis réuni un concile, dont le congrès d'aujourd'hui semble la réplique moderne et fantastique, jamais dans cette église où s'est prosternée pendant des siècles une bourgeoisie orgueilleuse et encline aux arts, jamais dans cette église une si grande voix n'a retenti, une si grande poésie n'a atteint les cœurs.

Jaurès parle des cloches de Bâle : « ... les cloches dont le chant faisait appel à l'universelle conscience... », et les cloches de Bâle se remettent à sonner dans sa voix. Tout ce qu'elles ont carillonné dans leur vie de cloches, ces cloches, repasse à présent sous ces voûtes avec la chantante emphase de Jaurès. Repasse avec le charme qu'il sait donner aux mots, le charme de cloches de ses mots. Ce sont tous les maux de l'humanité, faussement conjurés par les religions et leurs rites. C'est l'espoir de la révolution qui monte à travers le discours qui s'emballe. Bal des mots, balle des sons. Les idées sont comme des chansons dans la cathédrale de Bâle. L'inscription que Schiller, ce grand poète médiocre, a gravée sur la cloche symbolique de son plus célèbre poème, Jaurès ici la reprend d'une façon théâtrale : « J'appelle les vivants, je pleure les morts et je brise les foudres! »

Nous sommes à deux doigts de l'abîme, et celui qui sera tué le premier crie cette phrase magique. Les vivants et les morts l'écoutent debout, serrés dans l'abside et les chapelles. La nef s'étonne, jusqu'en haut des ogives, des paroles à faire jaillir les pavés des rues. Le chœur, plein de drapeaux, frissonne, couleur de sang : « J'appelle les vivants, je pleure les morts et je brise les foudres! »

A travers tout le ciel d'Europe, et là-bas dans l'Amérique lointaine, il s'amasse des nuages obscurs, chargés de l'électricité des guerres. Les peuples les voient s'amonceler, mais à la fois leur ombre cache leur origine. Les Wisner, les Rockefeller, les de Wendel, les Finaly, les Krupp, les Poutilov, les Morgan, les Joseph Quesnel s'agitent dans un monde supérieur, fermé aux foules, où se joue le destin des foules. Des chiffres s'inscrivent à des tableaux noirs. De petits rubans perforés se déroulent dans des appareils automatiques. La guerre. La guerre se prépare. Elle est là. « J'appelle les vivants, je pleure les morts, et je brise les foudres! »

Hélas, la conjuration est vaine. Les foudres ne seront pas brisées. Les vivants... mais qui peut encore se parer de ce nom merveilleux à cette heure? Quand tout est si précaire et que, comme un rien, d'un vivant l'on te fabrique un mort. « Les gouvernements devraient se rappeler, dit Jaurès, quand ils évoquent le danger de guerre, comme il serait facile pour les peuples de faire le simple calcul que leur propre révolution leur coûterait moins de sacrifices que la guerre des autres. »

Il se tait. La cathédrale va-t-elle crouler sous les acclamations et les hourras? Le triomphe de Jaurès est un triomphe sanglant. Les maîtres de la guerre et de la paix ne le lui pardonneront jamais. Nous qui l'applaudissons, nous votons son arrêt de mort.

V

Dans le numéro de *L'Humanité* qui rend compte du congrès de Bâle, il est un discours dont pas une phrase n'a été rapportée. La mention du fait que ce discours a été prononcé y a même été omise. La présence au congrès de l'orateur n'est pas signalée dans ce journal. D'après *L'Humanité* du lendemain, impossible de soupçonner même la présence à Bâle de la militante allemande Clara Zetkin, qui y prit la parole au nom de toutes les femmes socialistes.

« Si nous, les mères, nous inspirions à nos enfants la haine la plus profonde de la guerre, si nous implantions en eux dès leur plus tendre jeunesse le sentiment, la conscience de la fraternité socialiste, alors le temps viendrait où à l'heure du danger le plus pressant il n'y aurait pas sur terre de pouvoir capable d'arracher cet idéal de leurs cœurs. Alors, dans les temps du danger et du conflit le plus terrible, ils penseraient d'abord à leur devoir d'homme et de prolétaire.

« Si nous, les femmes et les mères, nous nous élevons contre les massacres, ce n'est pas que, dans notre égoïsme et notre faiblesse, nous soyons incapables de grands sacrifices pour de grands objets, pour un grand idéal ; nous avons passé par la dure école de la vie dans la société capitaliste, et à cette école nous sommes devenues des combattantes...

« Aussi pouvons-nous affronter notre propre combat et tomber s'il en est besoin pour la cause de la liberté... »

Elle parle. Elle parle non point comme une femme isolée, comme une femme qui a pris conscience pour elle-même d'une grande vérité, comme une femme à qui des circonstances exceptionnelles ont donné les connaissances et les facultés d'un homme, comme une femme de génie, née dans un laboratoire humain.

Elle parle au contraire comme une femme, pour les autres femmes, pour exprimer ce que pensent toutes les femmes d'une classe. Elle parle comme une femme dont l'esprit s'est formé dans les conditions de l'oppression, au milieu de sa classe opprimée. Elle n'est pas une exception. Ce qu'elle dit vaut parce que des milliers, des millions de femmes le disent avec elle. Elle s'est formée comme elles, non pas dans le calme de l'étude et de la richesse, mais dans les combats de la misère et de l'exploitation. Elle est simplement à un haut degré d'achèvement le nouveau type de femme qui n'a plus rien à voir avec cette poupée, dont l'asservissement, la prostitution et l'oisiveté ont fait la base des chansons et des poèmes à travers toutes les sociétés humaines, jusqu'aujourd'hui.

Elle est la femme de demain, ou mieux, osons le dire : elle est la femme d'aujourd'hui. L'égale. Celle vers qui tend tout ce livre, celle en qui le problème social de la femme est résolu et dépassé. Celle avec qui tout simplement ce problème ne se pose plus. Le problème social de la femme avec elle ne se pose plus différemment de celui de l'homme. « C'est précisément parce que la victoire future du socialisme se prépare dans le combat contre la guerre, s'écrie-t-elle, que nous autres femmes, nous renforçons ce combat. Moins encore que pour les ouvriers, les états nationaux peuvent être pour nous une patrie véritable. Nous devons nous-mêmes créer cette patrie dans la société socialiste qui seule garantit les conditions de la complète émancipation humaine. »

Maintenant, ici, commence la nouvelle romance. Ici finit le roman de chevalerie. Ici pour la première fois dans le monde la place est faite au véritable amour. Celui qui n'est pas souillé par la hiérarchie de l'homme et de la femme, par la sordide histoire des robes et des baisers, par la domination d'argent de l'homme sur la femme ou de la femme sur l'homme. La femme des temps modernes est née, et c'est elle que je chante.

Et c'est elle que je chanterai.

FIN

DU MÊME AUTEUR

Poèmes

FEU DE JOIE (*Au Sans pareil*).
LE MOUVEMENT PERPÉTUEL (*N. R. F.*).
LA GRANDE GAITÉ (*N. R. F.*).
VOYAGEUR (*The Hours Press*).
PERSÉCUTÉ PERSÉCUTEUR (*Éditions Surréalistes*).
HOURRA L'OURAL (*Denoël*).
LE CRÈVE-CŒUR (*N. R. F. – Conolly, Londres*).
CANTIQUE A ELSA (*Fontaine, Alger*).
LES YEUX D'ELSA (*Cahiers du Rhône, Neuchâtel-Conolly Seghers*).
BROCÉLIANDE (*Cahiers du Rhône*).
LE MUSÉE GRÉVIN (*Bibliothèque Française – Éditions de Minuit – Fontaine – La Porte d'Ivoire, E. F. R.*).
EN FRANÇAIS DANS LE TEXTE (*Ides et Calendes*).
NEUF CHANSONS INTERDITES (*Bibliothèque Française*).
FRANCE, ÉCOUTE (*Fontaine*).
JE TE SALUE, MA FRANCE (*F. T. P. du Lot*).
CONTRIBUTION AU CYCLE DE GABRIEL PÉRI (*Comité National des Écrivains*).
LA DIANE FRANÇAISE (*Bibliothèque Française – Seghers*).
EN ÉTRANGE PAYS DANS MON PAYS LUI-MÊME (*Éditions du Rocher Seghers*).
LE NOUVEAU CRÈVE-CŒUR (*N. R. F.*).
LES YEUX ET LA MÉMOIRE (*N. R. F.*).
MES CARAVANES (*Seghers*).
LE ROMAN INACHEVÉ (*N. R. F.*).
ELSA (*N. R. F.*).
LES POÈTES (*N. R. F.*).
LE FOU D'ELSA (*N. R. F.*).
LE VOYAGE DE HOLLANDE (*Seghers*).
IL NE M'EST PARIS QUE D'ELSA (*Robert Laffont*).
LE VOYAGE DE HOLLANDE ET AUTRES POÈMES (*Seghers*).
ÉLÉGIE A PABLO NERUDA (*N. R. F.*).
LES CHAMBRES (*E. F. R.*).

Proses

ANICET OU LE PANORAMA, roman (*N. R. F.*).
LES AVENTURES DE TÉLÉMAQUE (*N. R. F.*).
LES PLAISIRS DE LA CAPITALE (*Berlin*).
LE LIBERTINAGE (*N. R. F.*).
LE PAYSAN DE PARIS (*N. R. F.*).
UNE VAGUE DE RÊVES (*Hors commerce*).
LA PEINTURE AU DÉFI (*Galerie Gæmans*).
TRAITÉ DU STYLE (*N. R. F.*).
POUR UN RÉALISME SOCIALISTE (*Denoël*).
MATISSE EN FRANCE (*Fabiani*).
LE CRIME CONTRE L'ESPRIT PAR LE TÉMOIN DES MARTYRS (*Presses de « Libération » – Bibliothèque Française – Éditions de Minuit*).
LES MARTYRS (Le crime contre l'esprit) (*Suisse*).
SERVITUDE ET GRANDEUR DES FRANÇAIS (*E. F. R.*).
SAINT-POL ROUX OU L'ESPOIR (*Seghers*).
L'HOMME COMMUNISTE, I et II (*N. R. F.*).
LA CULTURE ET LES HOMMES (*Éditions Sociales*).
CHRONIQUES DU BEL CANTO (*Skira*).
LA LUMIÈRE ET LA PAIX (*Lettres Françaises*).
LES EGMONT D'AUJOURD'HUI S'APPELLENT ANDRÉ STIL (*Lettres Françaises*).
LA « VRAIE LIBERTÉ DE LA CULTURE » : *réduire notre train de mort pour accroître notre train de vie* (*Lettres Françaises*).
L'EXEMPLE DE COURBET (*Cercle d'Art*).
LE NEVEU DE M. DUVAL, *suivi d'une lettre d'icelui à l'auteur de ce livre* (*E. F. R.*).
LA LUMIÈRE DE STENDHAL (*Denoël*).
JOURNAL D'UNE POÉSIE NATIONALE (*Henneuse*).
LITTÉRATURES SOVIÉTIQUES (*Denoël*).
J'ABATS MON JEU (*E. F. R.*).
IL FAUT APPELER LES CHOSES PAR LEUR NOM (*Parti Communiste Français*).
L'UN NE VA PAS SANS L'AUTRE (*Henneuse*).
LA SEMAINE SAINTE, roman (*N. R. F .*).
ENTRETIENS AVEC FRANCIS CRÉMIEUX (*N. R. F.*).
LA MISE A MORT (*N. R. F.*).
LES COLLAGES (*Hermann*).
BLANCHE OU L'OUBLI, roman (*N. R. F.*).
JE N'AI JAMAIS APPRIS A ÉCRIRE OU LES INCIPIT (*Skira*).
HENRI MATISSE, ROMAN (*N. R. F.*).

Romans

LE MONDE RÉEL :

LES CLOCHES DE BALE (*Denoël*).
LES BEAUX QUARTIERS (*Denoël*).
LES VOYAGEURS DE L'IMPÉRIALE (*N. R. F.*).
AURÉLIEN (*N. R. F.*).
LES COMMUNISTES (*E. F. R.*). :
I. Février-septembre 1939.
II. Septembre-novembre 1939.
III. Novembre 1939-mars 1940.
IV. Mars-mai 1940.
V. Mai 1940.
VI. Mai-juin 1940.

En collaboration avec Jean Cocteau

ENTRETIENS SUR LE MUSÉE DE DRESDE (*Cercle d'Art.*).

En collaboration avec André Maurois

HISTOIRE PARALLÈLE DES U. S. A. ET DE L'U. R. S. S. (*Presses de la Cité*).
LES DEUX GÉANTS, *édition illustrée du même ouvrage* (*Robert Laffont*).

En cours de publication

ŒUVRES ROMANESQUES CROISÉES D'ELSA TRIOLET ET ARAGON, 32 volumes (*Robert Laffont*).

Traductions

LA CHASSE AU SNARK, de Lewis Carroll (*The Hours Press – Seghers*).
DJAMILA, de Tchinguiz Aitmatov (*E. F. R.*).

Cet ouvrage
a été achevé d'imprimer
sur les presses de l'Imprimerie Bussière
à Saint-Amand (Cher), le 2 janvier 1980.
Dépôt légal : 1er trimestre 1980.
N° d'édition : 26070.
Imprimé en France.
(2505)

dismisses Jean
p 209
insight in control
Blaise pathetic
p 224

½ lb lean pork
2 onions
4 oz mushrooms
8 oz toms.
3 green peppers

4-5 sides.

26070